#3주_완성
#쉽게
#빠르게
#재미있게

초등
수학 전략

Chunjae
Makes
Chunjae

▼

[수학 전략]

기획총괄 김안나
편집개발 이근우, 김정희, 서진호, 한인숙, 김현주,
최수정, 김혜민, 박웅, 김정민
디자인총괄 김희정
표지디자인 윤순미, 안채리
내지디자인 박희춘
제작 황성진, 조규영

발행일 2022년 5월 15일 초판 2022년 5월 15일 1쇄
발행인 (주)천재교육
주소 서울시 금천구 가산로9길 54
신고번호 제2001-000018호
고객센터 1577-0902

※ 정답 분실 시에는 천재교육 교재 홈페이지에서 내려받으세요.
※ KC 마크는 이 제품이 공통안전기준에 적합하였음을 의미합니다.
※ 주의
책 모서리에 다칠 수 있으니 주의하시기 바랍니다.
부주의로 인한 사고의 경우 책임지지 않습니다.
8세 미만의 어린이는 부모님의 관리가 필요합니다.

수학 전략

초등 수학 3-2

이 책의 **구성과 특징** — 3주 완성

핵심 개념

단원별로 꼭 필요한 핵심 개념을 만화를 보면서
재미있게 익힐 수 있도록 하였습니다.

개념 돌파 전략❶, ❷

개념 돌파 전략❶에서는 단원별로
기본적인 개념을 설명하고 개념의 기초를 확인하는
문제를 제시하였습니다.
개념 돌파 전략❷에서는 기본적인 개념을 알고 있는지
문제로 확인할 수 있습니다.

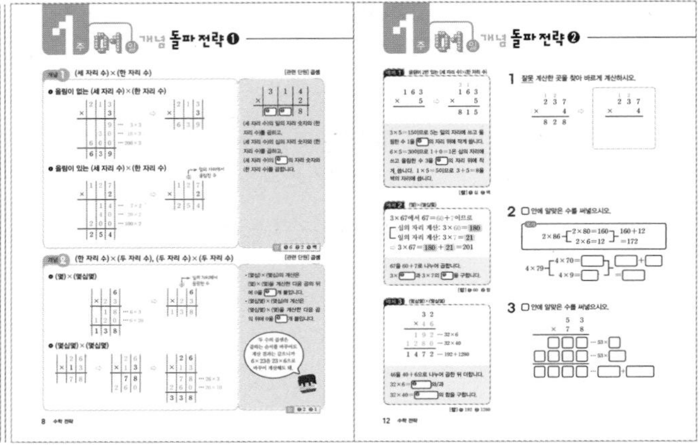

필수 체크 전략❶, ❷

필수 체크 전략❶에서는 단원별로
중요한 유형을 선택하여 반복 연습할 수 있도록
하였습니다.
필수 체크 전략❷에서는 추가적으로
중요한 유형을 선택하여 문제로 확인할 수 있도록
하였습니다.

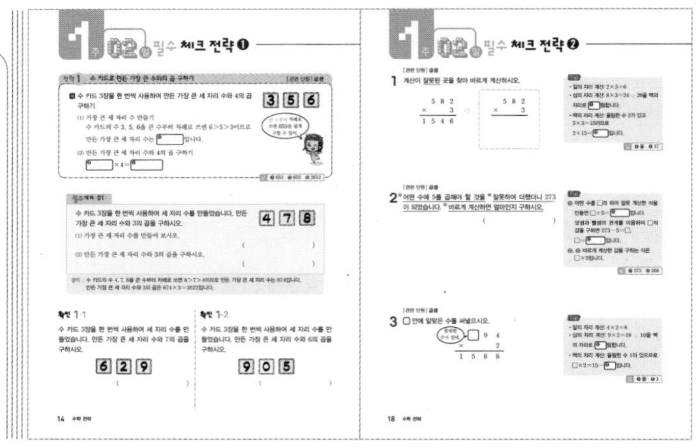

1주에 4일 구성+1일에 6쪽 구성

교과서 대표 전략❶, ❷

교과서 대표 전략❶에서는 단원별로 교과서에 나오는 대표적인 문제를 제시하였습니다.
교과서 대표 전략❷에서는 한 번 더 확인할 수 있는 문제를 제시하였습니다.

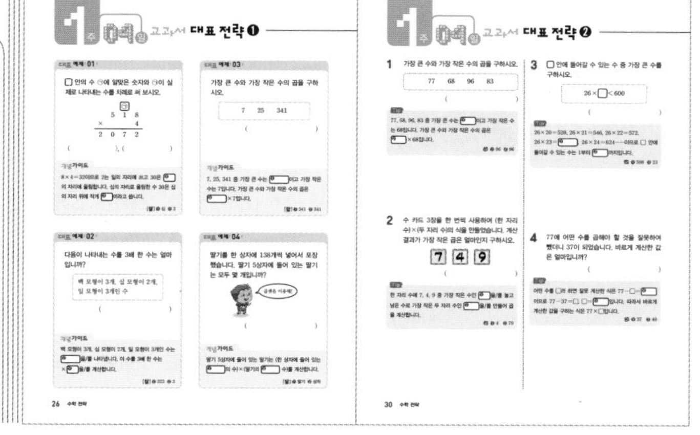

누구나 만점 전략
창의·융합·코딩 전략❶, ❷

누구나 만점 전략에서는 단원별로 꼭 풀어야 하는 문제를 제시하여 누구나 만점을 받을 수 있도록 하였습니다.
창의•융합•코딩 전략에서는 새 교육과정에서 제시하는 창의, 융합, 코딩 문제를 쉽게 접근할 수 있도록 제시하였습니다.

권말정리 마무리 전략
신유형·신경향·서술형 전략
학력진단 전략 1~3회

권말정리 마무리 전략은 만화로 마무리할 수 있게 하였습니다.
신유형•신경향,•서술형 전략에서는 신유형, 신경향, 서술형 문제를 쉽게 풀 수 있도록 단계별로 제시하였습니다.
학력진단 전략은 총 3회로 전 단원의 학력을 진단할 수 있도록 구성하였습니다.

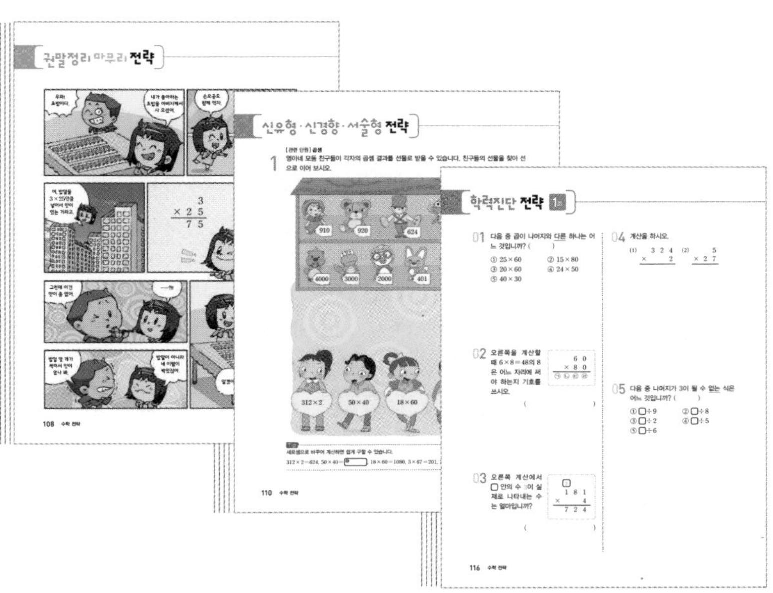

이 책의 차례

1주

2주

[관련 단원]
분수 • 들이와 무게 74쪽

108쪽

1 주

곱셈, 나눗셈

나는 어제
피자도 먹고
감자 튀김도
먹었어.

나는 아침, 점심, 저녁에 시리얼을 우유에 부어 먹었어.
세 끼 모두 같은 시리얼을 먹었네.

한 끼에 시리얼을 231개씩 먹었으니까

231 × 3이면?

231 × 3
= 600 + 90 + 3
= 693
시리얼을 693개 먹었네.

시리얼이 그렇게 맛있니?
아니! 사실은…….

우유를 먹기 싫어서 시리얼을 섞어서 먹은 거거든.
건강해지려면 우유를 많이 마셔야 돼.

학습할 내용

❶ (세 자리 수)×(한 자리 수)
❷ (한 자리 수)×(두 자리 수), (두 자리 수)×(두 자리 수)
❸ (두 자리 수)÷(한 자리 수)
❹ (세 자리 수)÷(한 자리 수), 맞게 계산했는지 확인

1주 04일 개념 돌파 전략 ①

개념 1 (세 자리 수)×(한 자리 수)

[관련 단원] **곱셈**

● 올림이 없는 (세 자리 수)×(한 자리 수)

$$\begin{array}{r} 2\,1\,3 \\ \times \quad\;\; 3 \\ \hline 9 \\ 3\,0 \\ 6\,0\,0 \\ \hline 6\,3\,9 \end{array} \quad \begin{array}{l} \\ \\ \\ \cdots\ 3\times3 \\ \cdots\ 10\times3 \\ \cdots\ 200\times3 \\ \\ \end{array} \quad \Rightarrow \quad \begin{array}{r} 2\,1\,3 \\ \times \quad\;\; 3 \\ \hline 6\,3\,9 \end{array}$$

● 올림이 있는 (세 자리 수)×(한 자리 수)

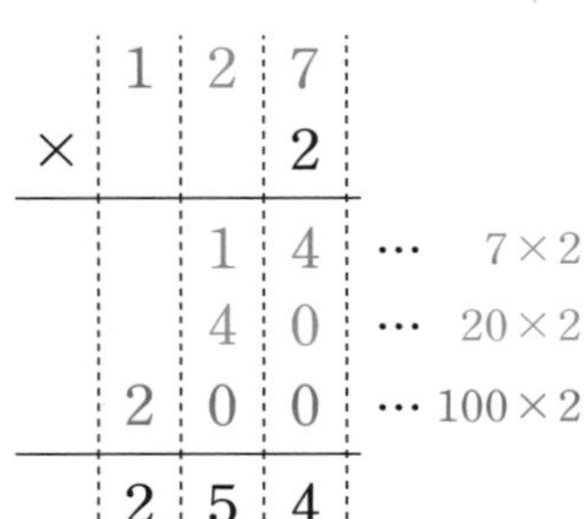

$$\begin{array}{r} 1\,2\,7 \\ \times \quad\;\; 2 \\ \hline 1\,4 \\ 4\,0 \\ 2\,0\,0 \\ \hline 2\,5\,4 \end{array} \quad \begin{array}{l} \\ \\ \\ \cdots\ 7\times2 \\ \cdots\ 20\times2 \\ \cdots\ 100\times2 \\ \\ \end{array}$$

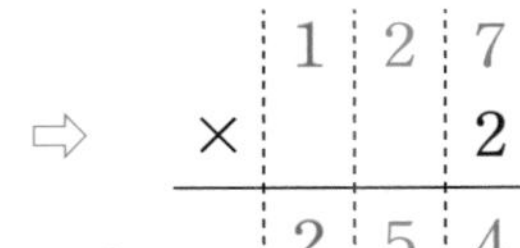

일의 자리에서 올림한 수

$$\Rightarrow \quad \begin{array}{r} {}^{1}\;\;\; \\ 1\,2\,7 \\ \times \quad\;\; 2 \\ \hline 2\,5\,4 \end{array}$$

$$\begin{array}{r} 3\,1\,4 \\ \times \quad\;\; 2 \\ \hline ❶\,❷\,8 \end{array}$$

(세 자리 수)의 일의 자리 숫자와 (한 자리 수)를 곱하고,
(세 자리 수)의 십의 자리 숫자와 (한 자리 수)를 곱하고,
(세 자리 수)의 ❸ 의 자리 숫자와 (한 자리 수)를 곱합니다.

답 ❶ 6 ❷ 2 ❸ 백

개념 2 (한 자리 수)×(두 자리 수), (두 자리 수)×(두 자리 수)

[관련 단원] **곱셈**

● (몇)×(몇십몇)

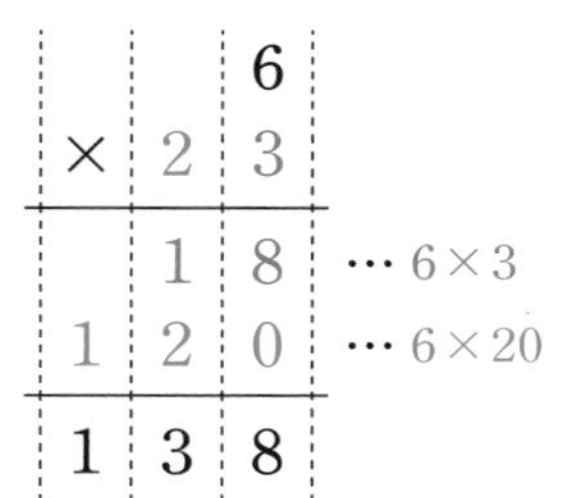

$$\begin{array}{r} 6 \\ \times \;\; 2\,3 \\ \hline 1\,8 \\ 1\,2\,0 \\ \hline 1\,3\,8 \end{array} \quad \begin{array}{l} \\ \\ \\ \cdots\ 6\times3 \\ \cdots\ 6\times20 \\ \\ \end{array}$$

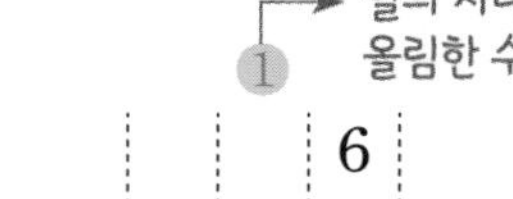

일의 자리에서 올림한 수

$$\Rightarrow \quad \begin{array}{r} {}^{1}\;\;\; \\ 6 \\ \times \;\; 2\,3 \\ \hline 1\,3\,8 \end{array}$$

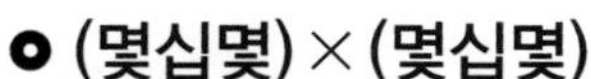

● (몇십몇)×(몇십몇)

$$\begin{array}{r} 2\,6 \\ \times \;\; 1\,3 \\ \hline 7\,8 \end{array}$$

$$\Rightarrow \quad \begin{array}{r} 2\,6 \\ \times \;\; 1\,3 \\ \hline 7\,8 \\ 2\,6\,0 \end{array}$$

$$\Rightarrow \quad \begin{array}{r} 2\,6 \\ \times \;\; 1\,3 \\ \hline 7\,8 \\ 2\,6\,0 \\ \hline 3\,3\,8 \end{array} \quad \begin{array}{l} \\ \\ \\ \cdots\ 26\times3 \\ \cdots\ 26\times10 \\ \\ \end{array}$$

- (몇십)×(몇십)의 계산은 (몇)×(몇)을 계산한 다음 곱의 뒤에 0을 ❶ 개 붙입니다.
- (몇십몇)×(몇십)의 계산은 (몇십몇)×(몇)을 계산한 다음 곱의 뒤에 0을 ❷ 개 붙입니다.

두 수의 곱셈은 곱하는 순서를 바꾸어도 계산 결과는 같으니까 6×23을 23×6으로 바꾸어 계산해도 돼.

답 ❶ 2 ❷ 1

개념 기초 확인

▶정답 및 풀이 2쪽

1-1 324×2를 수 모형으로 계산하시오.

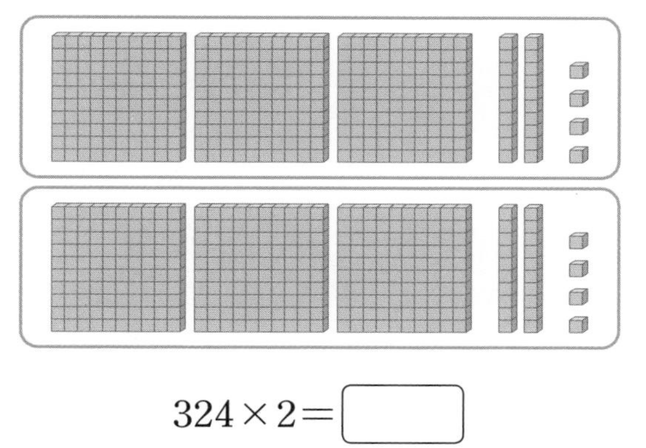

324×2=□

• **풀이** • 백 모형이 ❶□개, 십 모형이 4개, 일 모형이 8개이므로

324×2=❷□입니다.

답 ❶ 6 ❷ 648

1-2 132×3을 수 모형으로 계산하시오.

132×3=□

2-1 □ 안에 알맞은 수를 써넣으시오.

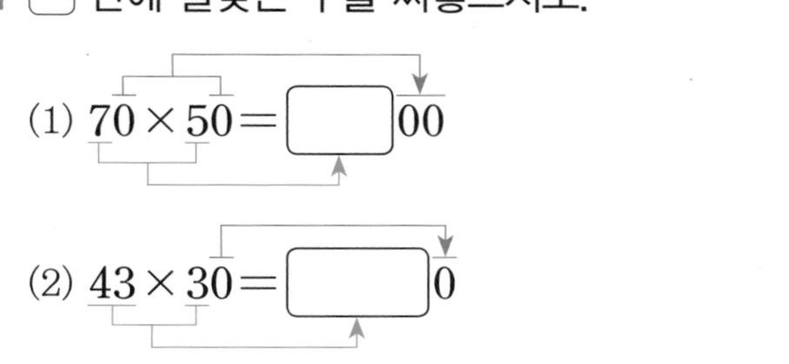

(1) 70×50=□00

(2) 43×30=□0

• **풀이** • 7×5=❶□이고 3×3=9, 4×3=12이므로

43×3=❷□입니다.

답 ❶ 35 ❷ 129

2-2 □ 안에 알맞은 수를 써넣으시오.

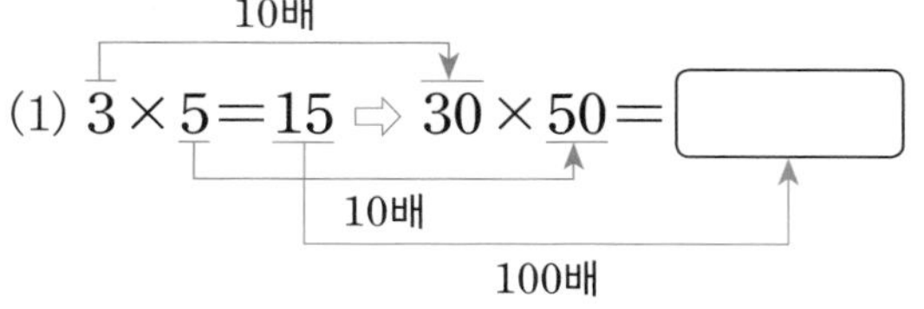

(1) 3×5=15 ⇨ 30×50=□

10배, 10배, 100배

(2) 27×3=81 ⇨ 27×30=□

10배, 10배

3-1 □ 안에 알맞은 수를 써넣으시오.

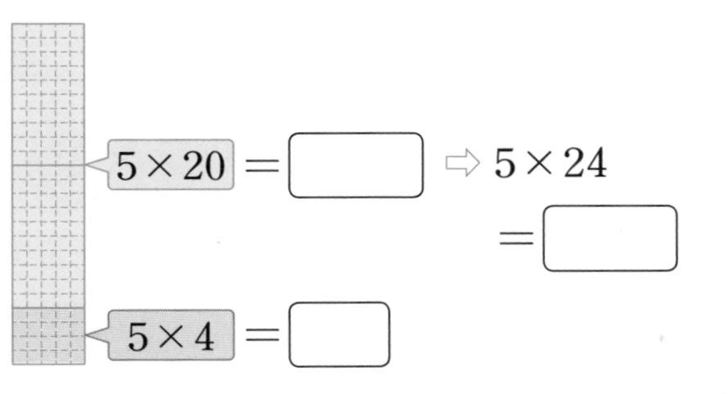

5×20=□ ⇨ 5×24=□

5×4=□

• **풀이** • 5×2=10이므로 5×20=❶□이고 5×4=❷□입니다.

답 ❶ 100 ❷ 20

3-2 □ 안에 알맞은 수를 써넣으시오.

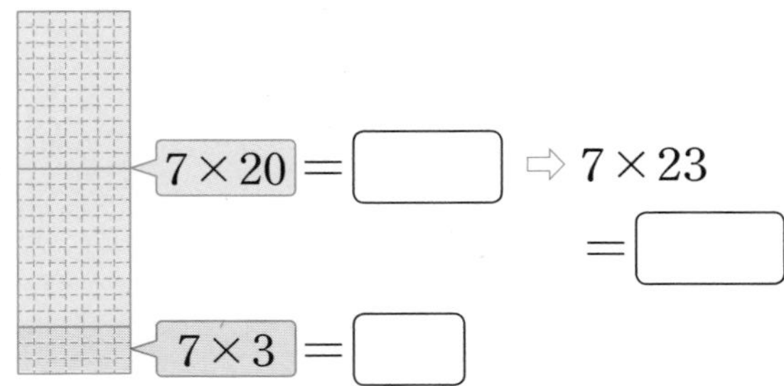

7×20=□ ⇨ 7×23=□

7×3=□

1주

개념 3 (두 자리 수)÷(한 자리 수)

[관련 단원] 나눗셈

● (몇십)÷(몇)

4÷2=2 (10배, 10배) → 40÷2=20

⇨ 2)40 = 20 ← 몫 (나누는 수: 2, 나누어지는 수: 40)

```
   14
5)70
  5    ←5×1
  20
  20   ←5×4
   0
```

● (몇십몇)÷(몇)

```
   21
2)42
  4    ←2×2
   2
   2   ←2×1
   0
```

```
   14
3)42
  3    ←3×1
  12
  12   ←3×4
   0
```

```
   24
3)74
  6    ←3×2
  14
  12   ←3×4
   2
```

- 나누는 수가 같을 때 나누어지는 수가 10배가 되면 몫도 ❶ 배가 됩니다.
- 나머지가 ❷ 일 때 나누어떨어진다고 합니다.
- 나눗셈식에서 나머지는 ❸ 는 수보다 항상 작습니다.

몫 / 나누는 수) 나누어지는 수

답 ❶ 10 ❷ 0 ❸ 나누

개념 4 (세 자리 수)÷(한 자리 수), 맞게 계산했는지 확인

[관련 단원] 나눗셈

● (세 자리 수)÷(한 자리 수)

```
   130   ← 몫의 일의 자리를 써야 합니다.
4)520
  4      ←4×1
  12
  12     ←4×3
   0
```

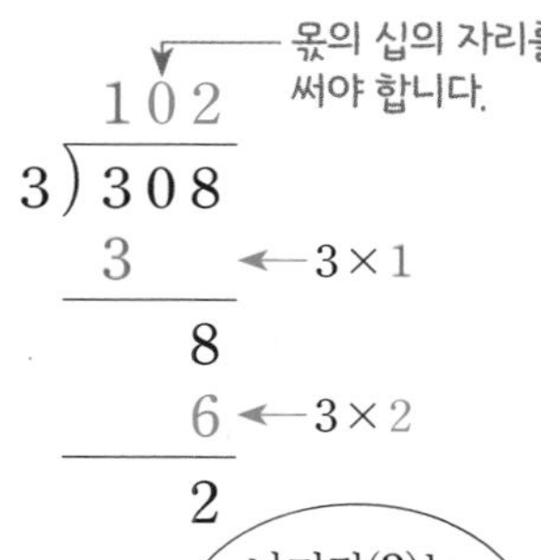

```
   102   ← 몫의 십의 자리를 써야 합니다.
3)308
  3      ←3×1
    8
    6    ←3×2
    2
```

● 나눗셈을 맞게 계산했는지 확인하기

48÷5=9⋯3

5 × 9 = 45 ⇨ 45 + 3 = 48

(나누는 수) (몫) (나머지) (나누어지는 수)

나머지(3)는 나누는 수(5)보다 항상 작아요!

(나누어지는 수)÷(나누는 수)=(몫)⋯(나머지)

확인 (나누는 수)×(몫)에 (나머지)를 더하면 (나누어지는 수)가 되어야 합니다.

- 나누어떨어지는 나눗셈식 ■÷●=▲에서 나눗셈을 맞게 계산했는지 확인하는 방법은 곱셈과 나눗셈의 관계를 이용하면 ●×▲= ❶ 가 됩니다.
- 나누어떨어지지 않는 나눗셈식 ■÷●=▲⋯★에서 나눗셈을 맞게 계산했는지 확인하는 방법은 나누는 수와 몫의 곱인 ●×▲에 나머지인 ❷ 을 더하여 나누어지는 수인 ❸ 와 같은지 비교하는 것입니다.

답 ❶ ■ ❷ ★ ❸ ■

개념 기초 확인

▶정답 및 풀이 2쪽

4-1 80÷4를 수 모형으로 계산하시오.

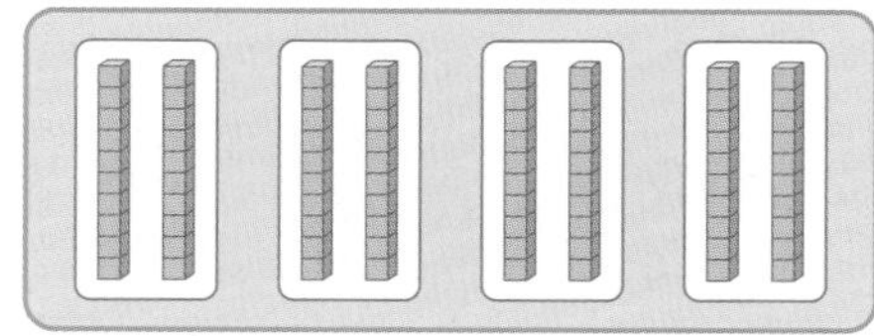

8÷4=□ ⇨ 80÷4=□

• **풀이** • 십 모형 8개를 똑같이 4묶음으로 묶었을 때 한 묶음에 있는 십 모형의 수는 ❶□개이므로 80÷4=❷□입니다. 답 ❶ 2 ❷ 20

4-2 90÷3을 수 모형으로 계산하시오.

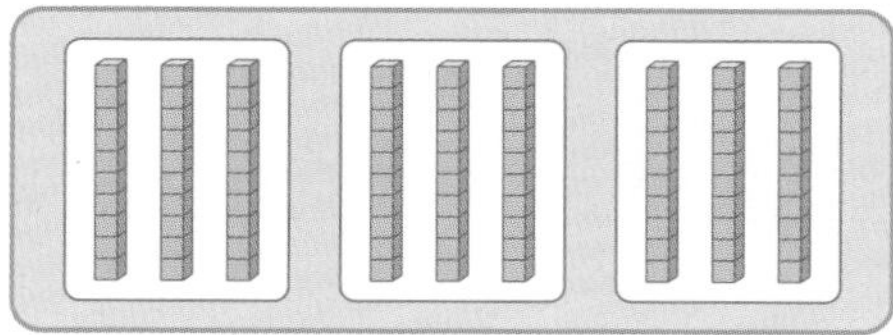

9÷3=□ ⇨ 90÷3=□

5-1 수 모형을 보고 □ 안에 알맞은 수를 써넣으시오.

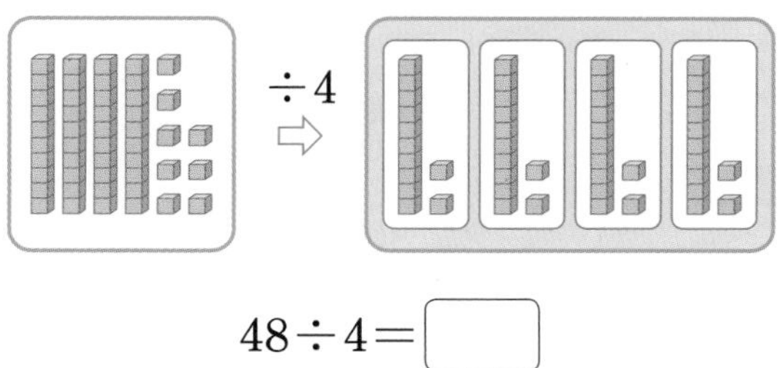

48÷4=□

• **풀이** • 한 묶음에 있는 십 모형의 수는 1개이고 일 모형의 수는 ❶□개이므로 48÷4=❷□입니다. 답 ❶ 2 ❷ 12

5-2 수 모형을 보고 □ 안에 알맞은 수를 써넣으시오.

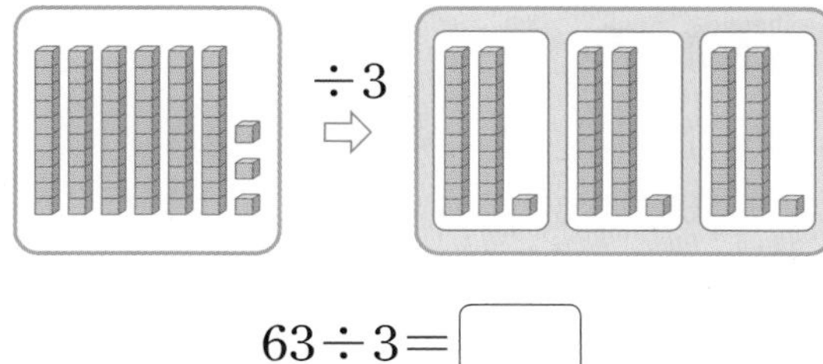

63÷3=□

6-1 □ 안에 알맞은 수를 써넣으시오.

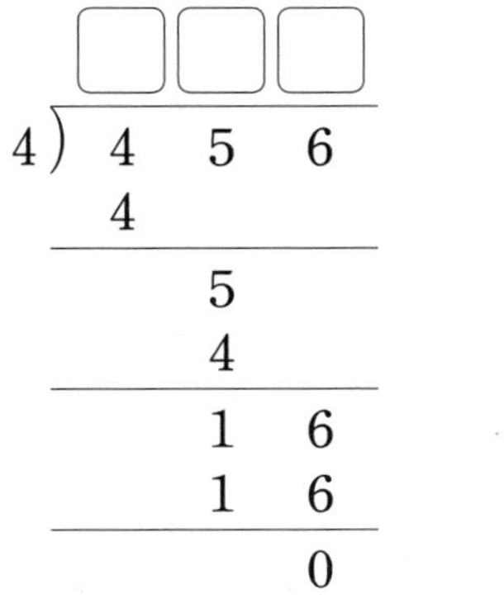

• **풀이** • 4×1=4이므로 4−4=0이고 5−4=❶□입니다.
4×4=16이므로 16−16=❷□입니다. 답 ❶ 1 ❷ 0

6-2 □ 안에 알맞은 수를 써넣으시오.

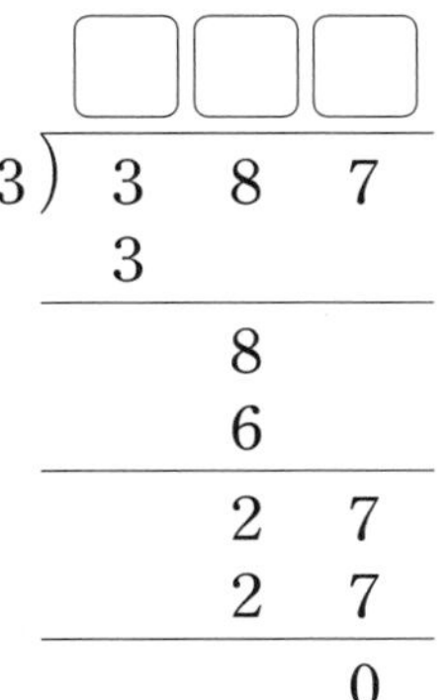

예제 1 올림이 2번 있는 (세 자리 수)×(한 자리 수)

$$\begin{array}{r} 1\ 6\ 3 \\ \times \quad\ 5 \\ \hline \end{array} \Rightarrow \begin{array}{r} {}^{3\ \ 1} \\ 1\ 6\ 3 \\ \times \quad\ 5 \\ \hline 8\ 1\ 5 \end{array}$$

3×5=15이므로 5는 일의 자리에 쓰고 올림한 수 1을 ❶ ☐의 자리 위에 작게 씁니다. 6×5=30이므로 1+0=1은 십의 자리에 쓰고 올림한 수 3을 ❷ ☐의 자리 위에 작게 씁니다. 1×5=5이므로 3+5=8을 백의 자리에 씁니다.

[답] ❶ 십 ❷ 백

예제 2 (몇)×(몇십몇)

3×67에서 67=60+7이므로
- 십의 자리 계산: 3×60=180
- 일의 자리 계산: 3×7=21

⇨ 3×67=180+21=201

67을 60+7로 나누어 곱합니다.
3×❶ ☐과 3×7의 ❷ ☐을 구합니다.

[답] ❶ 60 ❷ 합

예제 3 (몇십몇)×(몇십몇)

$$\begin{array}{r} 3\ 2 \\ \times\ 4\ 6 \\ \hline 1\ 9\ 2 \\ 1\ 2\ 8\ 0 \\ \hline 1\ 4\ 7\ 2 \end{array} \quad \begin{array}{l} \\ \\ \cdots 32\times6 \\ \cdots 32\times40 \\ \cdots 192+1280 \end{array}$$

46을 40+6으로 나누어 곱한 뒤 더합니다.
32×6=❶ ☐ 와/과
32×40=❷ ☐ 의 합을 구합니다.

[답] ❶ 192 ❷ 1280

1 잘못 계산한 곳을 찾아 바르게 계산하시오.

$$\begin{array}{r} {}^{1\ \ 2} \\ 2\ 3\ 7 \\ \times \quad\ 4 \\ \hline 8\ 2\ 8 \end{array} \Rightarrow \begin{array}{r} {}^{1\ \ 2} \\ 2\ 3\ 7 \\ \times \quad\ 4 \\ \hline \end{array}$$

2 ☐ 안에 알맞은 수를 써넣으시오.

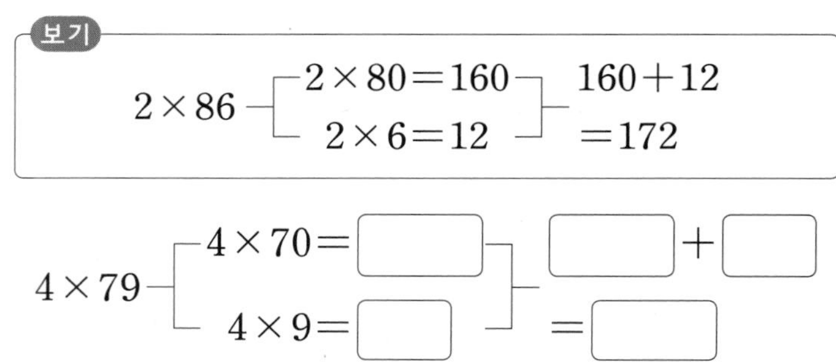

3 ☐ 안에 알맞은 수를 써넣으시오.

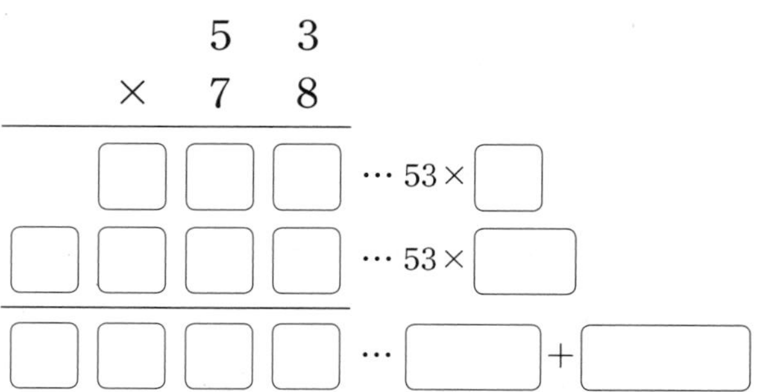

▶정답 및 풀이 2쪽

예제 4 나누는 수와 나머지의 관계

$61 \div 7 = 8 \cdots 5$

⇨ 나머지(5)는 나누는 수(7)보다 항상 작습니다.

나머지인 ❶ ☐ 은/는 나누는 수인 7보다 항상 작습니다. 또는 나누는 수인 ❷ ☐ 은/는 나머지인 5보다 항상 큽니다.

[답] ❶ 5 ❷ 7

예제 5 (세 자리 수)÷(한 자리 수)

```
     185 → 몫
  3 ) 557
      3      ← 3×1=3
      25
      24     ← 3×8=24
       17
       15    ← 3×5=15
        2 → 나머지
```

$3 \times 1 = 3$이므로 $5 - 3 = 2$,

$3 \times 8 = 24$이므로 $25 - 24 =$ ❶ ☐,

$3 \times 5 = 15$이므로 $17 - 15 =$ ❷ ☐ 입니다.

[답] ❶ 1 ❷ 2

예제 6 나눗셈을 맞게 계산했는지 확인하기

$51 \div 6 = 8 \cdots 3$

확인 $6 \times 8 = 48$ ⇨ $48 + 3 = 51$

나눗셈을 맞게 계산했는지 확인하는 방법은 나누는 수와 몫의 곱인 $6 \times 8 =$ ❶ ☐ 과 나머지인 3의 합이 ❷ ☐ 이 되어야 합니다.

[답] ❶ 48 ❷ 51

4 나머지가 6이 될 수 없는 나눗셈을 모두 찾아 ○표 하시오.

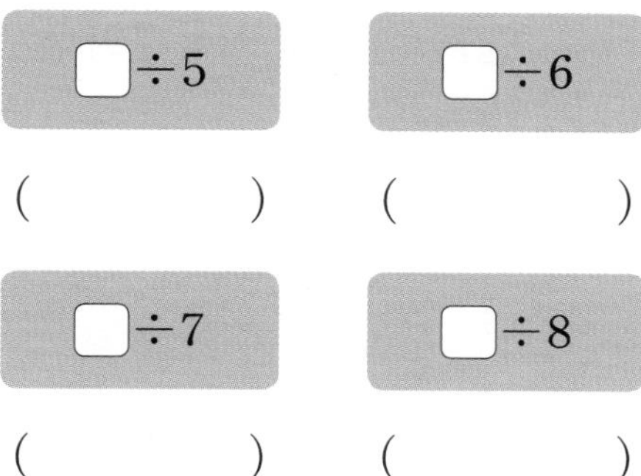

☐÷5	☐÷6
(　　　)	(　　　)
☐÷7	☐÷8
(　　　)	(　　　)

5 ☐ 안에 알맞은 수를 써넣으시오.

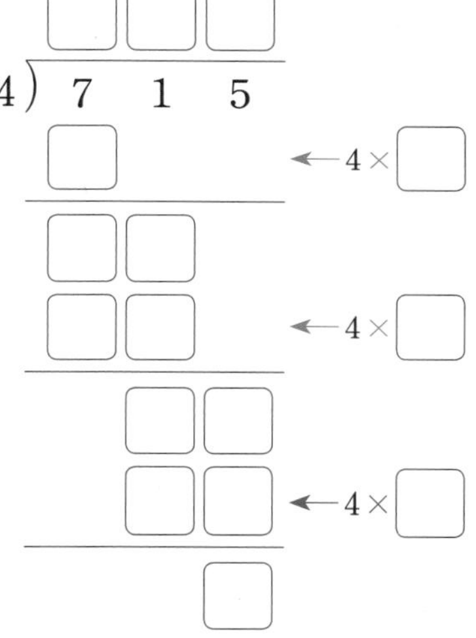

```
      ☐ ☐ ☐
  4 ) 7  1  5
      ☐          ← 4×☐
      ☐ ☐
      ☐ ☐        ← 4×☐
         ☐ ☐
         ☐ ☐     ← 4×☐
            ☐
```

6 나눗셈을 하고 맞게 계산했는지 확인해 보시오.

(1) $62 \div 8 =$ ☐ ⋯ ☐

확인 $8 \times$ ☐ $=$ ☐ ⇨ ☐ $+$ ☐ $=$ ☐

(2) $73 \div 5 =$ ☐ ⋯ ☐

확인 $5 \times$ ☐ $=$ ☐ ⇨ ☐ $+$ ☐ $=$ ☐

1주

필수 체크 전략 ①

전략 1 수 카드로 만든 가장 큰 수와의 곱 구하기

[관련 단원] **곱셈**

예 수 카드 3장을 한 번씩 사용하여 만든 가장 큰 세 자리 수와 4의 곱 구하기

3 5 6

(1) 가장 큰 세 자리 수 만들기
수 카드의 수 3, 5, 6을 큰 수부터 차례로 쓰면 $6>5>3$이므로 만든 가장 큰 세 자리 수는 ❶ 입니다.

큰 수부터 차례로 쓰면 653을 쉽게 구할 수 있어.

(2) 만든 가장 큰 세 자리 수와 4의 곱 구하기
❷ $\times 4=$ ❸

답 ❶ 653 ❷ 653 ❸ 2612

필수 예제 01

수 카드 3장을 한 번씩 사용하여 세 자리 수를 만들었습니다. 만든 가장 큰 세 자리 수와 3의 곱을 구하시오.

4  

(1) 가장 큰 세 자리 수를 만들어 보시오.

( )

(2) 만든 가장 큰 세 자리 수와 3의 곱을 구하시오.

( )

풀이 | 수 카드의 수 4, 7, 8을 큰 수부터 차례로 쓰면 $8>7>4$이므로 만든 가장 큰 세 자리 수는 874입니다.
만든 가장 큰 세 자리 수와 3의 곱은 $874\times 3=2622$입니다.

확인 1-1

수 카드 3장을 한 번씩 사용하여 세 자리 수를 만들었습니다. 만든 가장 큰 세 자리 수와 7의 곱을 구하시오.

6 2 9

( )

확인 1-2

수 카드 3장을 한 번씩 사용하여 세 자리 수를 만들었습니다. 만든 가장 큰 세 자리 수와 6의 곱을 구하시오.

9  

( )

▶정답 및 풀이 3쪽

전략 2 수 카드로 만든 가장 작은 수와의 곱 구하기

[관련 단원] **곱셈**

예 수 카드 3장을 한 번씩 사용하여 만든 가장 작은 세 자리 수와 2의 곱 구하기

6 3 1

(1) 가장 작은 세 자리 수 만들기

수 카드의 수 6, 3, 1을 작은 수부터 차례로 쓰면 $1<3<6$이므로 만든 가장 작은 세 자리 수는 ❶ ☐ 입니다.

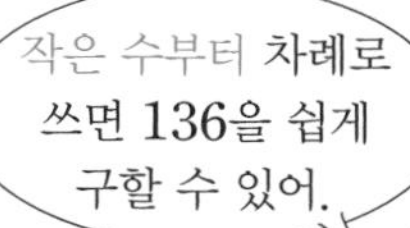
작은 수부터 차례로
쓰면 136을 쉽게
구할 수 있어.

(2) 만든 가장 작은 세 자리 수와 2의 곱 구하기

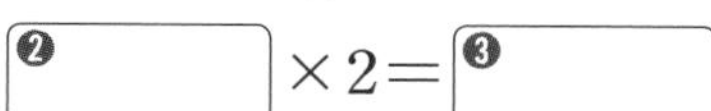
❷ ☐ ×2= ❸ ☐

답 ❶ 136 ❷ 136 ❸ 272

필수 예제 | 02

수 카드 3장을 한 번씩 사용하여 세 자리 수를 만들었습니다. 만든 가장 작은 세 자리 수와 5의 곱을 구하시오.

7  

(1) 가장 작은 세 자리 수를 만들어 보시오.

( )

(2) 만든 가장 작은 세 자리 수와 5의 곱을 구하시오.

( )

풀이 | 수 카드의 수 7, 5, 4를 작은 수부터 차례로 쓰면 $4<5<7$이므로 만든 가장 작은 세 자리 수는 457입니다. 만든 가장 작은 세 자리 수와 5의 곱은 $457\times5=2285$입니다.

확인 2-1

수 카드 3장을 한 번씩 사용하여 세 자리 수를 만들었습니다. 만든 가장 작은 세 자리 수와 6의 곱을 구하시오.

( )

확인 2-2

수 카드 3장을 한 번씩 사용하여 세 자리 수를 만들었습니다. 만든 가장 작은 세 자리 수와 8의 곱을 구하시오.

( )

전략 3 한 변의 길이 구하기

[관련 단원] 나눗셈

예 네 변의 길이의 합이 80 cm인 정사각형에서 한 변의 길이 구하기

(1) 한 변의 길이를 구하는 나눗셈 만들기

정사각형은 네 변의 길이가 모두 같으므로

(한 변의 길이)×4=(네 변의 길이의 합)입니다.

따라서 (한 변의 길이)=(네 변의 길이의 합)÷❶ ☐ 입니다.

(2) 한 변의 길이 구하기

(한 변의 길이)=80÷❷ ☐ =❸ ☐

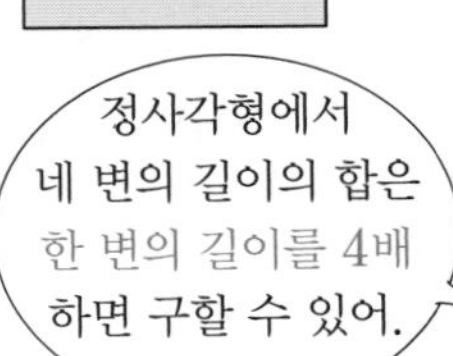
정사각형에서
네 변의 길이의 합은
한 변의 길이를 4배
하면 구할 수 있어.

답 ❶ 4 ❷ 4 ❸ 20

필수 예제 03

네 변의 길이가 모두 같은 사각형입니다. 네 변의 길이의 합이 48 cm일 때 한 변의 길이는 몇 cm인지 구하시오.

( )

풀이 | 네 변의 길이가 모두 같으므로 네 변의 길이의 합은 한 변의 길이의 4배입니다.

⇨ (한 변의 길이)=(네 변의 길이의 합)÷4=48÷4=12 (cm)

확인 3-1

다음은 네 변의 길이의 합이 92 cm인 정사각형입니다. 한 변의 길이는 몇 cm인지 구하시오.

( )

확인 3-2

다음은 여섯 변의 길이가 모두 같은 육각형입니다. 여섯 변의 길이의 합이 84 cm일 때 한 변의 길이는 몇 cm인지 구하시오.

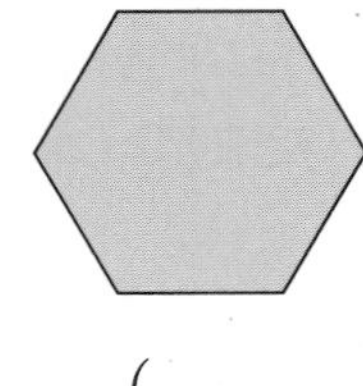

( )

▶정답 및 풀이 3쪽

전략 4 간격 구하기

[관련 단원] 나눗셈

예 가로등 사이의 간격 구하기 (단, 가로등의 두께는 생각하지 않습니다.)

(1) 가로등 사이의 간격 수 구하기
(가로등 사이의 간격 수)=(가로등 수)−1이므로
(가로등 사이의 간격 수)=6−1=❶☐(군데)입니다.

(2) 가로등 사이의 간격 구하기
(가로등 사이의 간격)
=(도로의 한쪽 길이)÷(가로등 사이의 간격 수)이므로
(가로등 사이의 간격)=60÷❷☐=❸☐ (m)입니다.

60 m
가로등 수는
가로등 사이의
간격 수보다 1만큼
더 크구나.

답 ❶ 5 ❷ 5 ❸ 12

필수 예제 04

길이가 90 m인 도로의 한쪽에 같은 간격으로 처음부터 끝까지 가로등을 7개 세우려고 합니다. 가로등 사이의 간격은 몇 m인지 구하시오. (단, 가로등의 두께는 생각하지 않습니다.)

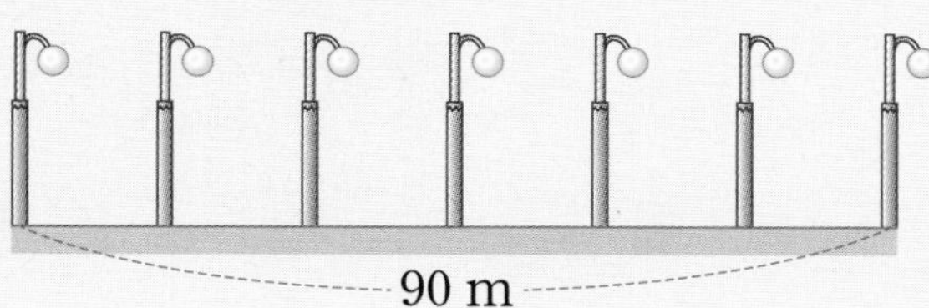

(　　　　　　)

풀이 | (가로등 사이의 간격 수)=(가로등 수)−1이므로 (가로등 사이의 간격 수)=7−1=6(군데)입니다.
(가로등 사이의 간격)=(도로의 길이)÷(가로등 사이의 간격 수)이므로 90÷6=15 (m)입니다.

확인 4-1

길이가 91 m인 도로의 한쪽에 같은 간격으로 처음부터 끝까지 가로등을 8개 세우려고 합니다. 가로등 사이의 간격은 몇 m인지 구하시오.
(단, 가로등의 두께는 생각하지 않습니다.)

(　　　　　　)

확인 4-2

길이가 126 m인 도로의 한쪽에 같은 간격으로 처음부터 끝까지 가로등을 10개 세우려고 합니다. 가로등 사이의 간격은 몇 m인지 구하시오.
(단, 가로등의 두께는 생각하지 않습니다.)

(　　　　　　)

필수 체크 전략 ❷

[관련 단원] **곱셈**

1 계산이 잘못된 곳을 찾아 바르게 계산하시오.

$$\begin{array}{r} 5\ 8\ 2 \\ \times \quad\ \ 3 \\ \hline 1\ 5\ 4\ 6 \end{array} \Rightarrow \begin{array}{r} 5\ 8\ 2 \\ \times \quad\ \ 3 \\ \hline \end{array}$$

Tip

- 일의 자리 계산: $2 \times 3 = 6$
- 십의 자리 계산: $8 \times 3 = 24$ ⇨ 20을 백의 자리로 ❶☐림합니다.
- 백의 자리 계산: 올림한 수 2가 있고 $5 \times 3 = 15$이므로 $2 + 15 =$ ❷☐입니다.

답 ❶ 올 ❷ 17

[관련 단원] **곱셈**

2 ❷어떤 수에 5를 곱해야 할 것을 ❶잘못하여 더했더니 273이 되었습니다. ❸바르게 계산하면 얼마인지 구하시오.

( )

Tip

❶ 어떤 수를 ☐라 하여 잘못 계산한 식을 만들면 ☐$+5=$ ❶☐입니다.
덧셈과 뺄셈의 관계를 이용하여 ☐의 값을 구하면 $273-5=$☐, ☐$=$ ❷☐입니다.

❷, ❸ 바르게 계산한 값을 구하는 식은 ☐$\times 5$입니다.

답 ❶ 273 ❷ 268

[관련 단원] **곱셈**

3 ☐ 안에 알맞은 수를 써넣으시오.

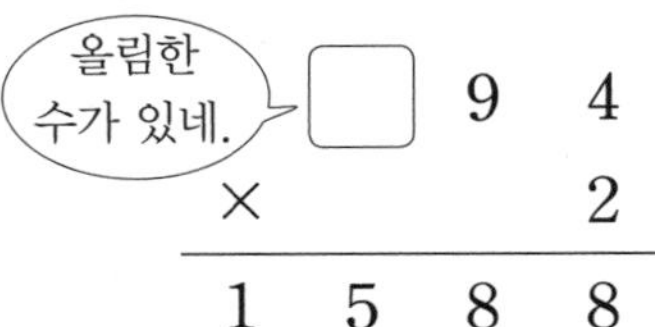

$$\begin{array}{r} \square\ 9\ 4 \\ \times \qquad 2 \\ \hline 1\ 5\ 8\ 8 \end{array}$$

Tip

- 일의 자리 계산: $4 \times 2 = 8$
- 십의 자리 계산: $9 \times 2 = 18$ ⇨ 10을 백의 자리로 ❶☐림합니다.
- 백의 자리 계산: 올림한 수 1이 있으므로 ☐$\times 2 = 15 -$ ❷☐입니다.

답 ❶ 올 ❷ 1

[관련 단원] **나눗셈**

4 어떤 수를 6으로 나누었을 때 나머지가 될 수 없는 수를 모두 찾아 ○표 하시오.

0 1 2 3 4 5 6 7

Tip

어떤 수를 6으로 나누었을 때 나머지는 나누는 수인 6보다 항상 ❶ [ ]야 합니다. 따라서 나머지가 될 수 없는 수는 6과 같거나 6보다 ❷ [ ] 수입니다.

답 ❶ 작아 ❷ 큰

[관련 단원] **나눗셈**

5 ❶ 과수원에서 수확한 배 327개를 한 상자에 7개씩 담아서 포장하였습니다. ❷ 포장하고 남는 배는 몇 개입니까?

배 327개

( )

Tip

❶ 나눗셈식을 세우면
(전체 배의 수)÷(한 상자에 담는 배의 수)
=(몫)…(❶ [ ])이므로
327÷7을 계산합니다.

❷ 몫은 포장한 배의 상자 수이고
❷ [ ]는 포장하고 남는 배의 수입니다.

답 ❶ 나머지 ❷ 나머지

[관련 단원] **나눗셈**

6 다음 나눗셈을 나누어떨어지게 하려고 합니다. 0부터 9까지의 수 중 □ 안에 들어갈 수 있는 수를 모두 구하시오.

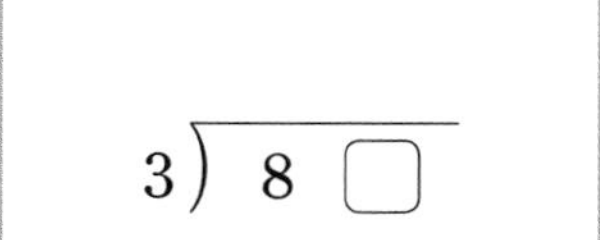

$3\overline{)8\square}$

3단 곱셈구구를 외우자!

( )

Tip

- $3\times2=6$, $8-6=2$이므로 8□를 3으로 나누어떨어지게 하는 것은 2□를 3으로 나누어떨어지게 하는 것과 같습니다.
- 2□를 3으로 나누어떨어지게 하는 것은 $3\times\triangle=2\square$이어야 합니다.

  3단 곱셈구구에서 $3\times7=$❶ [ ],
  $3\times8=24$, $3\times9=$❷ [ ]입니다.

답 ❶ 21 ❷ 27

필수 체크 전략 ❶

전략 1 (세 자리 수)×(한 자리 수)의 식 만들기

[관련 단원] 곱셈

예 8>6>5>3인 수로 가장 큰 곱 또는 가장 작은 곱 만들기

가장 큰 곱

(세 자리 수)×(한 자리 수)

6→5→3
× ❶ ☐

⇨ $653 \times 8 = 5224$

한 자리 수에 가장 큰 수를 써야 하는구나.

가장 작은 곱

(세 자리 수)×(한 자리 수)

5→6→8
× ❷ ☐

⇨ $568 \times 3 =$ ❸ ☐

한 자리 수에 가장 작은 수를 써야 하는구나.

답 ❶ 8 ❷ 3 ❸ 1704

필수 예제 | 01 |

수 카드 4장을 한 번씩 사용하여 (세 자리 수)×(한 자리 수)의 식을 만들었습니다. 계산 결과가 가장 큰 곱은 얼마인지 구하시오.

7 5 4 2

(   )

풀이 | 수 카드의 수를 큰 수부터 차례로 쓰면 7>5>4>2이므로 한 자리 수에 가장 큰 수인 7을 놓고 남은 수로 가장 큰 세 자리 수를 만들면 542입니다.
⇨ $542 \times 7 = 3794$

확인 1-1

수 카드 4장을 한 번씩 사용하여 (세 자리 수)×(한 자리 수)의 식을 만들었습니다. 계산 결과가 가장 큰 곱은 얼마인지 구하시오.

8 4 3 1

(   )

확인 1-2

수 카드 4장을 한 번씩 사용하여 (세 자리 수)×(한 자리 수)의 식을 만들었습니다. 계산 결과가 가장 작은 곱은 얼마인지 구하시오.

9 7 6 3

(   )

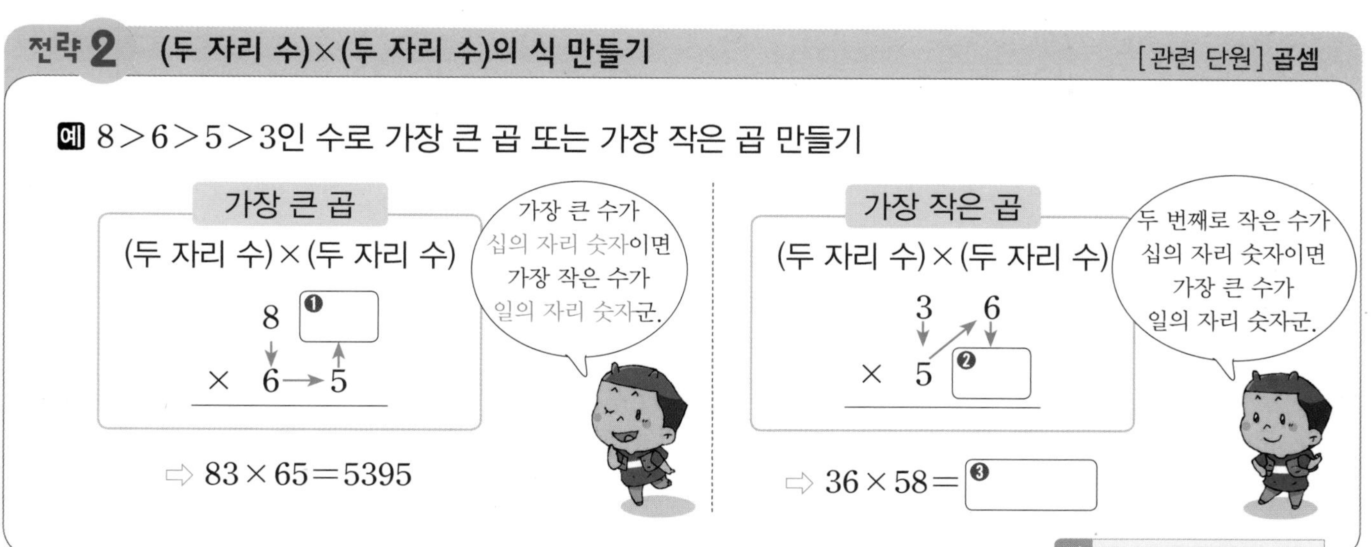

전략 2 (두 자리 수)×(두 자리 수)의 식 만들기
[관련 단원] 곱셈
예 8>6>5>3인 수로 가장 큰 곱 또는 가장 작은 곱 만들기
가장 큰 곱
(두 자리 수)×(두 자리 수)
8 ❶
× 6 → 5
⇨ 83×65=5395
가장 큰 수가 십의 자리 숫자이면 가장 작은 수가 일의 자리 숫자군.
가장 작은 곱
(두 자리 수)×(두 자리 수)
3 6
× 5 ❷
⇨ 36×58=❸
두 번째로 작은 수가 십의 자리 숫자이면 가장 큰 수가 일의 자리 숫자군.
답 ❶ 3 ❷ 8 ❸ 2088

필수 예제 02

수 카드 4장을 한 번씩 사용하여 (두 자리 수)×(두 자리 수)의 식을 만들었습니다. 계산 결과가 가장 작은 곱은 얼마인지 구하시오.

2 3 4 7

( )

풀이 | 수 카드의 수를 작은 수부터 차례로 쓰면 2<3<4<7이므로 곱해지는 수의 십의 자리에 가장 작은 수인 2를 놓고 일의 자리에 둘째로 큰 수인 4를 놓습니다. 곱하는 수의 십의 자리에 둘째로 작은 수인 3을 놓고 일의 자리에 가장 큰 수인 7을 놓습니다. ⇨ 24×37=888

확인 2-1

수 카드 4장을 한 번씩 사용하여 (두 자리 수)×(두 자리 수)의 식을 만들었습니다. 계산 결과가 가장 작은 곱은 얼마인지 구하시오.

3 7 8 9

( )

확인 2-2

수 카드 4장을 한 번씩 사용하여 (두 자리 수)×(두 자리 수)의 식을 만들었습니다. 계산 결과가 가장 큰 곱은 얼마인지 구하시오.

4 5 6 8

( )

전략 3 나누어지는 수 구하기

[관련 단원] 나눗셈

예 어떤 수를 7로 나누었더니 몫이 5이고 나머지가 6이 되었을 때 어떤 수 구하기

(1) 어떤 수를 □라 하여 나눗셈식 만들기

□÷7=5…6

(2) 맞게 계산했는지 확인하여 □의 값 구하기

확인 7×5=❶ [ ] ⇨ 35+❷ [ ] =□,

□=❸ [ ]

□: 나누어지는 수
7: 나누는 수
5: 몫
6: 나머지

답 ❶ 35 ❷ 6 ❸ 41

필수 예제 03

어떤 수를 8로 나누었더니 몫이 7이고 나머지가 5가 되었습니다. 어떤 수는 얼마입니까?

( )

① 57 ② 59 ③ 60
④ 61 ⑤ 63

풀이 | 어떤 수를 □라 하면 □÷8=7…5입니다.
확인 8×7=56 ⇨ 56+5=□, □=61
따라서 어떤 수는 61입니다.

확인 3-1

어떤 수를 4로 나누었더니 몫이 16이고 나머지가 1이 되었습니다. 어떤 수는 얼마입니까?

( )

확인 3-2

어떤 수를 3으로 나누었더니 몫이 135이고 나머지가 2가 되었습니다. 어떤 수는 얼마입니까?

( )

▶정답 및 풀이 4쪽

전략 4 며칠 걸리는지 구하기

[관련 단원] **나눗셈**

예 상혁이는 전체 쪽수가 110쪽인 만화책을 읽으려고 합니다. 하루에 6쪽씩 읽으면 만화책을 모두 읽는 데 최소한 며칠이 걸리는지 구하기

(1) 만화책을 읽는 데 며칠이 걸리는지 구하는 나눗셈 만들기
(만화책의 전체 쪽수)÷(하루에 읽는 만화책 쪽수)=(걸리는 날수)…(남는 쪽수)이므로
나눗셈 $110 \div 6$을 계산합니다.

(2) 만화책을 모두 읽는 데 최소한 며칠이 걸리는지 구하기

$110 \div 6 =$ ❶ □ … ❷ □

⇨ 몫은 걸리는 날수이고 나머지는 남는 쪽수입니다.
남는 쪽수도 읽어야 하므로 만화책을 모두 읽는 데 최소한 (몫+1)일이 걸립니다.

따라서 만화책을 모두 읽는 데 최소한 ❸ □ 일이 걸립니다.

답 ❶ 18 ❷ 2 ❸ 19

필수 예제 | 04 |

가은이는 전체 쪽수가 120쪽인 만화책을 읽으려고 합니다. 하루에 7쪽씩 읽으면 만화책을 모두 읽는 데 최소한 며칠이 걸리겠습니까? (　　　　　)

① 17일　② 18일　③ 19일
④ 20일　⑤ 21일

풀이 | $120 \div 7 = 17 \cdots 1$이므로 하루에 7쪽씩 읽으면 17일이 걸리고 1쪽이 남습니다.
남는 1쪽도 읽어야 하므로 만화책을 모두 읽는 데 최소한 $17+1=18$(일)이 걸립니다.

확인 4-1

종선이는 전체 쪽수가 240쪽인 과학책을 읽으려고 합니다. 하루에 9쪽씩 읽으면 과학책을 모두 읽는 데 최소한 며칠이 걸리는지 구하시오.

(　　　　　　　　)

확인 4-2

정린이는 전체 쪽수가 220쪽인 동화책을 읽으려고 합니다. 하루에 8쪽씩 읽으면 동화책을 모두 읽는 데 최소한 며칠이 걸리는지 구하시오.

(　　　　　　　　)

필수 체크 전략 ❷

[관련 단원] **곱셈**

1 수 카드 4장 중 3장을 골라 한 번씩 사용하여 세 자리 수를 만들었습니다. 만든 가장 큰 세 자리 수와 남은 수의 곱은 얼마입니까?

2   

(　　　　　　　　)

Tip

- 주어진 수 카드의 수를 큰 수부터 차례로 쓰면 ❶☐ $>6>5>2$이므로 만든 가장 큰 세 자리 수는 ❷☐이고 남은 수는 2입니다.
- 만든 가장 큰 세 자리 수와 남은 수의 곱은 ❸☐ $\times 2$입니다.

답 ❶ 8 ❷ 865 ❸ 865

[관련 단원] **곱셈**

2 1부터 9까지의 수 중 ☐ 안에 들어갈 수 있는 수를 모두 더하면 얼마입니까?

$$70\times\square<27\times18$$

(　　　　　　　　)

Tip

- $27\times18=$ ❶☐이므로 $70\times\square<486$입니다.
- $70\times6=420$, $70\times7=490$이므로 ☐ 안에 들어갈 수 있는 수는 1, 2, 3, ❷☐입니다.

답 ❶ 486 ❷ 4, 5, 6

[관련 단원] **곱셈**

3 ❷어떤 수에 47을 곱해야 할 것을 ❶잘못하여 뺐더니 39가 되었습니다. ❸바르게 계산하면 얼마인지 구하시오.

(　　　　　　　　)

Tip

❶ 어떤 수를 ☐라 하여 잘못 계산한 식을 만들면 $\square-47=$ ❶☐입니다.
덧셈과 뺄셈의 관계를 이용하여 ☐의 값을 구하면 $47+39=\square$, $\square=$ ❷☐입니다.

❷, ❸ 바르게 계산한 값을 구하는 식은 $\square\times47$입니다.

답 ❶ 39 ❷ 86

▶정답 및 풀이 5쪽

[관련 단원] **나눗셈**

4 ❶ 과일 가게에서 새로 들어온 오렌지 100개를 6봉지에 똑같이 나누어 담았습니다. ❷ 남는 것 없이 6봉지에 같은 수의 오렌지가 들어가려면 더 필요한 최소한의 오렌지는 몇 개입니까?

( )

Tip

❶ $100 \div 6 = 16 \cdots 4$이므로 6봉지에 똑같이 나누어 담으면 한 봉지에 오렌지를 16개씩 담고 남는 오렌지는 ❶ ☐ 개입니다.

❷ 따라서 더 필요한 최소한의 오렌지는 (봉지 수)−(남는 ❷ ☐ 수)입니다.

답 ❶ 4 ❷ 오렌지

1 주

[관련 단원] **나눗셈**

5 다음을 만족하는 두 자리 수 중 가장 큰 수를 구하시오.

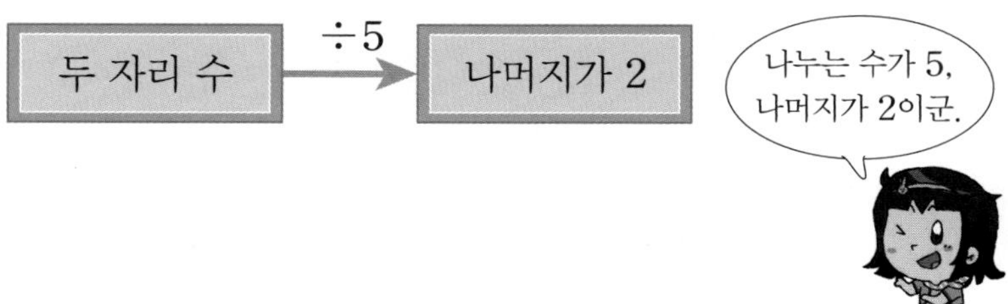

( )

Tip

• 두 자리 수는 10부터 99까지이므로 $10 \div 5 = 2$, $99 \div 5 = 19 \cdots$ ❶ ☐ 입니다.

• 나머지가 2인 나눗셈식 $\square \div 5 = \triangle \cdots 2$에서 가장 큰 두 자리 수 ☐는 $\triangle =$ ❷ ☐ 일 때이므로 나눗셈을 맞게 계산했는지 확인하면 ☐의 값을 구할 수 있습니다.

답 ❶ 4 ❷ 19

[관련 단원] **나눗셈**

6 어떤 수를 4로 나누어야 할 것을 잘못하여 7로 나누었더니 몫이 38이고 나머지가 3이 되었습니다. 바르게 계산했을 때의 몫과 나머지의 합은 얼마입니까?

( )

Tip

• 어떤 수를 ☐라 하면 잘못 계산한 식은 $\square \div 7 = 38 \cdots 3$입니다.
나눗셈을 맞게 계산했는지 확인하면 $7 \times 38 = 266$, $266 + 3 = \square$,
$\square =$ ❶ ☐ 입니다.

• 따라서 바르게 계산한 값을 구하는 식은 $\square \div$ ❷ ☐ 이므로 나눗셈을 계산하여 몫과 나머지의 합을 계산합니다.

답 ❶ 269 ❷ 4

교과서 대표 전략 ❶

대표 예제 01

□ 안의 수 ㉠에 알맞은 숫자와 ㉠이 실제로 나타내는 수를 차례로 써 보시오.

$$\begin{array}{r} \boxed{㉠} \\ 5\ 1\ 8 \\ \times \ 4 \\ \hline 2\ 0\ 7\ 2 \end{array}$$

( ), ( )

개념가이드

8×4=32이므로 2는 일의 자리에 쓰고 30은 ❶□의 자리에 올림합니다. 십의 자리로 올림한 수 30은 십의 자리 위에 작게 ❷□이라고 씁니다.

[답] ❶ 십 ❷ 3

대표 예제 02

다음이 나타내는 수를 3배 한 수는 얼마입니까?

> 백 모형이 3개, 십 모형이 2개, 일 모형이 3개인 수

( )

개념가이드

백 모형이 3개, 십 모형이 2개, 일 모형이 3개인 수는 ❶□을/를 나타냅니다. 이 수를 3배 한 수는 ×❷□을/를 계산합니다.

[답] ❶ 323 ❷ 3

대표 예제 03

가장 큰 수와 가장 작은 수의 곱을 구하시오.

> 7　25　341

( )

개념가이드

7, 25, 341 중 가장 큰 수는 ❶□이고 가장 작은 수는 7입니다. 가장 큰 수와 가장 작은 수의 곱은 ❷□×7입니다.

[답] ❶ 341 ❷ 341

대표 예제 04

딸기를 한 상자에 138개씩 넣어서 포장했습니다. 딸기 5상자에 들어 있는 딸기는 모두 몇 개입니까?

곱셈을 이용해!

( )

개념가이드

딸기 5상자에 들어 있는 딸기는 (한 상자에 들어 있는 ❶□의 수)×(딸기의 ❷□ 수)를 계산합니다.

[답] ❶ 딸기 ❷ 상자

▶정답 및 풀이 6쪽

대표 예제 05

계산 결과를 비교하여 ○ 안에 >, =, <를 알맞게 써넣으시오.

478×6 ○ 36×79

개념가이드

$478\times6=$ ❶ ☐, $36\times79=$ ❷ ☐이므로 높은 자리 수부터 차례로 크기를 비교합니다.

[답] ❶ 2868 ❷ 2844

대표 예제 06

☐ 안에 알맞은 수를 써넣으시오.

$45\times80=45\times$ ☐ $\times10$

$=$ ☐ $\times10$

$=$ ☐

개념가이드

$80=8\times10$이므로 45×80의 80 대신 8×10을 넣으면 $45\times$ ❶ ☐ $\times10$입니다. 이것은 45×8의 결과에 0을 ❷ ☐개 더 붙입니다.

[답] ❶ 8 ❷ 1

대표 예제 07

파키스탄 돈 1루피는 우리나라 돈 7원과 같습니다. 파키스탄 돈 35루피는 우리나라 돈으로 얼마입니까?

( )

개념가이드

파키스탄 돈 35루피는 (파키스탄 돈 1루피)× ❶ ☐이고 (파키스탄 돈 1루피)=(우리나라 돈 7원)이므로 (우리나라 돈 ❷ ☐원)×35를 계산합니다.

[답] ❶ 35 ❷ 7

대표 예제 08

수 카드 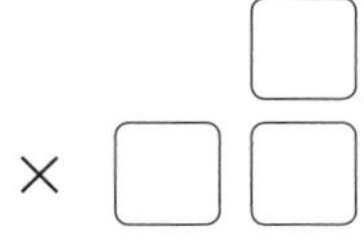 3, 4, 7을 한 번씩 사용하여 (한 자리 수)×(두 자리 수)의 식을 만들었습니다. 계산 결과가 가장 큰 곱은 얼마인지 곱셈식을 만들고 곱을 구하시오.

☐
× ☐ ☐

개념가이드

한 자리 수에 3, 4, 7 중 가장 큰 수인 ❶ ☐을/를 놓고 남은 수로 가장 큰 두 자리 수인 ❷ ☐을/를 만들어 곱을 계산합니다.

[답] ❶ 7 ❷ 43

대표 예제 09

나머지가 6이 나올 수 없는 식을 찾아 기호를 쓰시오.

㉠ ■÷8　　㉡ ▲÷6
㉢ ●÷7　　㉣ ★÷9

(　　　　　　　　)

개념가이드

나눗셈에서 나머지는 나누는 수보다 항상 ❶ 니다.
또는 나누는 수는 나머지보다 항상 ❷ 니다.
⇨ 나머지가 6이므로 나누는 수는 6보다 커야 합니다.

[답] ❶ 작습 ❷ 큽

대표 예제 10

어떤 수를 9로 나누었을 때 나오는 나머지 중 가장 큰 수는 얼마입니까?

(　　　　　　　　)

개념가이드

어떤 수를 9로 나누었으므로 나누는 수는 ❶ 이고
나머지가 될 수 있는 수는 나누는 수보다 ❷ 야
합니다.

[답] ❶ 9 ❷ 작아

대표 예제 11

민종이는 전체 쪽수가 210쪽인 소설책을 읽으려고 합니다. 하루에 5쪽씩 읽으면 소설책을 모두 읽는 데 며칠이 걸리는지 구하시오.

(　　　　　　　　)

개념가이드

(소설책을 모두 읽는 데 걸리는 날수)
=(소설책의 전체 쪽수)÷(하루에 읽는 소설책의 쪽수)
이므로 ❶ ÷ ❷ 를 계산합니다.

[답] ❶ 210 ❷ 5

대표 예제 12

수 카드 3, 5, 8 을 한 번씩 사용하여 (두 자리 수)÷(한 자리 수)의 나눗셈을 만들었습니다. 몫이 가장 큰 나눗셈식을 만들었을 때의 몫은 얼마입니까?

(　　　　　　　　)

개념가이드

몫이 가장 큰 (두 자리 수)÷(한 자리 수)의 나눗셈이 되려면 3, 5, 8 중 (한 자리 수)에는 가장 작은 수인 ❶ 을/를 놓고 남은 수로 (두 자리 수)를 가장 ❷ 게 만들어 계산합니다.

[답] ❶ 3 ❷ 크

▶정답 및 풀이 6쪽

항상 널 응원해!

대표 예제 | 13 |

여섯 변의 길이가 같은 육각형에서 모든 변의 길이의 합이 456 cm일 때 한 변의 길이는 몇 cm입니까?

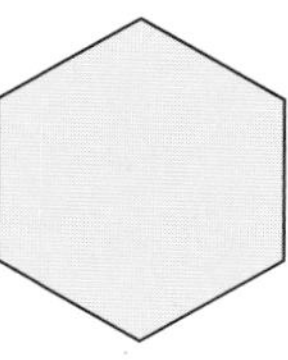

(　　　　　　　　)

개념가이드

(모든 변의 길이의 합)=(여섯 변의 길이의 합)이고
(여섯 변의 길이의 합)=(한 변의 길이)×❶ 　이므로
(한 변의 길이)=(모든 변의 길이의 합)÷❷ 　입니다.

[답] ❶ 6 ❷ 6

대표 예제 | 14 |

수 카드 7, 6, 4를 한 번씩 사용하여 (두 자리 수)÷(한 자리 수)의 나눗셈을 만들었습니다. 몫이 가장 작은 나눗셈식을 만들었을 때의 몫은 얼마입니까?

(　　　　　　　　)

개념가이드

몫이 가장 작은 (두 자리 수)÷(한 자리 수)의 나눗셈이 되려면 7, 6, 4 중 (한 자리 수)에는 가장 큰 수인 ❶ 　을/를 놓고 남은 수로 (두 자리 수)를 가장 ❷ 　게 만들어 계산합니다.

[답] ❶ 7 ❷ 작

대표 예제 | 15 |

원숭이의 말을 읽고 나머지가 될 수 있는 수를 모두 더하면 얼마인지 구하시오.

나머지가 될 수
있는 수 중 가장 큰 수는
7이야.

(　　　　　　　　)

개념가이드

나머지가 될 수 있는 수 중 가장 큰 수가 7이므로 나머지가 될 수 있는 수는 7과 ❶ 　거나 7보다 ❷ 　수입니다.

[답] ❶ 같 ❷ 작은

대표 예제 | 16 |

오른쪽 로마 숫자 2개를 한 번씩 사용하여 두 자리 수를 만들었습니다. 만든 가장 큰 두 자리 수를 4로 나눈 몫을 구하시오.

Ⅸ Ⅴ

4	5	6	7	8	9
Ⅳ	Ⅴ	Ⅵ	Ⅶ	Ⅷ	Ⅸ

(　　　　　　　　)

개념가이드

로마 숫자 2개를 아라비아 숫자로 바꾸면 Ⅸ → 9, Ⅴ → 5이므로 만든 가장 큰 두 자리 수는 ❶ 　입니다. ⇨ ❷ 　÷4를 계산합니다.

[답] ❶ 95 ❷ 95

1주

교과서 대표 전략 ❷

1 가장 큰 수와 가장 작은 수의 곱을 구하시오.

77 68 96 83

( )

Tip

77, 68, 96, 83 중 가장 큰 수는 ❶☐이고 가장 작은 수는 68입니다. 가장 큰 수와 가장 작은 수의 곱은 ❷☐ × 68입니다.

답 ❶ 96 ❷ 96

2 수 카드 3장을 한 번씩 사용하여 (한 자리 수)×(두 자리 수)의 식을 만들었습니다. 계산 결과가 가장 작은 곱은 얼마인지 구하시오.

7 4 9

( )

Tip

한 자리 수에 7, 4, 9 중 가장 작은 수인 ❶☐을/를 놓고 남은 수로 가장 작은 두 자리 수인 ❷☐을/를 만들어 곱을 계산합니다.

답 ❶ 4 ❷ 79

3 ☐ 안에 들어갈 수 있는 수 중 가장 큰 수를 구하시오.

$26 \times \square < 600$

( )

Tip

$26 \times 20 = 520$, $26 \times 21 = 546$, $26 \times 22 = 572$, $26 \times 23 =$ ❶☐, $26 \times 24 = 624$……이므로 ☐ 안에 들어갈 수 있는 수는 1부터 ❷☐까지입니다.

답 ❶ 598 ❷ 23

4 77에 어떤 수를 곱해야 할 것을 잘못하여 뺐더니 37이 되었습니다. 바르게 계산한 값은 얼마입니까?

( )

Tip

어떤 수를 ☐라 하면 잘못 계산한 식은 $77 - \square =$ ❶☐이므로 $77 - 37 = \square$, $\square =$ ❷☐입니다. 따라서 바르게 계산한 값을 구하는 식은 $77 \times \square$입니다.

답 ❶ 37 ❷ 40

▶정답 및 풀이 7쪽

5 수 카드 4장 중 3장을 골라 한 번씩 사용하여 (두 자리 수)÷(한 자리 수)의 나눗셈을 만들었습니다. 몫이 가장 큰 나눗셈식을 만들었을 때의 몫은 얼마입니까?

(   )

Tip

몫이 가장 큰 (두 자리 수)÷(한 자리 수)의 나눗셈이 되려면 8, 5, 9, 6 중 (한 자리 수)에는 가장 작은 수인 ❶ ☐ 을/를 놓고 남은 수로 (두 자리 수)를 가장 ❷ ☐ 게 만들어 계산합니다.

답 ❶ 5 ❷ 크

6 수 카드 4장 중 3장을 골라 한 번씩 사용하여 (두 자리 수)÷(한 자리 수)의 나눗셈을 만들었습니다. 몫이 가장 작은 나눗셈식을 만들었을 때의 몫은 얼마입니까?

(   )

Tip

몫이 가장 작은 (두 자리 수)÷(한 자리 수)의 나눗셈이 되려면 5, 7, 2, 4 중 (한 자리 수)에는 가장 큰 수인 ❶ ☐ 을/를 놓고 남은 수로 (두 자리 수)를 가장 ❷ ☐ 게 만들어 계산합니다.

답 ❶ 7 ❷ 작

7 구슬에 써 있는 수 4개를 한 번씩 사용하여 (세 자리 수)÷(한 자리 수)의 나눗셈을 만들었습니다. 몫이 가장 큰 나눗셈식을 만들었을 때의 몫은 얼마입니까?

(   )

Tip

몫이 가장 큰 (세 자리 수)÷(한 자리 수)의 나눗셈이 되려면 4, 3, 8, 7 중 (한 자리 수)에는 가장 작은 수인 ❶ ☐ 을/를 놓고 남은 수로 (세 자리 수)를 가장 ❷ ☐ 게 만들어 계산합니다.

답 ❶ 3 ❷ 크

8 구슬에 써 있는 수 4개를 한 번씩 사용하여 (세 자리 수)÷(한 자리 수)의 나눗셈을 만들었습니다. 몫이 가장 작은 나눗셈식을 만들었을 때의 몫은 얼마입니까?

(   )

Tip

몫이 가장 작은 (세 자리 수)÷(한 자리 수)의 나눗셈이 되려면 2, 9, 7, 6 중 (한 자리 수)에는 가장 큰 수인 ❶ ☐ 을/를 놓고 남은 수로 (세 자리 수)를 가장 ❷ ☐ 게 만들어 계산합니다.

답 ❶ 9 ❷ 작

누구나 만점 전략

01 계산을 하시오.

(1)
$$\begin{array}{r} 7\ 3\ 8 \\ \times \quad\ \ 6 \\ \hline \end{array}$$

(2)
$$\begin{array}{r} 6\ 7 \\ \times\ 8\ 9 \\ \hline \end{array}$$

02 빈 곳에 알맞은 수를 써넣으시오.

03 다음은 네 변의 길이가 모두 같은 사각형입니다. 네 변의 길이의 합은 몇 cm인지 구하시오.

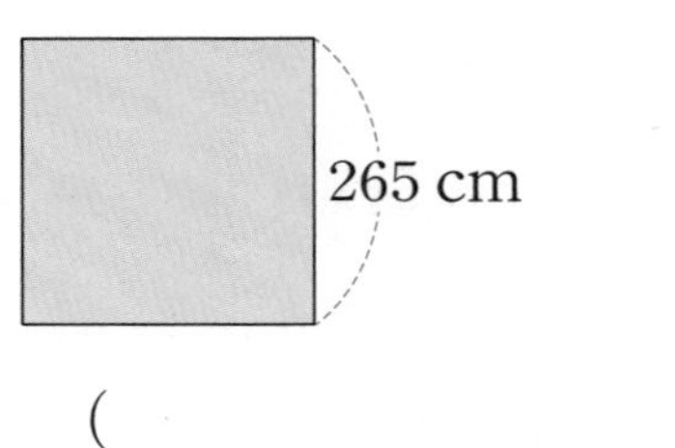

(　　　　　　　　)

04 계산 결과가 더 큰 것의 기호를 쓰시오.

(　　　　　　　　)

05 어느 과일 가게에 사과가 한 상자에 23개씩 30상자, 배는 한 상자에 9개씩 18상자가 있습니다. 사과와 배는 모두 몇 개인지 구하시오.

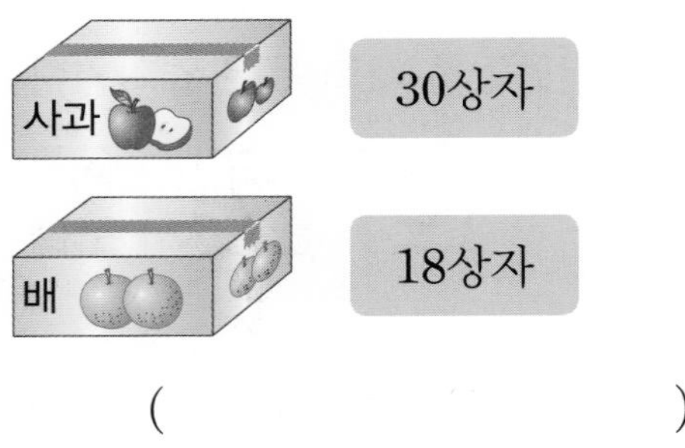

(　　　　　　　　)

▶정답 및 풀이 8쪽

06 몫을 찾아 선으로 이어 보시오.

$70 \div 5$ •		• 12
$96 \div 8$ •		• 13
		• 14

07 나머지가 가장 작은 것에 ○표 하시오.

( ) ( ) ( )

08 나누어떨어지지 <u>않는</u> 나눗셈을 찾아 기호를 쓰시오.

㉠ $65 \div 5$ ㉡ $76 \div 4$ ㉢ $88 \div 6$

( )

09 나눗셈을 하고 맞게 계산했는지 확인해 보시오.

$$7 \overline{)\,6\ 1\ 2}$$

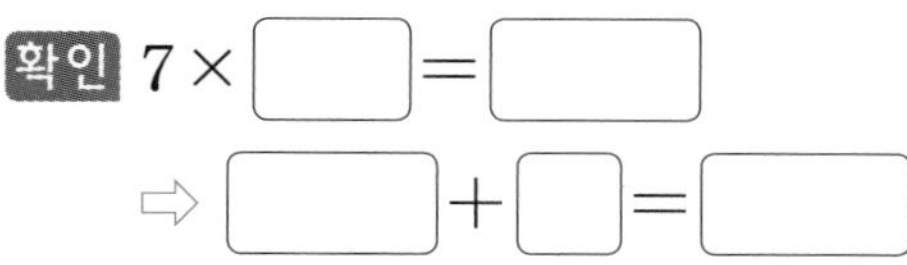

10 대화를 읽고 어떤 수 중 가장 큰 수는 얼마인지 구하시오.

어떤 수를 6으로 나누어 봐.
몫이 28이 나와.
그럼 가장 큰 수는 얼마일까?
전송

( )

1 주

창의·융합·코딩 전략 ❶

창의 융합

1 민수는 엉터리 턱걸이를 모두 몇 번 할 수 있다고 했는지 구하시오.

( )

창의 융합

2 선생님께서 먹게 되는 꼬마 김밥은 몇 줄인지 구하시오.

( )

창의·융합·코딩 전략 ❷

코딩

1 시작에 8을 넣었을 때 나오는 수를 구하시오.

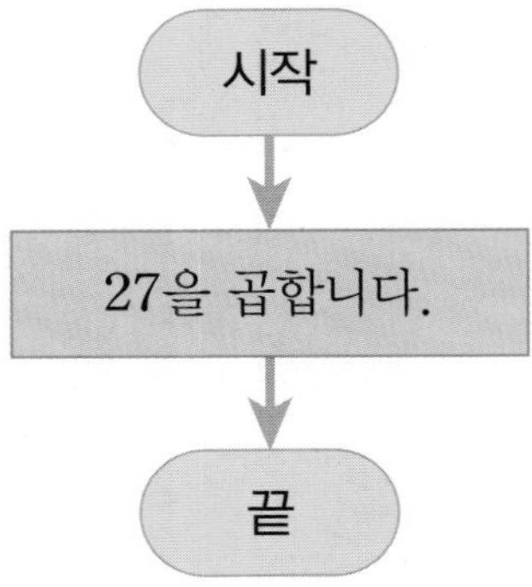

(　　　　　　　　　　)

Tip

시작에 8을 넣었으므로 8과 ❶ [　　] 을/를 ❷ [　　] 합니다.

[답] ❶ 27 ❷ 곱

코딩

2 화살표의 약속에 따라 계산할 때 ㉠에 알맞은 수를 구하시오.

화살표의 약속	
↑	×38
→	×5

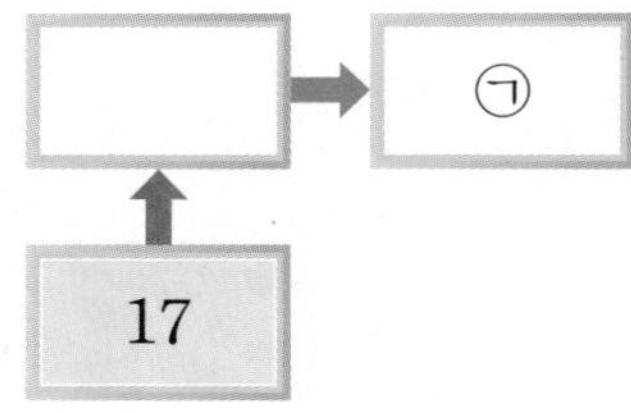

(　　　　　　　　　　)

Tip

화살표의 약속대로 17과 ❶ [　　] 을/를 곱한 뒤 그 결과에 ❷ [　　] 을/를 곱합니다.

[답] ❶ 38 ❷ 5

▶정답 및 풀이 9쪽

문제 해결

3 다음 도형의 꼭짓점 수를 이용하여 세 자리 수를 만들었습니다. 만든 세 자리 수와 9의 곱을 구하시오.

백의 자리 숫자	십의 자리 숫자	일의 자리 숫자
(사각형)	(육각형)	(오각형)

( )

Tip

사각형에는 꼭짓점이 4개, 오각형에는 꼭짓점이 ❶ 개, 육각형에는 꼭짓점이 6개가 있으므로 주어진 도형의 꼭짓점 수를 순서대로 세어 세 자리 수 ❷ 를 만들고 9와의 곱을 계산합니다.

[**답**] ❶ 5 ❷ 465

코딩

4 코드를 실행하여 나눗셈을 하려고 합니다. 500을 넣고 코드를 실행했을 때 화면에 보이는 수를 구하시오.

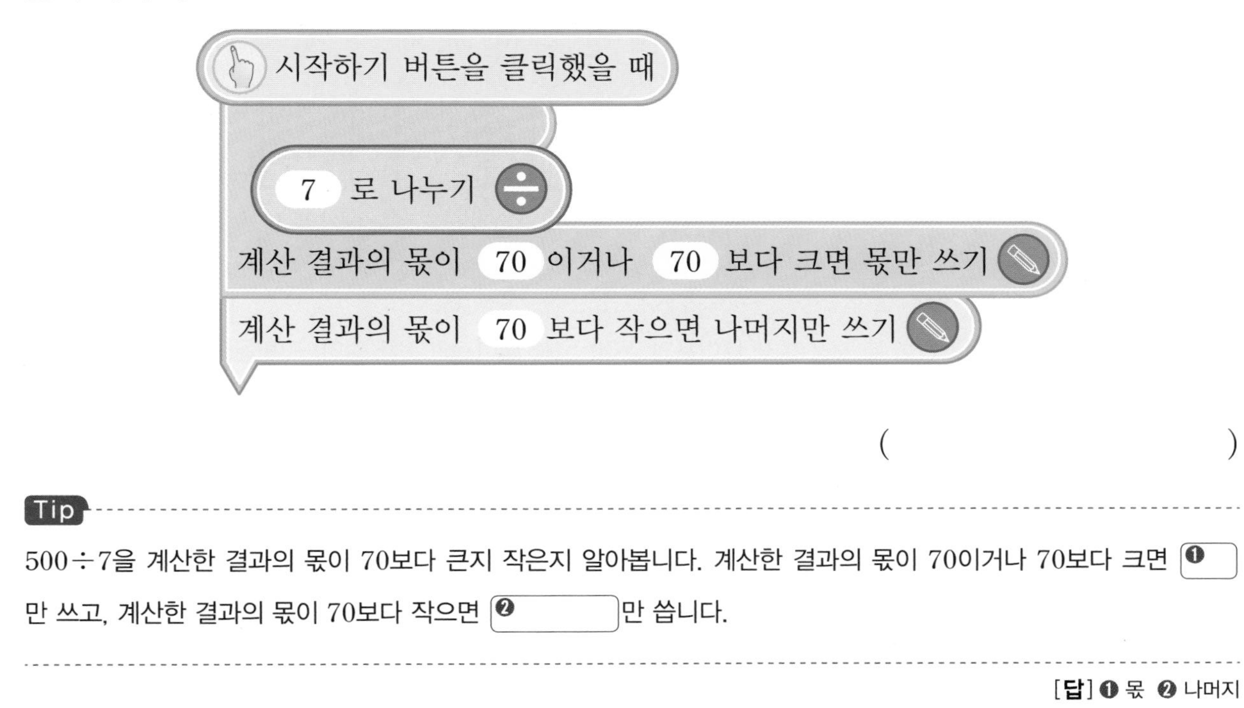

( )

Tip

500÷7을 계산한 결과의 몫이 70보다 큰지 작은지 알아봅니다. 계산한 결과의 몫이 70이거나 70보다 크면 ❶ 만 쓰고, 계산한 결과의 몫이 70보다 작으면 ❷ 만 씁니다.

[**답**] ❶ 몫 ❷ 나머지

문제 해결

5 다음은 정사각형 3개를 겹치지 않게 이어 붙여서 만든 모양입니다. 굵은 선으로 표시된 부분의 길이가 96 cm일 때 정사각형의 한 변의 길이는 몇 cm인지 구하시오.

(　　　　　　　　)

Tip

정사각형은 네 변의 길이가 모두 같으므로 굵은 선으로 표시된 부분의 길이는 정사각형의 한 변의 길이의 ❶ 배입니다. ⇨ (한 변의 길이)=(굵은 선으로 표시된 부분의 길이)÷❷

[답] ❶ 8 ❷ 8

문제 해결

6 길이가 312 cm인 색 테이프를 사용하여 그림과 같이 크기가 같은 정사각형을 6개 만들었습니다. 만든 정사각형의 한 변의 길이는 몇 cm입니까?

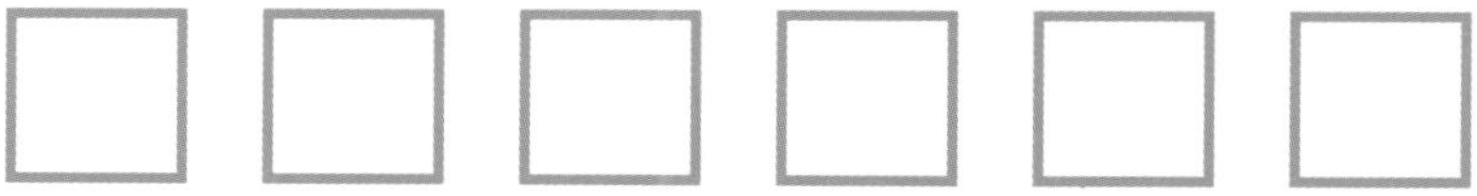

(　　　　　　　　)

Tip

(정사각형 1개를 만들 때 사용한 색 테이프의 길이)=(색 테이프의 전체 길이)÷(만든 정사각형의 수)이므로 312÷❶ 을 계산합니다. (정사각형 1개의 네 변의 길이의 합)=(정사각형 1개를 만들 때 사용한 색 테이프의 길이), (정사각형 1개의 네 변의 길이의 합)=(한 변의 길이)×4이므로 (한 변의 길이)=(네 변의 길이의 합)÷❷ 을/를 계산합니다.

[답] ❶ 6 ❷ 4

▶정답 및 풀이 9쪽

추론

7 주어진 수 4개를 규칙에 따라 한 번씩 사용하여 곱셈식을 만들었습니다. ☐ 안에 알맞은 수를 써넣고 계산하시오.

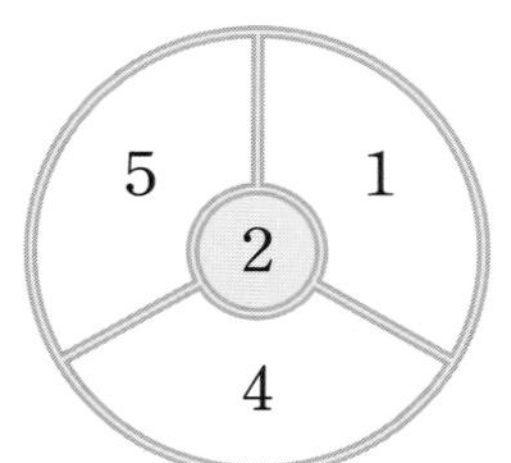

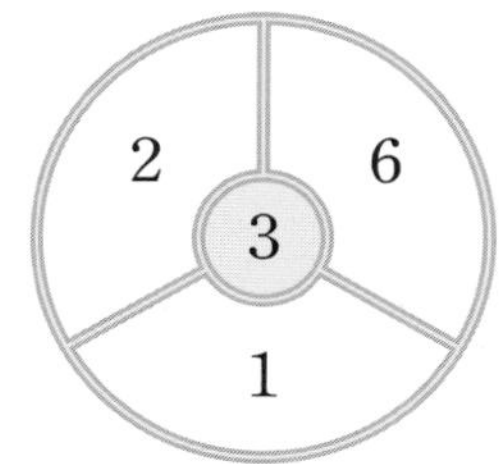

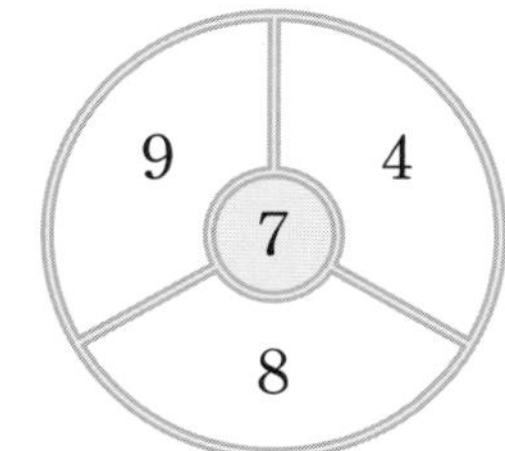

⇨ $514 \times 2 = $ ☐ ⇨ $261 \times 3 = $ ☐ ⇨ ☐ $\times$ ☐ $=$ ☐

Tip

바깥에 있는 세 수를 8시와 12시 사이에 있는 수부터 ❶ ☐ 방향으로 차례로 읽어 세 자리 수를 만들고 만든 세 자리 수와 ❷ ☐ 수를 곱합니다.

[답] ❶ 시계 ❷ 가운데

문제 해결

8 올해 어린이날은 금요일입니다. 내년 어린이날은 무슨 요일인지 구하시오. (단, 내년 2월은 28일까지 있습니다.)

5월

일	월	화	수	목	금	토
	1	2	3	4	5	6
7	8	9	10	11	12	13
14	15	16	17	18	19	20
21	22	23	24	25	26	27
28	29	30	31			

( )

Tip

일주일마다 같은 요일이 반복되고 내년 2월은 28일까지 있으므로 내년 어린이날은 ❶ ☐ 일 후입니다.

내년 어린이날은 금요일보다 ❷ ☐ $\div 7$을 계산하여 나온 나머지 일 뒤인 요일입니다.

[답] ❶ 365 ❷ 365

2주

원,
자료와 그림그래프

원의 중심에
서 볼래.
운동장 바닥에
큰 원을 그리고
주위를 돌면서
운동해야지.

원의
중심이면?

거긴 원의
중심이
아니라구.

원의 중심은
원을 그릴 때에
누름 못이
꽂혔던 점을
말해.
원의 중심

그럼 원의
반지름을 알아?
글쎄?

원의 중심과 원
위의 한 점을 이은
선분을 원의
반지름이라고 해.
원의 반지름

그냥 원을
그렸을 뿐인데
뭐가 이렇게
복잡해.
큭큭…

학습할 내용

❶ 원의 구성 요소와 원의 성질
❷ 원 그리기
❸ 그림그래프 알아보기
❹ 그림그래프로 나타내기

학생들이 하고 싶은 경기

경기	공굴리기	달리기	줄다리기	박터뜨리기	합계
학생 수(명)	51	74	65	60	250

학생들이 하고 싶은 경기

경기	학생 수
공굴리기	●●●●●○
달리기	●●●●●●●○○○○
줄다리기	●●●●●●○○○○○
박터트리기	●●●●●●

● 10명 ○ 1명

개념 1 원의 구성 요소와 원의 성질

[관련 단원] 원

- 원의 반지름: 원의 중심과 원 위의 한 점을 이은 선분
- 원의 지름: 원 위의 두 점을 이은 선분 중 원의 중심을 지나는 선분

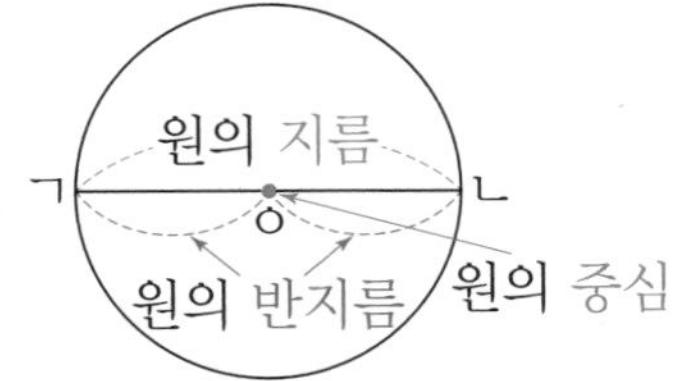

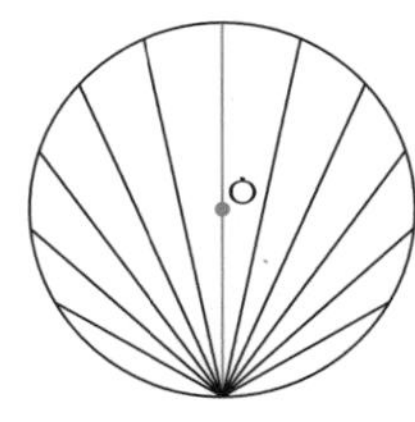

한 원에서 원의 중심은 1개야. 반지름과 지름은 무수히 많아.

- 원의 성질

① 지름은 원을 똑같이 둘로 나누고 원 안에 그을 수 있는 가장 긴 선분입니다.

② 한 원에서 지름은 반지름의 2배이고 반지름은 지름의 반입니다.

- 원의 중심과 원 위의 한 점을 이은 선분을 원의 ❶ ☐(이)라고 합니다.
- 원 위의 두 점을 이은 선분 중 원의 중심을 지나는 선분을 원의 ❷ ☐(이)라고 합니다.
- (원의 지름)=(원의 반지름)×2
- (원의 반지름)=(원의 지름)÷ ❸ ☐

답 ❶ 반지름 ❷ 지름 ❸ 2

개념 2 원 그리기

[관련 단원] 원

- 컴퍼스를 이용하여 원 그리기

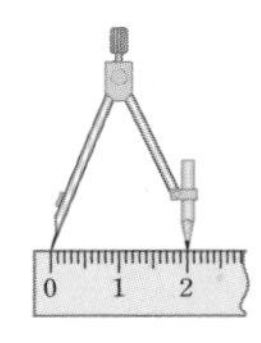

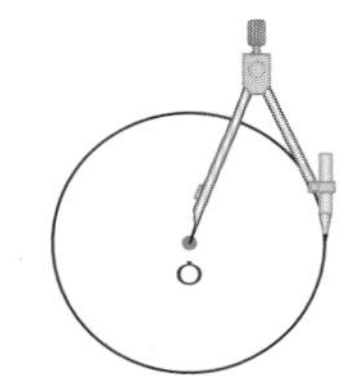

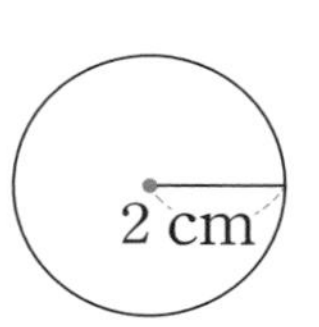

컴퍼스를 2 cm 만큼 벌리기	컴퍼스를 점 ㅇ에 꽂고 원을 그리기	반지름이 2 cm인 원

- 원을 이용하여 여러 가지 모양 그리기

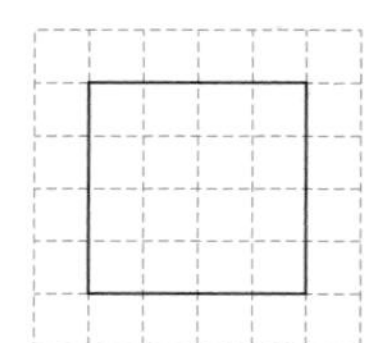

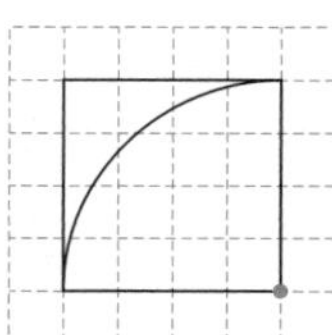

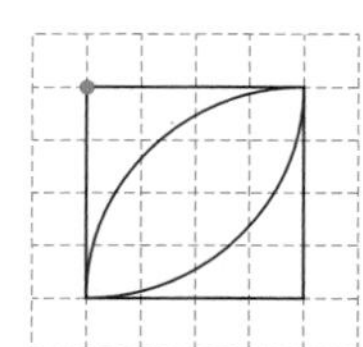

정사각형을 그리기	꼭짓점을 원의 중심으로 하고 원의 반지름은 정사각형의 한 변과 같은 원의 일부분 그리기

- 컴퍼스를 이용하여 반지름이 3 cm인 원을 그릴 때 컴퍼스를 반지름인 ❶ ☐ cm만큼 벌린 뒤 컴퍼스의 ❷ ☐을/를 원의 중심에 꽂고 원을 그립니다.

왼쪽 그림에서 컴퍼스의 침을 꽂아야 할 곳은 모두 2군데야.

답 ❶ 3 ❷ 침

개념 기초 확인

▶정답 및 풀이 10쪽

1-1 원의 중심을 찾아 쓰시오.

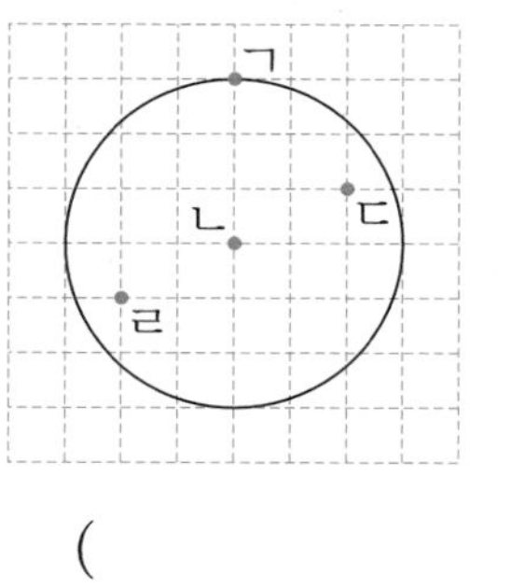

( )

• **풀이** • 누름 못과 띠 종이를 이용하여 원을 그릴 때 누름 못이 꽂혔던 점을 원의 ❶ 이라고 합니다. 원의 중심은 원의 한가운데에 있으므로 원 안에서 가장 ❷ 쪽에 있는 점입니다. 답 ❶ 중심 ❷ 안

1-2 원의 중심을 찾아 점 ㅇ(•)으로 나타내시오.

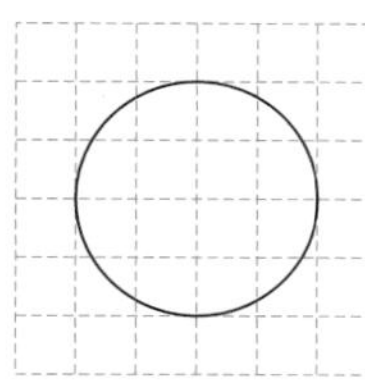

2-1 원의 반지름을 찾아 쓰시오.

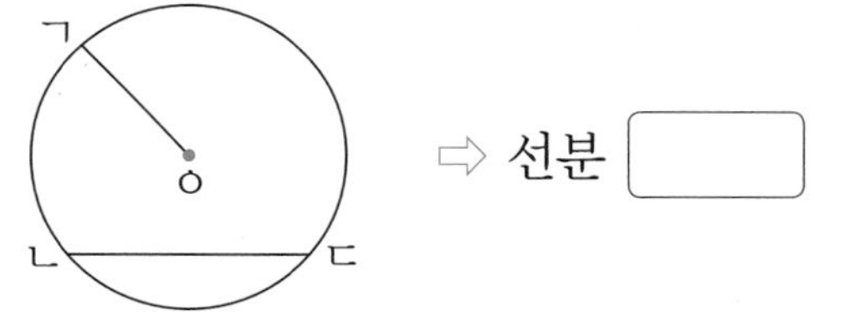

• **풀이** • 원의 중심과 원 위의 한 ❶ 을 이은 ❷ 을 원의 반지름이라고 합니다. 답 ❶ 점 ❷ 선분

2-2 원의 지름을 찾아 쓰시오.

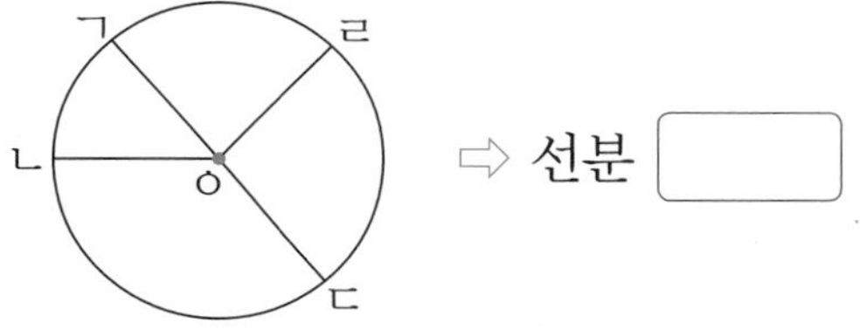

3-1 컴퍼스를 3 cm가 되도록 벌린 것에 ○표 하시오.

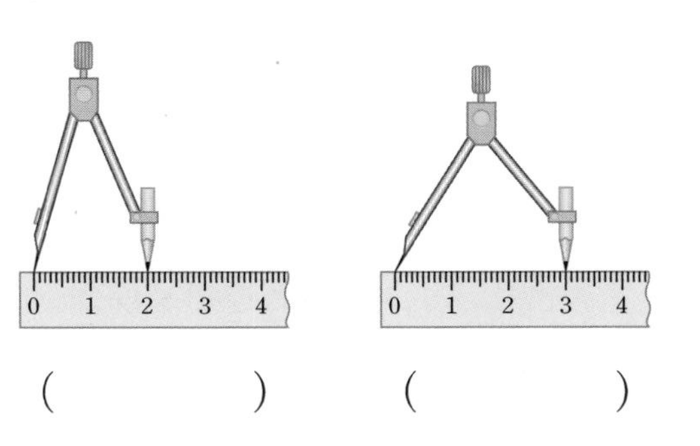

( ) ( )

• **풀이** • 컴퍼스를 3 cm가 되도록 벌린 것은 컴퍼스의 ❶ 이 눈금 0에 있을 때 연필의 끝이 눈금 ❷ 에 있는 것입니다.

답 ❶ 침 ❷ 3

3-2 컴퍼스를 몇 cm가 되도록 벌린 것입니까?

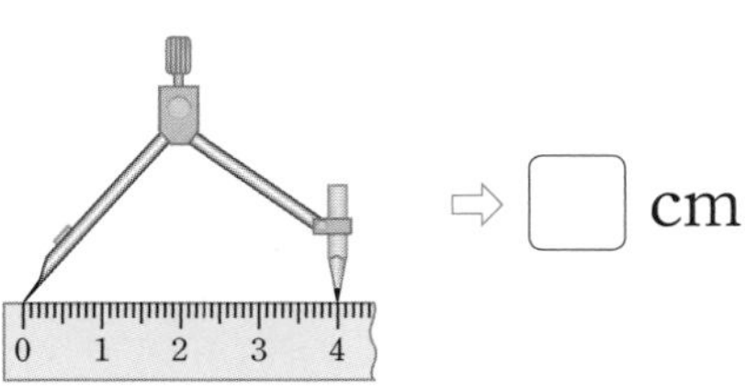

⇨ □ cm

2 주

개념 3 그림그래프 알아보기

[관련 단원] **자료와 그림그래프**

● **그림그래프**: 자료 또는 조사한 수를 그림으로 나타낸 그래프

학생들이 좋아하는 과일

과일	학생 수
사과	☺(큰 그림) ☺ ☺ ☺ ☺
귤	☺ ☺ ☺ ☺ ☺ ☺
배	☺ ☺ ☺

☺(큰 그림) 10명
☺ 1명

① 큰 그림 ☺은 10명을, 작은 그림 ☺은 1명을 나타냅니다.
② 가장 많은 학생이 좋아하는 과일은 큰 그림이 있는 사과입니다.
③ 가장 적은 학생이 좋아하는 과일은 작은 그림이 가장 적은 배입니다.
④ 사과를 좋아하는 학생은 배를 좋아하는 학생보다 11명 더 많습니다.

• 왼쪽 그림그래프에서 사과를 좋아하는 학생은 ❶ ___ 명입니다.
• 왼쪽 그림그래프에서 귤을 좋아하는 학생은 ❷ ___ 명입니다.
• 왼쪽 그림그래프에서 배를 좋아하는 학생은 ❸ ___ 명입니다.

답 ❶ 14 ❷ 6 ❸ 3

개념 4 그림그래프로 나타내기

[관련 단원] **자료와 그림그래프**

● **표를 보고 그림그래프로 나타내기**

3학년 학생들의 혈액형

혈액형	A형	B형	O형	AB형	합계
학생 수(명)	31	17	26	14	88

A형: $31=30+1$　B형: $17=10+7$
O형: $26=20+6$　AB형: $14=10+4$

③ 3학년 학생들의 혈액형

혈액형	학생 수
A형	●●●○
B형	●○○○○○○○
O형	●●○○○○○○
AB형	●○○○○

②

● 10명 ①
○ 1명

먼저 그림이 몇 명을 나타낼지 정하자.

• 왼쪽 표를 보고 그림그래프로 나타내는 순서 알아보기
① 그림의 가짓수와 그것의 ❶ ___ 을/를 정하고 모양도 정합니다.
② 조사한 수에 맞도록 ❷ ___ 을/를 그립니다.
③ 그림그래프에 알맞은 ❸ ___ 을/를 붙입니다.

답 ❶ 크기 ❷ 그림 ❸ 제목

개념 기초 확인

▶정답 및 풀이 10쪽

4-1 상혁이네 반 학생들이 좋아하는 색깔을 조사하여 나타낸 그림그래프입니다. □ 안에 알맞은 말을 써넣으시오.

학생들이 좋아하는 색깔

색깔	학생 수
빨간색	 ☺☺☺☺☺
파란색	 ☺☺☺☺☺☺
노란색	 (큰)☺ ☺☺☺

(큰)☺ 10명
☺ 1명

가장 많은 학생이 좋아하는 색깔은 큰 그림이 있는 □입니다.

• 풀이 • 큰 그림은 ❶□명, 작은 그림은 ❷□명을 나타내고 큰 그림이 1개 있으므로 가장 많은 학생이 좋아하는 색깔은 큰 그림이 있는 것입니다.

답 ❶ 10 ❷ 1

4-2 가은이네 반 학생들이 좋아하는 간식을 조사하여 나타낸 그림그래프입니다. □ 안에 알맞은 말을 써넣으시오.

학생들이 좋아하는 간식

간식	학생 수
피자	 ☺☺☺☺☺☺
떡볶이	 (큰)☺ ☺☺
치킨	 ☺☺☺☺☺

(큰)☺ 10명
☺ 1명

가장 적은 학생이 좋아하는 간식은 작은 그림의 수가 가장 적은 □입니다.

5-1 영아네 반 학생들이 좋아하는 운동을 조사하여 나타낸 표입니다. 표를 보고 그림그래프를 완성하시오.

학생들이 좋아하는 운동

운동	야구	축구	농구	합계
학생 수(명)	7	12	5	24

학생들이 좋아하는 운동

운동	학생 수
야구	
축구	●○○
농구	

● 10명
○ 1명

• 풀이 • ●는 10명, ○는 ❶□명을 나타내고 야구를 좋아하는 학생 수는 ❷□, 농구를 좋아하는 학생 수는 5이므로 그 수만큼 ○를 그립니다.

답 ❶ 1 ❷ 7

5-2 원석이네 반 학생들이 좋아하는 동물을 조사하여 나타낸 표입니다. 표를 보고 그림그래프로 나타내시오.

학생들이 좋아하는 동물

동물	호랑이	코끼리	기린	합계
학생 수(명)	14	8	3	25

학생들이 좋아하는 동물

동물	학생 수
호랑이	
코끼리	
기린	

● 10명
○ 1명

개념 돌파 전략 ❷

예제 1 원 안에 그은 길이가 가장 긴 선분

원 안에 그은 3개의 선분의 길이가 모두 다릅니다.

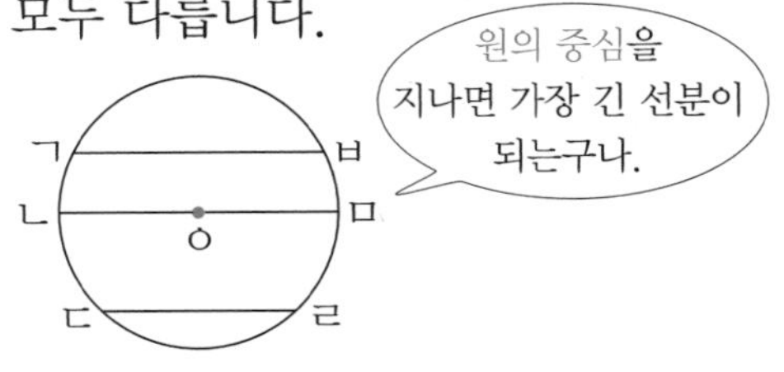

원의 중심을 지나면 가장 긴 선분이 되는구나.
ㄱ
ㅂ
ㄴ
ㅁ
ㅇ
ㄷ
ㄹ

원 안에 그은 선분은 선분 ㄱㅂ, 선분 ㄴㅁ, 선분 ㄷㄹ이고 이 중 길이가 가장 긴 선분은 선분 ❶ ☐ 이고 ❷ ☐ 름이라고 합니다.

[답] ❶ ㄴㅁ(또는 ㅁㄴ) ❷ 지

예제 2 지름과 반지름의 관계

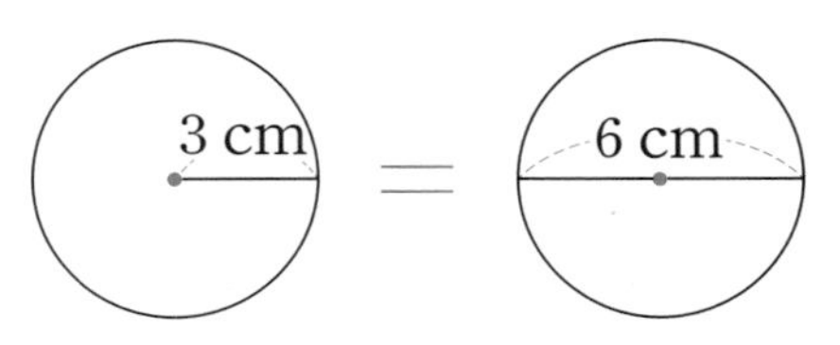

⇨ (원의 지름)=(원의 반지름)×2
(원의 반지름)=(원의 지름)÷2

(원의 지름)=(원의 반지름)× ❶ ☐ 입니다.
원의 반지름이 3 cm이므로 원의 지름은 ❷ ☐ cm입니다.

[답] ❶ 2 ❷ 6

예제 3 컴퍼스의 침을 꽂아야 할 곳

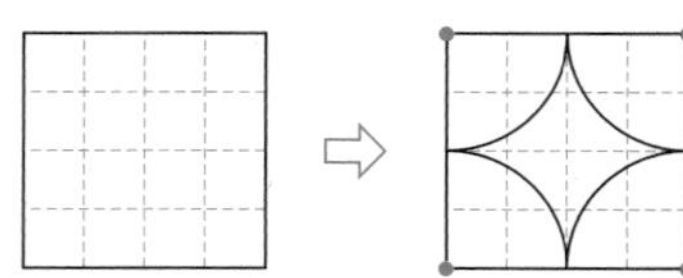

정사각형을 그린 뒤 각 꼭짓점을 원의 ❶ ☐ (으)로 하는 원의 일부분을 4개 그립니다. 각 ❷ ☐ 에 컴퍼스의 침을 꽂아야 합니다.

[답] ❶ 중심 ❷ 꼭짓점

1 원 위의 두 점을 이은 선분을 3개 그었습니다. 길이가 가장 긴 선분이 아닌 것을 찾아 ×표 하시오.

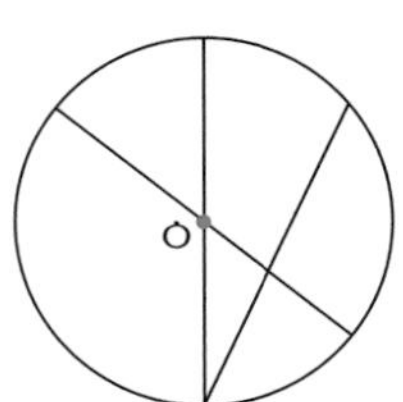

2 원을 보고 반지름 또는 지름은 몇 cm인지 ☐ 안에 알맞은 수를 써넣으시오.

(1)

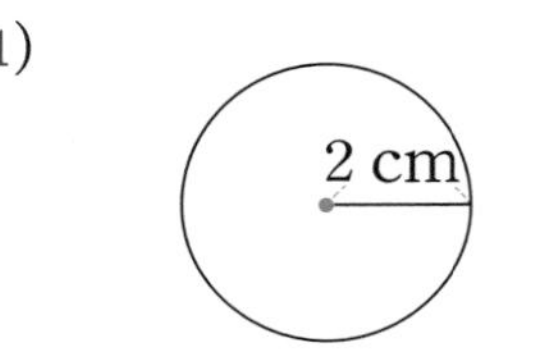

⇨ (지름)= ☐ cm

(2)

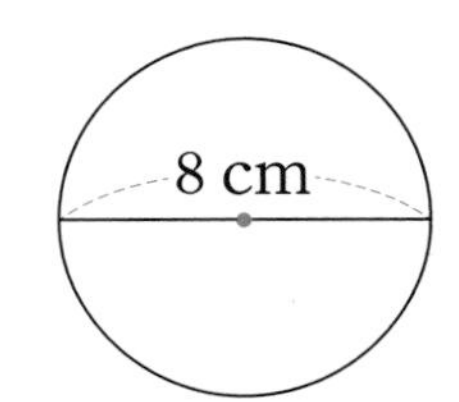

⇨ (반지름)= ☐ cm

3 주어진 모양을 그릴 때 컴퍼스의 침을 꽂아야 할 곳에 • 으로 표시하시오.

(1)

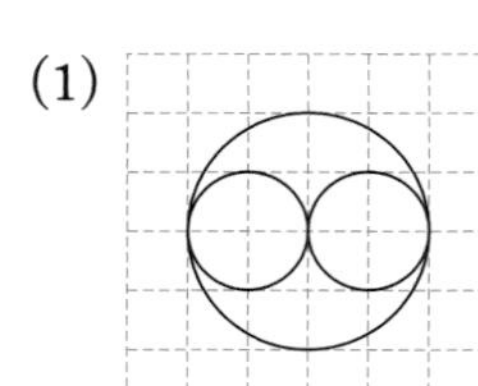

(2)

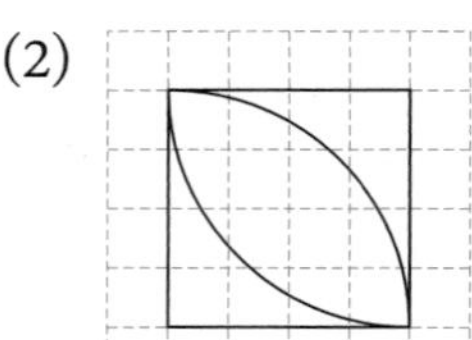

▶정답 및 풀이 10쪽

예제 4 자료를 보고 그림그래프로 나타내기

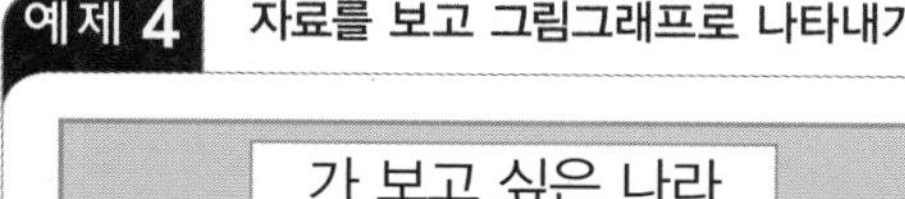

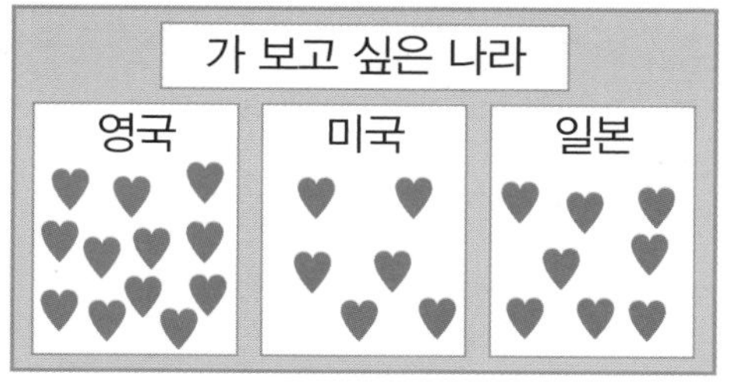

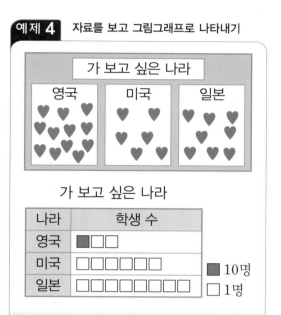

가 보고 싶은 나라

나라	학생 수
영국	■□□
미국	□□□□□□
일본	□□□□□□□□

■ 10명
□ 1명

♥의 수는 영국이 12개이므로 ■ 1개와 □ ❶ 개, 미국이 6개이므로 □ 6개, 일본이 8개이므로 □ ❷ 개를 그립니다.

[답] ❶ 2 ❷ 8

예제 5 그림그래프를 보고 표로 나타내기

학생들이 읽은 책 수

이름	책 수
연경	▮▮▮▫▫
정표	▮▫▫▫▫▫▫
초희	▮▮▫▫▫▫

▮ 10권
▫ 1권

학생들이 읽은 책 수

이름	연경	정표	초희	합계
책 수(권)	32	16	24	72

연경이는 ▮ 3개와 ▫ 2개이므로 32권, 정표는 ▮ 1개와 ▫ 6개이므로 ❶ 권, 초희는 ▮ 2개와 ▫ 4개이므로 24권을 읽었습니다. 합계는 $32+16+24=$ ❷ 입니다.

[답] ❶ 16 ❷ 72

4 현정이네 아파트에 있는 자동차 수를 조사하였습니다. 자료를 보고 그림그래프로 나타내시오.

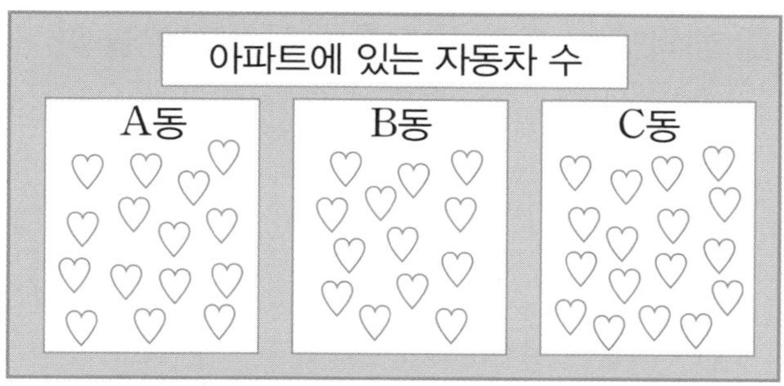

아파트에 있는 자동차 수

아파트	자동차 수
A동	
B동	
C동	

▶ 10대
▷ 1대

5 호진이네 학교 3학년의 반별 학급문고 수를 조사하여 나타낸 그림그래프입니다. 그림그래프를 보고 표로 나타내시오.

반별 학급문고 수

반	학급문고 수
1반	◎◎◎○○○
2반	◎◎○○○○○
3반	◎◎◎◎○○

◎ 10권
○ 1권

반별 학급문고 수

반	1반	2반	3반	합계
학급문고 수(권)				

2 주

필수 체크 전략 ❶

전략 1 가장 큰 원 찾기

[관련 단원] 원

예 원의 지름 또는 반지름이 다음과 같을 때 가장 큰 원의 기호 쓰기

㉠
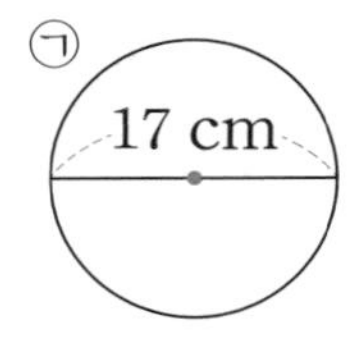

㉡
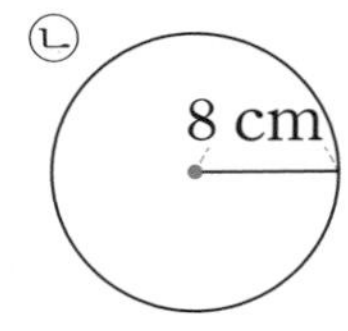

㉢
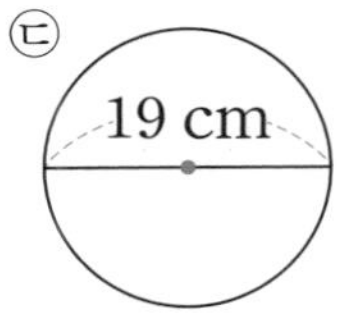

(지름)=(반지름)×2를 계산하여 구할 수 있어.

(1) 지름으로 모두 통일하기

㉠ 지름이 17 cm인 원, ㉡ 지름이 8×❶☐=❷☐ (cm)인 원,

㉢ 지름이 19 cm인 원

(2) 지름을 비교하여 가장 큰 원 찾기

지름이 긴 것부터 쓰면 19>17>16이므로 가장 큰 원은 ❸☐입니다.

답 ❶ 2 ❷ 16 ❸ ㉢

필수 예제 01

원의 지름 또는 반지름이 다음과 같을 때 가장 큰 원을 찾아 기호를 쓰시오.

㉠
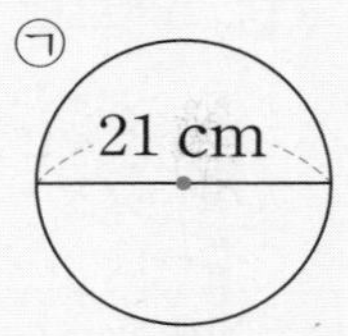

㉡
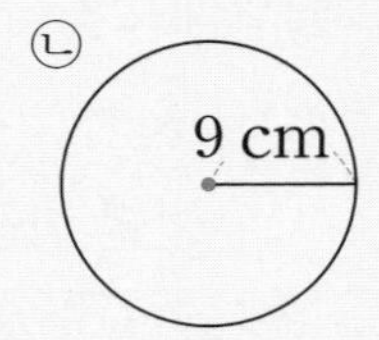

㉢
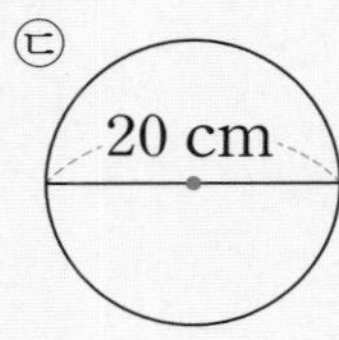

(　　　　　　　　)

풀이 | ㉠ 지름이 21 cm인 원, ㉡ 지름이 9×2=18 (cm)인 원, ㉢ 지름이 20 cm인 원입니다.
따라서 지름이 긴 것부터 쓰면 21>20>18이므로 가장 큰 원은 ㉠입니다.

확인 1-1

가장 큰 원의 기호를 쓰시오.

㉠ 지름이 23 cm인 원
㉡ 반지름이 12 cm인 원
㉢ 지름이 22 cm인 원

(　　　　　　　　)

확인 1-2

가장 큰 원의 기호를 쓰시오.

㉠ 반지름이 17 cm인 원
㉡ 지름이 36 cm인 원
㉢ 반지름이 15 cm인 원

(　　　　　　　　)

▶정답 및 풀이 11쪽

전략 2 선분의 길이 구하기

[관련 단원] 원

예 반지름이 각각 2 cm, 5 cm인 원 2개를 겹치지 않게 이어서 붙였습니다. 원의 중심이 일직선 위에 있을 때 선분 ㄱㄴ의 길이 구하기

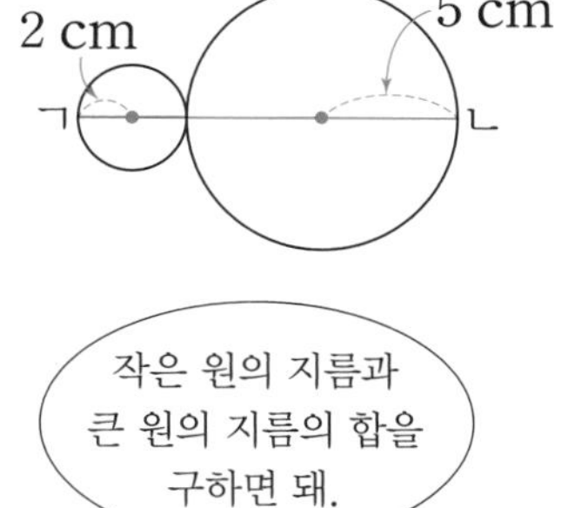

(1) 두 원의 지름 구하기

(빨간 선분의 길이)=(작은 원의 지름)
=$2 \times 2=4$ (cm)

(파란 선분의 길이)=(큰 원의 지름)
=$5 \times 2=10$ (cm)

(2) 선분 ㄱㄴ의 길이 구하기

(선분 ㄱㄴ의 길이)=(빨간 선분의 길이)+(파란 선분의 길이)
=❶[ ]+❷[ ]=❸[ ] (cm)

작은 원의 지름과 큰 원의 지름의 합을 구하면 돼.

답 ❶ 4 ❷ 10 ❸ 14

필수 예제 02

반지름이 각각 4 cm, 6 cm인 원 2개를 겹치지 않게 이어서 붙였습니다. 원의 중심이 일직선 위에 있을 때 선분 ㄱㄴ의 길이는 몇 cm입니까?

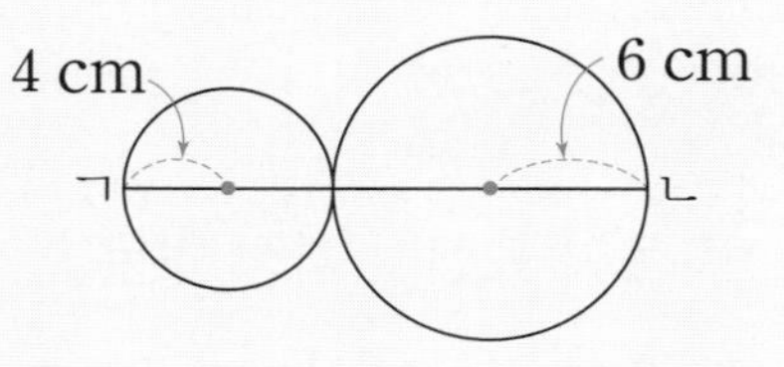

( )

풀이 | (작은 원의 지름)=$4 \times 2=8$ (cm), (큰 원의 지름)=$6 \times 2=12$ (cm)입니다.
⇨ (선분 ㄱㄴ의 길이)=(작은 원의 지름)+(큰 원의 지름)=$8+12=20$ (cm)

확인 2-1

반지름이 각각 3 cm, 4 cm인 원 2개를 겹치지 않게 이어서 붙였습니다. 원의 중심이 일직선 위에 있을 때 선분 ㄱㄴ의 길이는 몇 cm입니까?

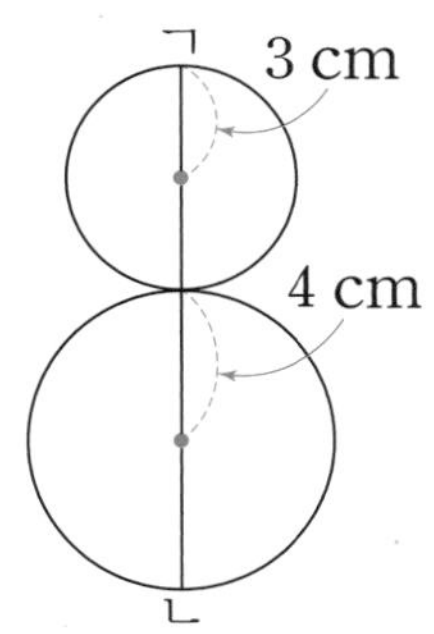

( )

확인 2-2

반지름이 각각 7 cm, 5 cm인 원 2개를 겹치지 않게 이어서 붙였습니다. 원의 중심이 일직선 위에 있을 때 선분 ㄱㄴ의 길이는 몇 cm입니까?

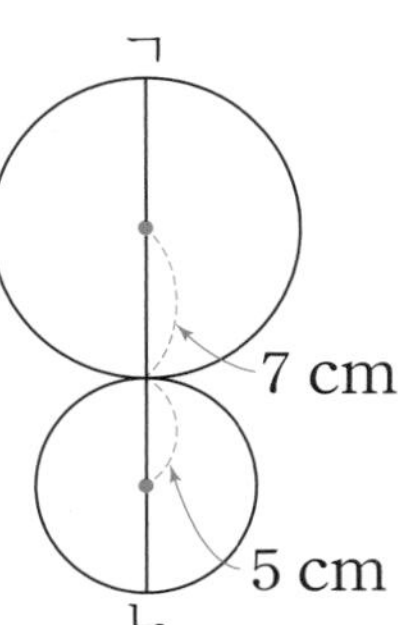

( )

2 주

전략 3 표로 나타내기

[관련 단원] **자료와 그림그래프**

예 민수네 반 학생들이 태어난 계절을 조사하였습니다. 조사한 자료를 표로 나타내기

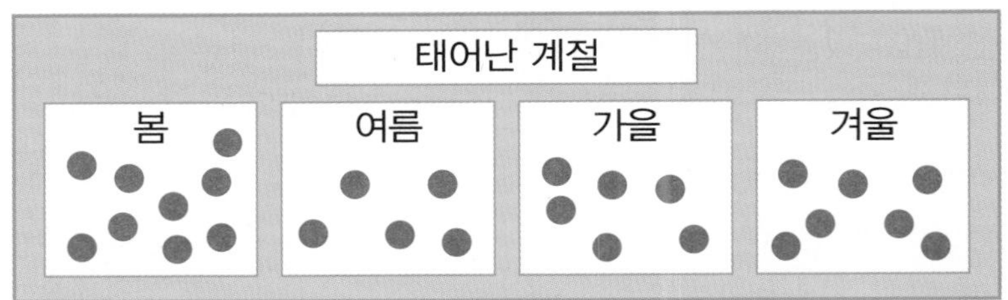

난 낙엽이 떨어지는 가을에 태어나서 감수성이 풍부해.

(1) 봄, 여름, 가을, 겨울에 붙어 있는 ●의 수 세기

봄: 9장, 여름: 5장, 가을: 6장, 겨울: 7장 ⇨ (●의 전체 수)$=9+5+6+7=27$(장)

(2) 표로 나타내기

학생들이 태어난 계절

계절	봄	여름	가을	겨울	합계
학생 수(명)	❶	❷	❸	❹	27

답 ❶ 9 ❷ 5 ❸ 6 ❹ 7

필수 예제 | 03 |

전략 3의 표에서 가장 많은 학생이 태어난 계절과 가장 적은 학생이 태어난 계절을 구하시오.

(1) 가장 많은 학생이 태어난 계절을 구하시오. (　　　　　　)

(2) 가장 적은 학생이 태어난 계절을 구하시오. (　　　　　　)

풀이 | (1) $9>7>6>5$이므로 가장 많은 학생이 태어난 계절은 봄입니다.
(2) $5<6<7<9$이므로 가장 적은 학생이 태어난 계절은 여름입니다.

확인 3-1

영아네 반 학생들이 간식으로 먹고 싶은 음식을 조사하였습니다. 조사한 자료를 보고 물음에 답하시오.

간식으로 먹고 싶은 음식

떡볶이 치킨 햄버거 피자

(1) 오른쪽 표로 나타내시오.

간식으로 먹고 싶은 음식

음식	떡볶이	치킨	햄버거	피자	합계
학생 수(명)					

(2) 가장 많은 학생이 먹고 싶은 음식과 가장 적은 학생이 먹고 싶은 음식을 차례로 쓰시오.

(　　　　　　)

▶정답 및 풀이 11쪽

전략 4 그림그래프로 나타내기

[관련 단원] **자료와 그림그래프**

예 연실이네 학교 학생들이 배우고 싶은 악기를 조사하여 나타낸 표입니다. 표를 보고 그림그래프로 나타내기

학생들이 배우고 싶은 악기

악기	트럼펫	장구	거문고	기타	합계
학생 수(명)	15	27	41	32	115

학생들이 배우고 싶은 악기

악기	학생 수
트럼펫	●○○○○○
장구	●●○○○○○○○
거문고	❸
기타	❹

● 10명
○ 1명

(1) 표의 악기별 학생 수를 그림으로 나타내기
트럼펫: ● 1개와 ○ 5개
장구: ● 2개와 ○ 7개
거문고: ● ❶ [ ] 개와 ○ ❷ [ ] 개
기타: ● 3개와 ○ 2개

(2) 그림그래프 완성하기
거문고와 기타에 ●와 ○의 수만큼 그립니다.

답 ❶ 4 ❷ 1 ❸ ●●●●○ ❹ ●●●○○

필수 예제 | 04 |

전략 4의 그림그래프에서 ●의 수가 가장 많은 악기를 구하시오. (   )

풀이 | ●의 수를 악기별로 구하면 트럼펫: 1개, 장구: 2개, 거문고: 4개, 기타: 3개입니다.
따라서 $4>3>2>1$이므로 ●의 수가 가장 많은 악기는 거문고입니다.

확인 4-1

빵집에서 하루 동안 팔린 빵의 수를 조사하여 나타낸 표입니다. 표를 보고 물음에 답하시오.

하루 동안 팔린 빵의 수

종류	식빵	도넛	피자빵	팥빵	합계
빵의 수(개)	34	14	45	26	115

(1) 오른쪽 그림그래프로 나타내시오.

(2) 오른쪽 그림그래프에서 ●의 수가 가장 많은 빵을 구하시오.

(   )

하루 동안 팔린 빵의 수

종류	빵의 수
식빵	
도넛	
피자빵	
팥빵	

● 10개
○ 1개

2주

필수 체크 전략 ❷

[관련 단원] **원**

1 주어진 모양과 똑같이 그리시오.

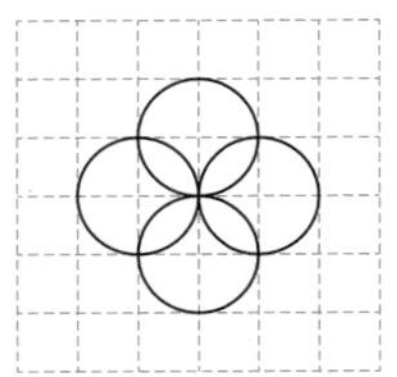

⇨

Tip

- 원을 4개 그려야 하고 원의 중심은 컴퍼스의 침을 꽂아야 할 곳이므로 모두 ❶ 군데입니다.
- 각 원의 중심에서 원의 반지름은 모눈 ❷ 칸이 되도록 그립니다.

답 ❶ 4 ❷ 1

[관련 단원] **원**

2 반지름이 각각 6 cm, 4 cm, 8 cm인 원 3개를 겹치지 않게 이어서 붙였습니다. 원의 중심이 일직선 위에 있을 때 선분 ㄱㄴ의 길이는 몇 cm입니까?

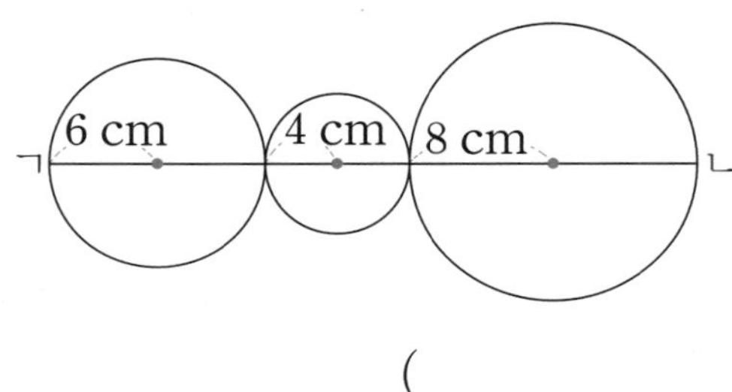

( )

Tip

- (둘째로 큰 원의 지름)$=6\times2$
  $=$ ❶ (cm),
  (가장 작은 원의 지름)$=4\times2=8$ (cm),
  (가장 큰 원의 지름)$=8\times2$
  $=$ ❷ (cm)
- (선분 ㄱㄴ의 길이)
  $=$(둘째로 큰 원의 지름)
  $+$(가장 작은 원의 지름)
  $+$(가장 큰 원의 지름)

답 ❶ 12 ❷ 16

[관련 단원] **원**

3 ❶크기가 같은 원 3개를 서로 원의 중심을 지나도록 겹쳐서 그린 후 세 원의 중심을 이었습니다. ❷삼각형 ㄱㄴㄷ의 세 변의 길이의 합이 45 cm일 때 ❸원의 반지름은 몇 cm입니까?

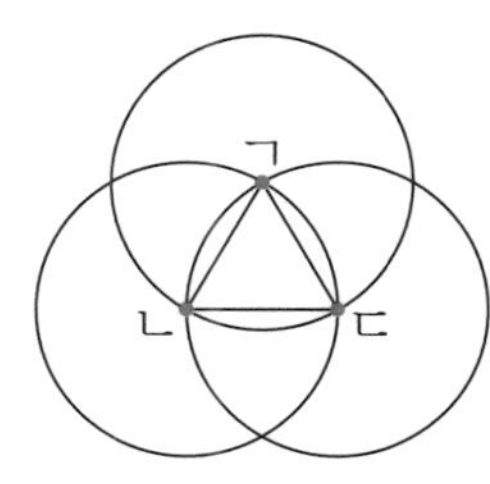

( )

Tip

❶ 삼각형 ㄱㄴㄷ의 각 변의 길이는 모두 원의 ❶ 와/과 같습니다.
❷ 삼각형 ㄱㄴㄷ의 세 변의 길이의 합은 원의 반지름의 ❷ 배입니다.
❸ (원의 반지름)$=$(세 변의 길이의 합)$\div3$

답 ❶ 반지름 ❷ 3

▶정답 및 풀이 11쪽

[관련 단원] **자료와 그림그래프**

4 현수네 학교 3학년 학생들이 존경하는 인물을 조사하여 나타낸 그림그래프입니다. 조사한 학생 수를 구하시오.

학생들이 존경하는 인물

인물	학생 수
세종대왕	●●●●●○○○
이순신	●●○○○○○○
신사임당	●●●○○○○○○○
안중근	●○○
김구	●●○○○○○○○○○

● 10명
○ 1명

(　　　　　　　　)

Tip

● 1개는 10명을 나타내고 ○ 1개는 1명을 나타냅니다.
- 세종대왕: ● 5개는 50명을 나타내고 ○ 3개는 3명을 나타냅니다. ⇨ ❶ ☐명
- 이순신: ● 2개는 20명을 나타내고 ○ 6개는 6명을 나타냅니다. ⇨ 26명
- 신사임당: ● 3개는 30명을 나타내고 ○ 7개는 7명을 나타냅니다. ⇨ ❷ ☐명

답 ❶ 53 ❷ 37

[관련 단원] **자료와 그림그래프**

5 하은이네 학교 3학년 남녀 학생들의 혈액형을 조사하여 나타낸 표입니다. 물음에 답하시오.

학생들의 혈액형

혈액형	A형	B형	O형	AB형	합계
남학생 수(명)	58	26		37	170
여학생 수(명)	15	63	44	38	160

(1) O형인 남학생은 몇 명입니까?

(　　　　　　　　)

(2) 현수네 학교 3학년 학생은 모두 몇 명입니까?

(　　　　　　　　)

(3) 가장 많은 학생의 혈액형을 구하시오.

(　　　　　　　　)

Tip

(1) (O형인 남학생 수)
=(3학년 남학생 수)
−(A형인 남학생 수)
−(B형인 남학생 수)
−(❶ ☐형인 남학생 수)입니다.

(2) 3학년 남학생 수와 3학년 여학생 수는 표에서 합계이므로
(3학년 학생 수)
=(170+❷ ☐)명입니다.

(3) 각 혈액형별로 남녀 학생 수의 합을 구하여 크기를 비교합니다.

답 ❶ AB ❷ 160

전략 1 겹친 원에서 선분의 길이 구하기 [관련 단원] 원

예 반지름이 5 cm인 원 3개를 서로 원의 중심을 지나도록 겹쳐서 그렸을 때 선분 ㄱㄴ의 길이 구하기

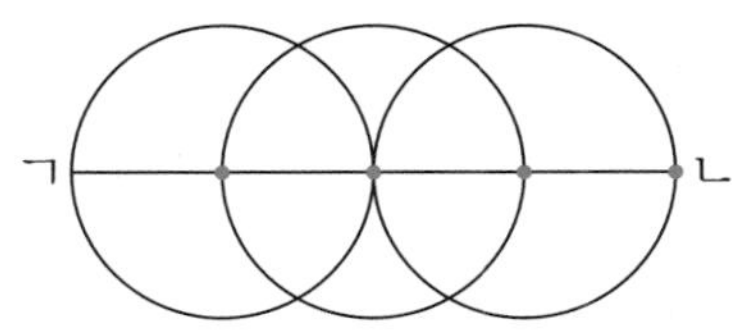

원의 수와
반지름으로 규칙을
만들 수 있구나.

(1) 선분 ㄱㄴ의 길이는 원의 반지름의 몇 배인지 구하기
원의 수는 3개이고 선분 ㄱㄴ의 길이는 원의 반지름을 4번 더한 것과 같으므로 선분 ㄱㄴ의 길이는 원의 반지름의 4배입니다.

(2) 선분 ㄱㄴ의 길이 구하기
(선분 ㄱㄴ의 길이)=(원의 반지름)×❶ ☐ =5×❷ ☐ =❸ ☐ (cm)

답 ❶ 4 ❷ 4 ❸ 20

필수 예제 01

반지름이 4 cm인 원 5개를 서로 원의 중심을 지나도록 겹쳐서 그렸습니다. 선분 ㄱㄴ의 길이는 몇 cm입니까?

( )

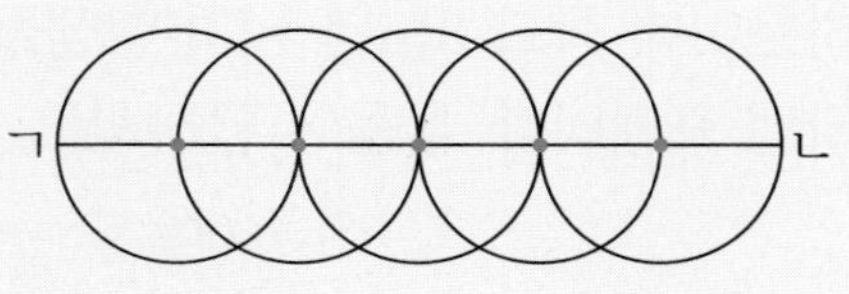

풀이 | 원의 수는 5개이고 선분 ㄱㄴ의 길이는 원의 반지름을 6번 더한 것과 같으므로 선분 ㄱㄴ의 길이는 원의 반지름의 6배입니다.
⇨ (선분 ㄱㄴ의 길이)=(원의 반지름)×6=4×6=24 (cm)

확인 1-1

반지름이 3 cm인 원 8개를 서로 원의 중심을 지나도록 겹쳐서 그렸습니다. 선분 ㄱㄴ의 길이는 몇 cm입니까?

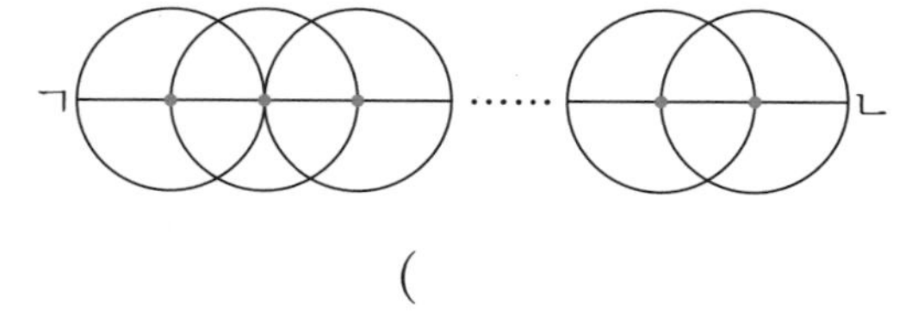

( )

확인 1-2

반지름이 7 cm인 원 11개를 서로 원의 중심을 지나도록 겹쳐서 그렸습니다. 선분 ㄱㄴ의 길이는 몇 cm입니까?

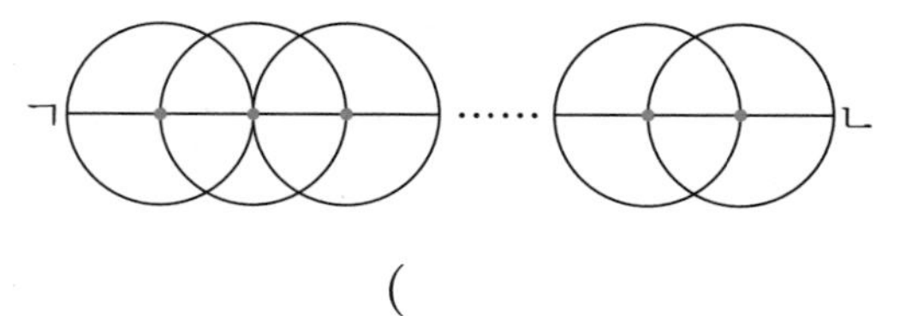

( )

▶정답 및 풀이 12쪽

전략 2 모든 변의 길이의 합 구하기

[관련 단원] 원

예 정사각형 안에 가장 큰 원을 그렸더니 원의 지름은 6 cm가 되었습니다.
정사각형의 모든 변의 길이의 합 구하기

(1) 정사각형의 각 변의 길이 구하기
정사각형의 각 변의 길이는 모두 원의 지름과 같습니다.

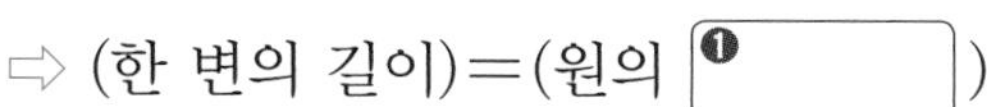

⇨ (한 변의 길이)=(원의 ❶)

(2) 정사각형의 모든 변의 길이의 합 구하기
(모든 변의 길이의 합)=(한 변의 길이)×❷ =(원의 지름)×❸
$=6\times4=24$ (cm)

답 ❶ 지름 ❷ 4 ❸ 4

2 주

필수 예제 02

직사각형 안에 크기가 같은 원 2개를 맞닿게 그렸습니다. 원의 지름이 5 cm일 때 직사각형의 모든 변의 길이의 합은 몇 cm입니까?

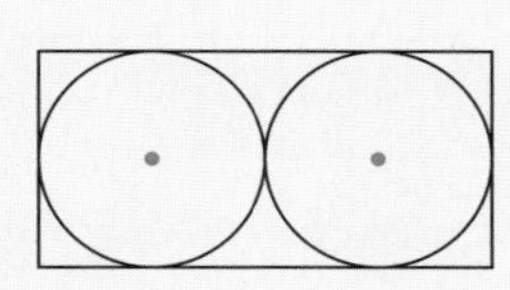

( )

풀이 | 직사각형의 긴 변의 길이는 원의 지름의 2배와 같고 짧은 변의 길이는 원의 지름과 같으므로 모든 변의 길이의 합은 원의 지름의 6배와 같습니다.
⇨ (모든 변의 길이의 합)=(원의 지름)$\times6=5\times6=30$ (cm)

확인 2-1

정사각형 안에 크기가 같은 원 4개를 맞닿게 그렸습니다. 원의 지름이 2 cm일 때 정사각형의 모든 변의 길이의 합은 몇 cm입니까?

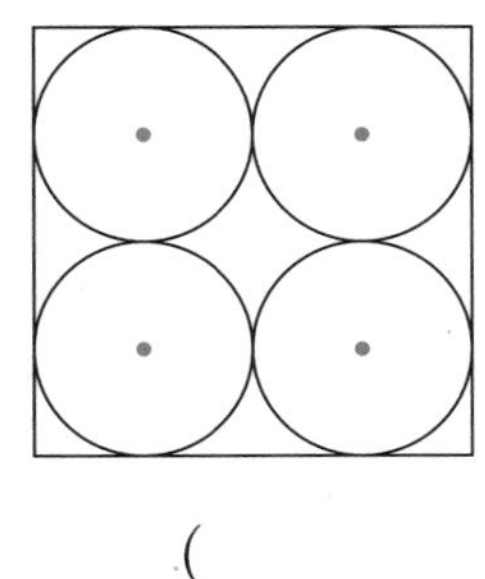

( )

확인 2-2

직사각형 안에 크기가 같은 원 3개를 맞닿게 그렸습니다. 원의 지름이 8 cm일 때 직사각형의 모든 변의 길이의 합은 몇 cm입니까?

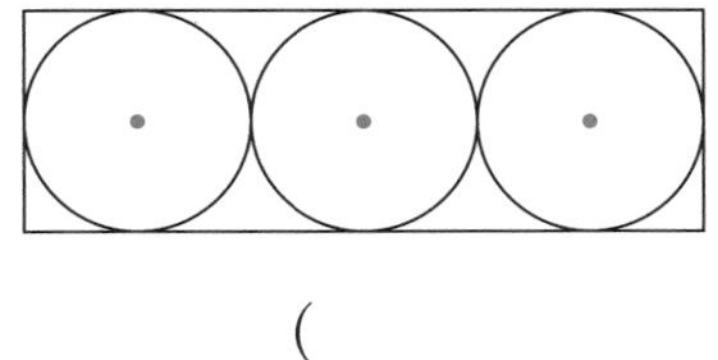

( )

전략 3 그림의 단위에 맞게 그림그래프로 나타내기

[관련 단원] 자료와 그림그래프

예 지민이네 아파트에 있는 자전거 수를 조사하여 나타낸 표를 보고 그림그래프로 나타내기

아파트에 있는 자전거

아파트	A동	B동	C동	합계
자전거 수(대)	18	21	26	❶

(1) 그림의 단위가 2가지

아파트에 있는 자전거

아파트	자전거 수
A동	●○○○○○○○○
B동	●●○
C동	●●○○○○○○

●10대 ○1대

(2) 그림의 단위가 3가지

아파트에 있는 자전거

아파트	자전거 수
A동	●◉○○○
B동	❷
C동	❸

●10대 ◉5대 ○1대

C동: $26=20+5+1$ ⇨ ● 2개, ◉ 1개, ○ 1개

답 ❶ 65 ❷ ●●○ ❸ ●●◉○

필수 예제 03

전략 3의 (2) 그림그래프에서 ●, ◉, ○의 수의 합이 가장 작은 동을 구하시오.

(　　　　　　　　)

풀이 | • A동: ● 1개, ◉ 1개, ○ 3개 ⇨ $1+1+3=5$(개) • B동: ● 2개, ◉ 0개, ○ 1개 ⇨ $2+0+1=3$(개)
• C동: ● 2개, ◉ 1개, ○ 1개 ⇨ $2+1+1=4$(개) 따라서 $3<4<5$이므로 B동입니다.

확인 3-1

만두 가게에서 하루 동안 팔린 만두 수를 조사하여 나타낸 표입니다. 표를 보고 그림의 단위에 맞게 그림그래프로 나타내시오.

하루 동안 팔린 만두의 수

종류	김치만두	고기만두	왕만두	합계
만두의 수(판)	27	19	34	80

(1) 그림그래프로 나타내시오.

하루 동안 팔린 만두의 수

종류	만두의 수
김치만두	
고기만두	
왕만두	

●10판 ○1판

(2) 그림그래프로 나타내시오.

하루 동안 팔린 만두의 수

종류	만두의 수
김치만두	
고기만두	
왕만두	

●10판 ◉5판 ○1판

(3) (2)에서 나타낸 그림그래프에서 ●, ◉, ○의 수의 합이 가장 작은 만두를 구하시오.

(　　　　　　　　)

▶정답 및 풀이 12쪽

전략 4 표와 그림그래프 완성하기

[관련 단원] 자료와 그림그래프

예 연아네 학교 3학년 학생들이 좋아하는 채소를 조사하여 나타낸 표와 그림그래프 완성하기

좋아하는 채소

채소	당근	대파	오이	호박	합계
학생 수(명)	27	❶	35	❷	119

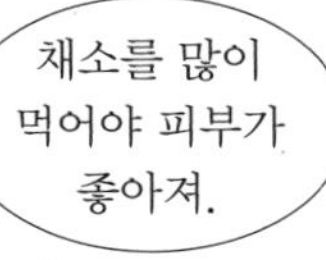

좋아하는 채소

채소	학생 수
당근	❸
대파	●◎○○○○
오이	❹
호박	●●●◎○○○

● 10명
◎ 5명
○ 1명

(1) 그림그래프에서 대파와 호박의 학생 수 구하기
대파: ● 1개, ◎ 1개, ○ 4개 ⇨ 19명
호박: ● 3개, ◎ 1개, ○ 3개 ⇨ 38명

(2) 표에서 당근과 오이의 학생 수를 그림으로 나타내기
당근: 27 ⇨ ● 2개, ◎ 1개, ○ 2개
오이: 35 ⇨ ● 3개, ◎ 1개, ○ 0개

답 ❶ 19 ❷ 38 ❸ ●●◎○○ ❹ ●●●◎

필수 예제 04

전략 4의 그림그래프에서 ●, ◎, ○의 수의 합이 가장 큰 채소를 구하시오.

( )

풀이 | • 당근: ● 2개, ◎ 1개, ○ 2개 ⇨ $2+1+2=5$(개) • 대파: ● 1개, ◎ 1개, ○ 4개 ⇨ $1+1+4=6$(개)
• 오이: ● 3개, ◎ 1개, ○ 0개 ⇨ $3+1+0=4$(개) • 호박: ● 3개, ◎ 1개, ○ 3개 ⇨ $3+1+3=7$(개)
따라서 $7>6>5>4$이므로 ●, ◎, ○의 수의 합이 가장 큰 채소는 호박입니다.

확인 4-1

민주네 학교 3학년 학생들의 장래 희망을 조사하여 나타낸 표와 그림그래프입니다. 물음에 답하시오.

학생들의 장래 희망

장래 희망	유튜버	연예인	운동 선수	선생님	합계
학생 수(명)		48		23	138

학생들의 장래 희망

장래 희망	학생 수
유튜버	■■■■■□
연예인	
운동 선수	■▣□
선생님	

■ 10명
▣ 5명
□ 1명

(1) 표와 그림그래프를 완성하시오.

(2) 그림그래프에서 ■, ▣, □의 수의 합이 가장 큰 장래 희망을 구하시오.

( )

[관련 단원] 원

1 규칙에 따라 원을 1개 더 그리시오.

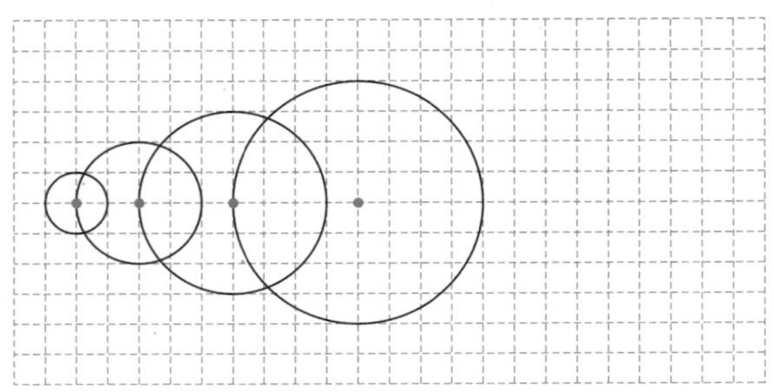

Tip

• 원의 중심은 오른쪽으로 모눈 2칸, 3칸, 4칸으로 ❶ 칸씩 늘어나면서 이동합니다.
• 원의 반지름은 모눈 1칸, 2칸, 3칸, 4칸으로 ❷ 칸씩 늘어납니다.
• 찾은 규칙에 따라 원을 그립니다.

답 ❶ 1 ❷ 1

[관련 단원] 원

2 직사각형 안에 크기가 같은 원 3개를 서로 원의 중심을 지나도록 겹쳐서 그렸습니다. 원의 반지름이 9 cm일 때 직사각형의 모든 변의 길이의 합은 몇 cm입니까?

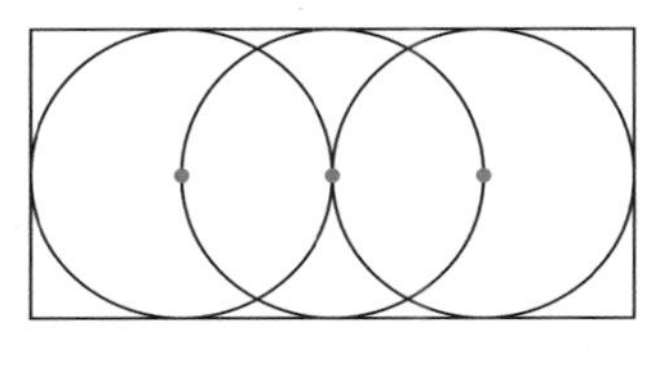

( )

Tip

• 직사각형의 긴 변의 길이는 원의 반지름의 ❶ 배와 같고 짧은 변의 길이는 원의 반지름의 ❷ 배와 같습니다.
• (모든 변의 길이의 합)
=(긴 변의 길이)+(짧은 변의 길이)
+(긴 변의 길이)+(짧은 변의 길이)
이므로 모든 변의 길이의 합은 원의 반지름의 ❸ 배와 같습니다.

답 ❶ 4 ❷ 2 ❸ 12

[관련 단원] 원

3 ❶크기가 같은 원 3개를 맞닿게 그린 후 세 원의 중심을 이었습니다. ❷삼각형 ㄱㄴㄷ의 세 변의 길이의 합이 84 cm일 때 ❸원의 반지름은 몇 cm입니까?

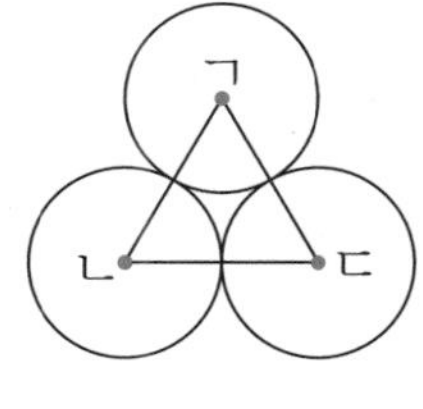

( )

Tip

❶ 삼각형 ㄱㄴㄷ의 각 변의 길이는 모두 원의 반지름의 2배와 같습니다.
❷ 삼각형 ㄱㄴㄷ의 세 변의 길이의 합은 원의 반지름의 ❶ 배입니다.
❸ (원의 반지름)
=(세 변의 길이의 합)÷❷

답 ❶ 6 ❷ 6

▶정답 및 풀이 13쪽

[관련 단원] **자료와 그림그래프**

4 어느 종합 병원의 진료 과목별로 진찰한 환자 수를 조사하여 나타낸 그림그래프입니다. 그림그래프를 보고 표로 나타내시오.

진찰한 환자 수

진료 과목	환자 수
내과	
치과	
안과	
외과	

100명
10명
1명

진찰한 환자 수

진료 과목	내과	치과	안과	외과	합계
환자 수(명)					

Tip

- 내과: 2개이면 200명, 3개이면 30명, 6개이면 6명
  치과: 3개이면 300명, 1개이면 10명, 4개이면 4명 ⇨ ❶ ☐ 명
  안과: 4개이면 400명, 2개이면 20명, 2개이면 2명 ⇨ ❷ ☐ 명
  외과: 1개이면 100명, 6개이면 60명, 4개이면 4명 ⇨ ❸ ☐ 명입니다.
- 합계는 내과, 치과, 안과, 외과에서 진찰한 환자 수를 모두 더합니다.

답 ❶ 314 ❷ 422 ❸ 164

[관련 단원] **자료와 그림그래프**

5 ❶인성이네 3학년 학생들의 혈액형을 조사하여 나타낸 표입니다. 표의 빈칸에 알맞은 수를 써넣고 ❷그림그래프를 완성하시오.

학생들의 혈액형

혈액형	A형	B형	O형	AB형	합계
학생 수(명)		26		37	170

학생들의 혈액형

혈액형	학생 수
A형	
B형	
O형	●●●●◎○○○○
AB형	

● 10명
◎ 5명
○ 1명

Tip

❶ • O형: ● 4개, ◎ 1개, ○ 4개
⇨ ❶ ☐ 명
(전체 학생 수)=(합계)이고
(A형인 학생 수)
=(전체 학생 수)−(B형인 학생 수)
−(O형인 학생 수)
−(AB형인 학생 수)입니다.

❷ • B형: $26=20+5+1$
⇨ ● 2개, ◎ ❷ ☐ 개, ○ 1개
• AB형: $37=30+5+2$
⇨ ● 3개, ◎ 1개, ○ ❸ ☐ 개

답 ❶ 49 ❷ 1 ❸ 2

2 주

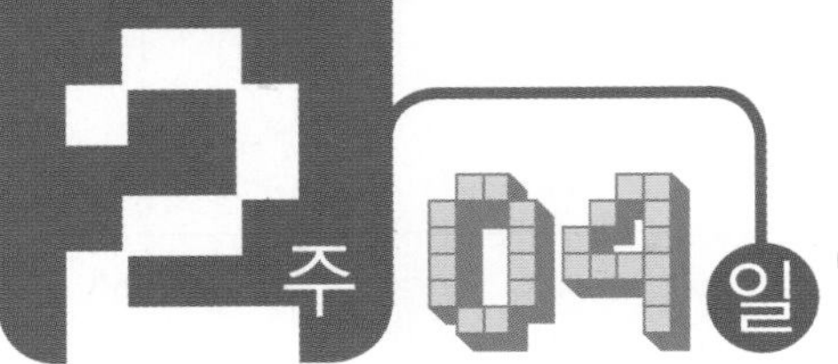

교과서 대표 전략 ❶

대표 예제 01

지름이 8 cm인 원을 그리려고 합니다. 컴퍼스를 바르게 벌린 것에 ○표 하시오.

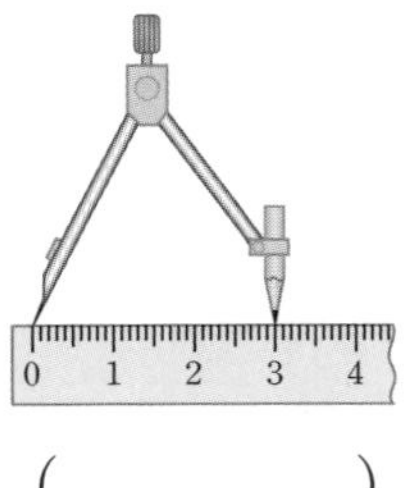
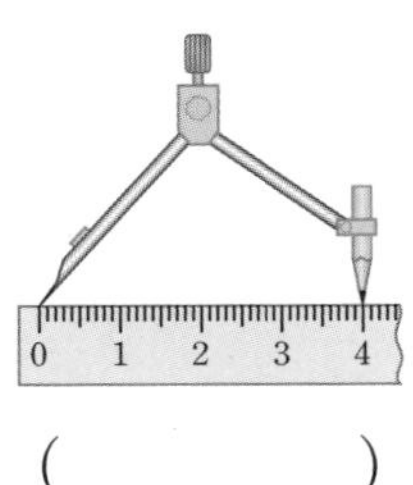

(　　　)　(　　　)

개념가이드

(원의 반지름)=(원의 지름)÷2이므로 그리려는 원의 반지름은 8÷❶[　]=❷[　] (cm)입니다.
따라서 컴퍼스를 원의 반지름만큼 벌린 것을 찾습니다.

[답] ❶ 2 ❷ 4

대표 예제 02

원의 지름은 몇 cm입니까?

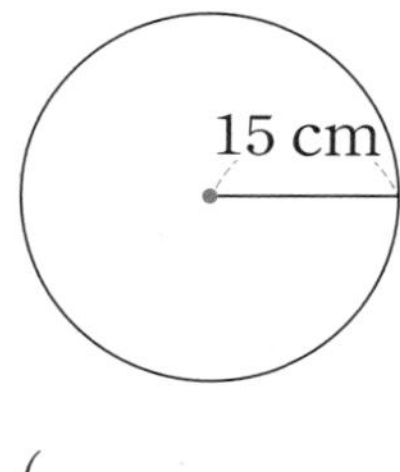

(　　　　　)

개념가이드

(원의 지름)=(원의 ❶[　])×2
=❷[　]×2

[답] ❶ 반지름 ❷ 15

대표 예제 03

두 원의 반지름의 차는 몇 cm입니까?

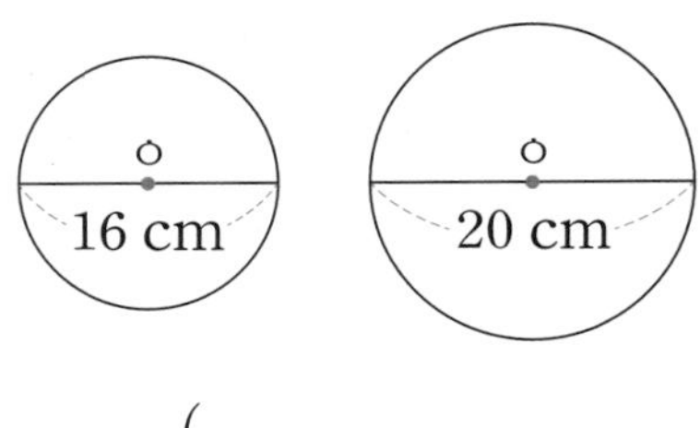

(　　　　　)

개념가이드

(원의 반지름)=(원의 ❶[　])÷2이므로 왼쪽 원과 오른쪽 원의 반지름을 각각 구한 뒤 그 ❷[　]를 계산합니다.

[답] ❶ 지름 ❷ 차

대표 예제 04

컴퍼스의 침을 꽂아야 할 곳은 모두 몇 군데입니까?

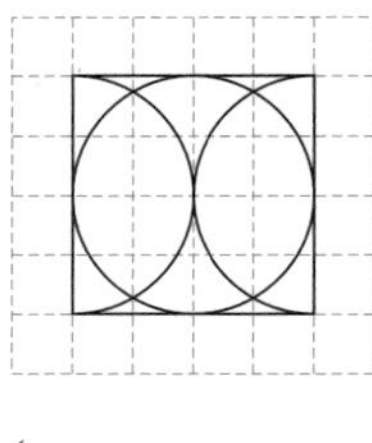

(　　　　　)

개념가이드

원 3개를 이용하여 그려야 하므로 원의 ❶[　]이 컴퍼스의 ❷[　]을 꽂아야 할 곳입니다.

[답] ❶ 중심 ❷ 침

▶정답 및 풀이 14쪽

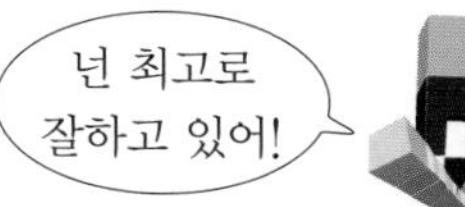

대표 예제 05

원을 그린 방법을 설명한 것입니다. □ 안에 알맞은 수를 써넣으시오.

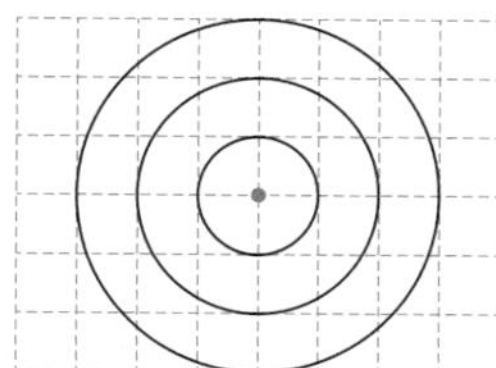

원의 중심은 그대로이고 원의 반지름은 모눈 □칸씩 늘어났습니다.

개념가이드

원의 중심은 ❶□개이므로 그대로입니다. 원의 반지름은 모눈 1칸, 2칸, ❷□칸으로 늘어났습니다.

[답] ❶ 1 ❷ 3

대표 예제 06

반지름이 9 cm인 원 3개를 겹치지 않게 이어서 붙였습니다. 원의 중심이 일직선 위에 있을 때 선분 ㄱㄴ의 길이는 몇 cm입니까?

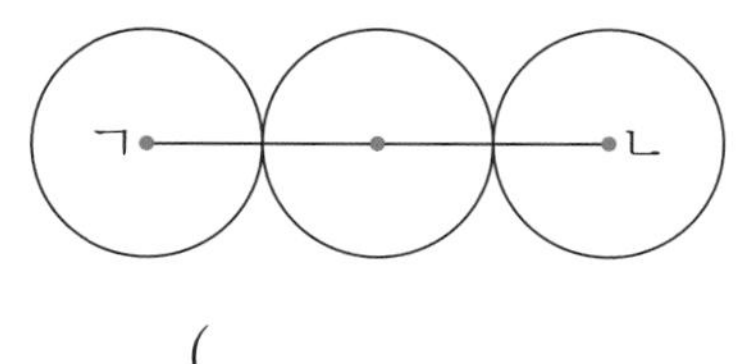

( )

개념가이드

선분 ㄱㄴ의 길이는 원의 반지름의 4❶□입니다.

⇨ (선분 ㄱㄴ의 길이)=(원의 ❷□)×4

[답] ❶ 배 ❷ 반지름

대표 예제 07

작은 원의 반지름이 12 cm이고 원의 중심이 일직선 위에 있을 때 선분 ㄱㄴ의 길이는 몇 cm입니까?

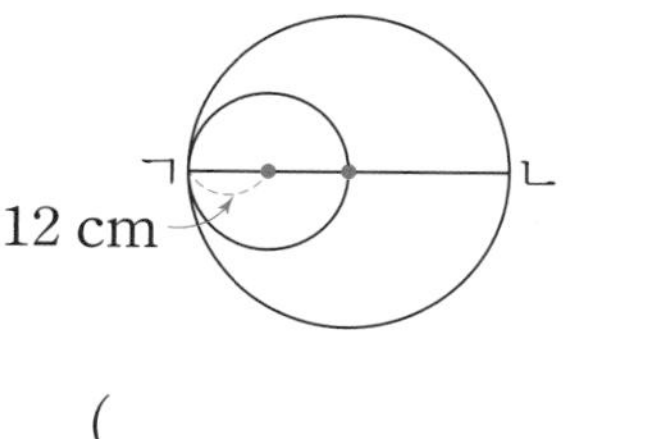

( )

개념가이드

큰 원의 반지름은 작은 원의 ❶□이므로 선분 ㄱㄴ의 길이는 큰 원의 ❷□입니다.

[답] ❶ 지름 ❷ 지름

대표 예제 08

크기가 같은 원 2개를 서로 원의 중심을 지나도록 겹친 후 사각형을 그렸습니다. 사각형 ㄱㄴㄷㄹ의 네 변의 길이의 합이 152 cm일 때 원의 반지름은 몇 cm입니까?

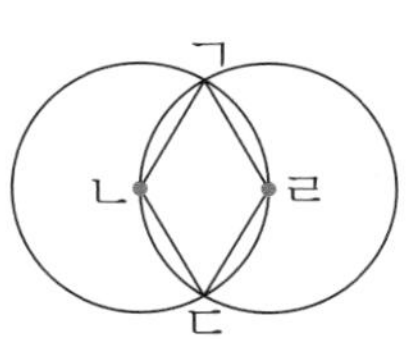

( )

개념가이드

사각형 ㄱㄴㄷㄹ의 각 변의 길이는 모두 원의 ❶□과 같으므로 사각형 ㄱㄴㄷㄹ의 네 변의 길이의 합은 원의 반지름의 ❷□배입니다.

[답] ❶ 반지름 ❷ 4

2 주

교과서 대표 전략 ❶

대표 예제 | 09

과수원별로 사과 생산량을 조사하여 나타낸 그림그래프입니다. 사랑 과수원의 사과 생산량은 몇 상자입니까?

사과 생산량

과수원	생산량
사랑	
희망	
진리	
소망	

100상자 10상자

( )

개념가이드

큰 그림은 100상자, 작은 그림은 10상자를 나타냅니다. 큰 그림이 2개이므로 ❶ [ ] 상자, 작은 그림이 7개이므로 ❷ [ ] 상자입니다.

[답] ❶ 200 ❷ 70

대표 예제 | 10

대표 예제 09 의 그림그래프에서 사과 생산량이 가장 많은 과수원을 구하시오.

( )

개념가이드

큰 그림의 수는 사랑: 2개, 희망: ❶ [ ] 개, 진리: 3개, 소망: ❷ [ ] 개이므로 큰 수부터 차례로 쓰면 4>3>2>1입니다.

[답] ❶ 4 ❷ 1

대표 예제 | 11

분식점에서 하루 동안 팔린 음식의 수를 조사하였습니다. 표와 그림그래프로 각각 나타내시오.

하루 동안 팔린 음식

김밥	어묵	떡볶이	순대
♥♥♥♥♥ ♥♥♥♥♥ ♥♥♥♥♥ ♥♥♥♥♥ ♥♥♥♥♥ ♥♥	♥♥♥♥♥ ♥♥♥♥♥ ♥♥♥♥♥ ♥♥♥	♥♥♥♥♥ ♥♥♥♥♥ ♥♥♥♥♥ ♥♥♥♥♥ ♥♥♥	♥♥♥♥♥ ♥♥♥♥♥ ♥♥♥♥♥

하루 동안 팔린 음식

음식	김밥	어묵	떡볶이	순대	합계
판매량 (인분)					

하루 동안 팔린 음식

음식	판매량
김밥	
어묵	
떡볶이	
순대	

▲ 10인분 △ 1인분

개념가이드

- ♥의 수를 세어 표의 빈칸에 써넣습니다. 합계는 각 음식의 판매량을 모두 ❶ [ ] 니다.
- 김밥: 27=20+7 ⇨ ▲ 2개와 △ ❷ [ ] 개
  어묵: 18=10+8 ⇨ ▲ 1개와 △ ❸ [ ] 개

[답] ❶ 더합 ❷ 7 ❸ 8

▶정답 및 풀이 14쪽

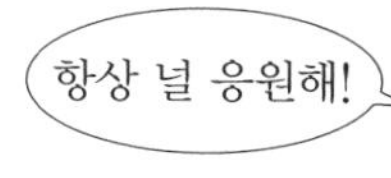

대표 예제 12

정린이네 학교 3학년 학생들이 체험 학습으로 가고 싶어 하는 장소를 조사하였습니다. 표로 나타내시오.

체험 학습으로 가고 싶어 하는 장소

놀이공원	박물관	동물원	식물원
■■■■ ■■■■ ■■■■	■■■■ ■■■■ ■■■■ ■	■■■■ ■■■■ ■■■■ ■■	■■■■ ■■■■ ■■■
●●●● ●●●● ●	●●●● ●●●● ●●●●	●●●● ●●●● ●●●● ●	●●●● ●●●● ●●●● ●●●

■ 남학생 ● 여학생

체험 학습으로 가고 싶어 하는 장소

장소	놀이공원	박물관	동물원	식물원	합계
남학생 수(명)					
여학생 수(명)					
학생 수(명)					

개념가이드

- 장소별로 ❶ ___의 수를 세어 표의 남학생 수에 써넣고 ❷ ___의 수를 세어 표의 여학생 수에 써넣습니다.
- 장소별로 ■의 수와 ●의 수의 ❸ ___을 표의 학생 수에 써넣습니다.

[답] ❶ ■ ❷ ● ❸ 합

대표 예제 13

수산 시장에서 월별로 굴 판매량을 조사하여 나타낸 표입니다. 표의 빈칸에 알맞은 수를 써넣고 그림그래프로 나타내시오.

월별 굴 판매량

월	11월	12월	1월	2월	합계
판매량(상자)	389	897	756	568	

월별 굴 판매량

월	판매량
11월	
12월	
1월	
2월	

◆100상자 ◈10상자 ◇1상자

개념가이드

- 표의 합계에는 월별 굴 판매량의 ❶ ___을 써넣습니다.
- 11월: 389=300+80+9
  ⇨ ◆ ❷ ___개, ◈ 8개, ◇ 9개
  12월: 897=800+90+7
  ⇨ ◆ 8개, ◈ ❸ ___개, ◇ 7개

[답] ❶ 합 ❷ 3 ❸ 9

1 반지름이 각각 3 cm, 5 cm인 원 2개를 겹쳐서 그린 후 사각형을 그렸습니다. 사각형 ㄱㄴㄷㄹ의 네 변의 길이의 합은 몇 cm입니까?

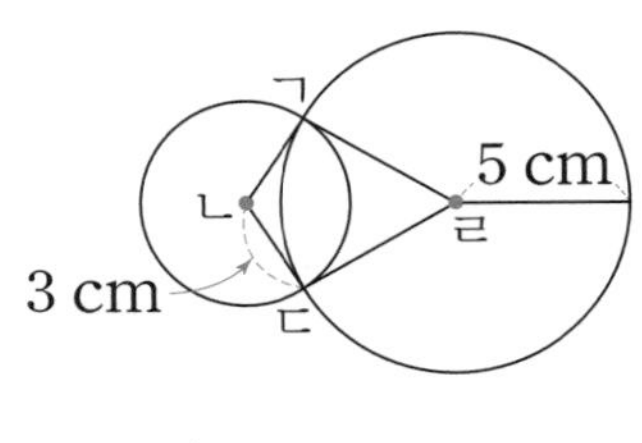

( )

Tip

(변 ㄱㄴ의 길이)=❶ cm, (변 ㄴㄷ의 길이)=3 cm,
(변 ㄷㄹ의 길이)=❷ cm, (변 ㄹㄱ의 길이)=5 cm

답 ❶ 3 ❷ 5

2 크기가 다른 원 3개를 맞닿게 그린 후 세 원의 중심을 이었습니다. 삼각형 ㄱㄴㄷ의 세 변의 길이의 합은 몇 cm입니까?

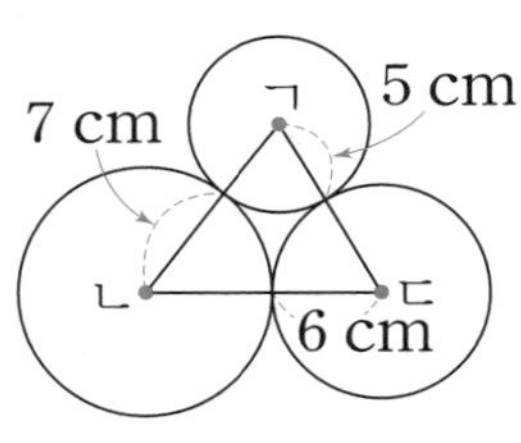

( )

Tip

(변 ㄱㄴ의 길이)=❶ +7=❷ (cm),
(변 ㄴㄷ의 길이)=7+6=13 (cm),
(변 ㄷㄱ의 길이)=6+5=11 (cm)

답 ❶ 5 ❷ 12

3 규칙에 따라 원을 1개 더 그리시오.

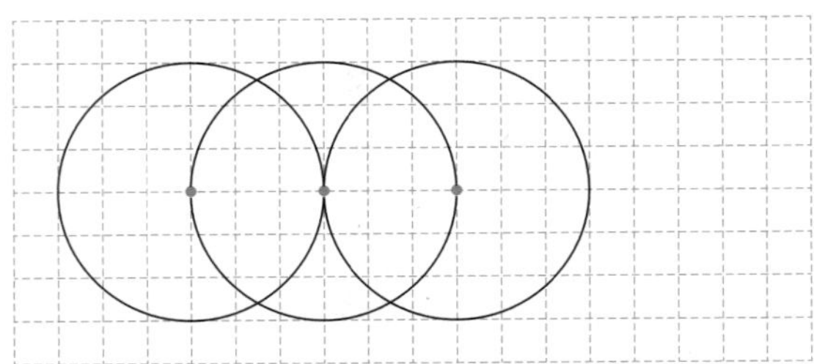

Tip

원의 중심은 ❶ 쪽으로 모눈 ❷ 칸씩 이동하였고 원의 반지름은 모눈 3칸으로 변하지 않았습니다.

답 ❶ 오른 ❷ 3

4 크기가 같은 원 4개를 맞닿게 그린 후 네 원의 중심을 이었습니다. 사각형 ㄱㄴㄷㄹ의 네 변의 길이의 합이 104 cm일 때 원의 반지름은 몇 cm입니까?

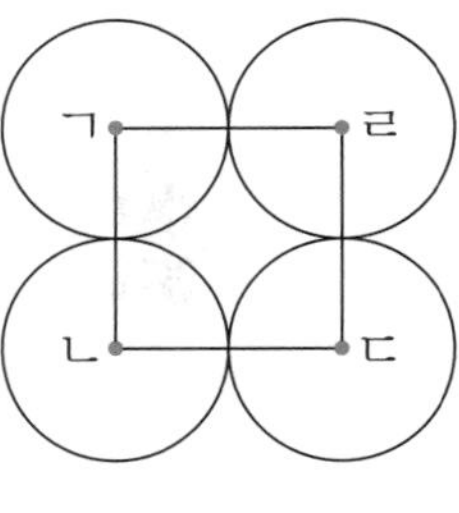

( )

Tip

사각형 ㄱㄴㄷㄹ의 각 변의 길이는 모두 원의 반지름의 ❶ 배와 같으므로 사각형 ㄱㄴㄷㄹ의 네 변의 길이의 합은 원의 반지름의 ❷ 배입니다.

답 ❶ 2 ❷ 8

▶정답 및 풀이 16쪽

5 진기네 학원 학생 50명이 좋아하는 음료수를 조사하여 나타낸 그림그래프입니다. 그림그래프를 완성하시오.

학생들이 좋아하는 음료수

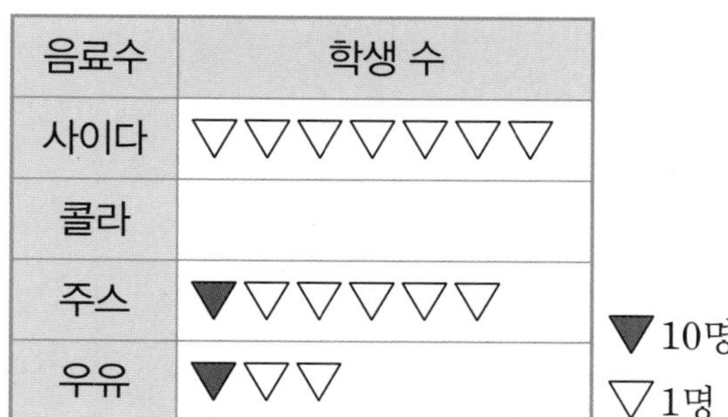

음료수	학생 수
사이다	▽▽▽▽▽▽▽
콜라	
주스	▼▽▽▽▽▽
우유	▼▽▽

▼10명 ▽1명

Tip
- 주스: ▼ 1개와 ▽ 5개 ⇨ ❶ 명
- 우유: ▼ 1개와 ▽ 2개 ⇨ ❷ 명

답 ❶ 15 ❷ 12

6 서점에서 팔린 책의 종류별 판매량을 조사하여 나타낸 그림그래프입니다. 만화책은 소설책보다 몇 권 더 많이 팔렸는지 구하시오.

종류별 책의 판매량

종류	판매량
소설책	□□□□□□□□□□□□
만화책	□□□□□□□□□□
문제집	□□□□□□□□□□

□100권 □10권 □1권

( )

Tip

소설책: □ 3개, □ 4개, □ 5개 ⇨ ❶ 권

만화책: □ 3개, □ 6개, □ 1개 ⇨ ❷ 권

답 ❶ 345 ❷ 361

7 민정이네 학교 각 반 학생들이 좋아하는 중국 음식을 조사하여 나타낸 표입니다. 그림그래프로 나타내시오.

좋아하는 중국 음식

음식	자장면	짬뽕	볶음밥	탕수육	합계
1반 학생 수(명)	9	4	6	8	27
2반 학생 수(명)	3	7	5	10	25
3반 학생 수(명)	8	6	8	4	26

좋아하는 중국 음식

음식	학생 수
자장면	
짬뽕	
볶음밥	
탕수육	

●10명 ○1명

Tip
- 자장면: $9+3+8=$ ❶ (명)
- 짬뽕: $4+7+6=17$(명)
- 볶음밥: $6+5+8=19$(명)
- 탕수육: $8+10+4=$ ❷ (명)

답 ❶ 20 ❷ 22

누구나 만점 전략

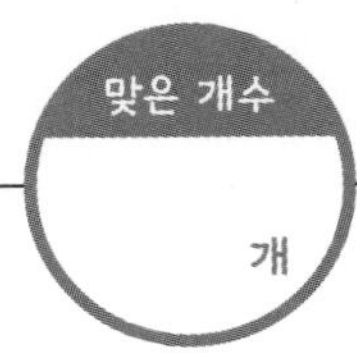

01 원의 지름을 나타내는 선분을 찾아 쓰시오.

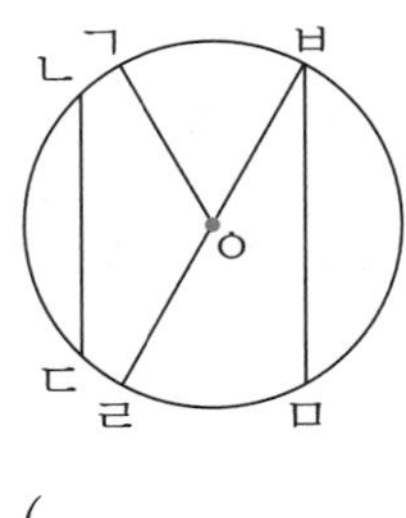

( )

02 원의 반지름은 몇 cm입니까?

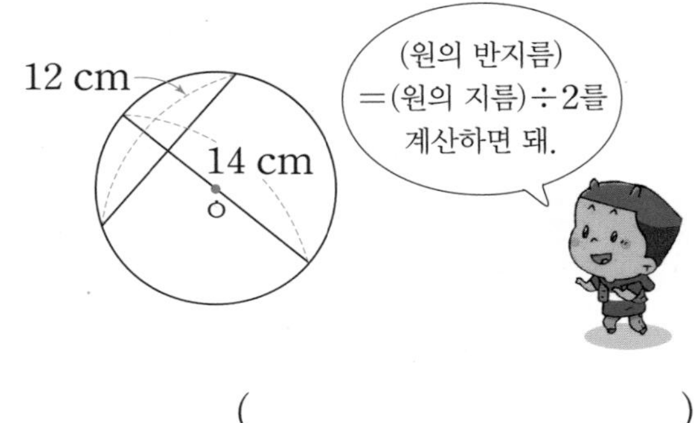

( )

03 다음 모양을 그릴 때 이용한 원의 중심은 모두 몇 개입니까?

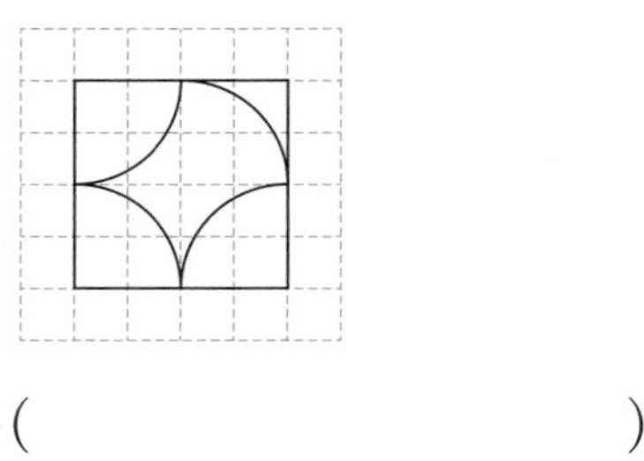

( )

04 다음과 같이 컴퍼스를 벌려 그린 원의 지름은 몇 cm입니까?

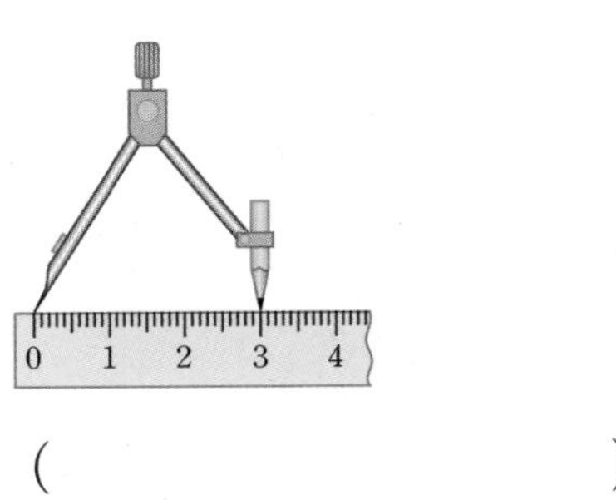

( )

05 크기가 같은 원 4개를 겹치지 않게 이어서 붙였습니다. 원의 중심이 일직선 위에 있고 선분 ㄱㄴ의 길이가 90 cm일 때 원의 반지름은 몇 cm입니까?

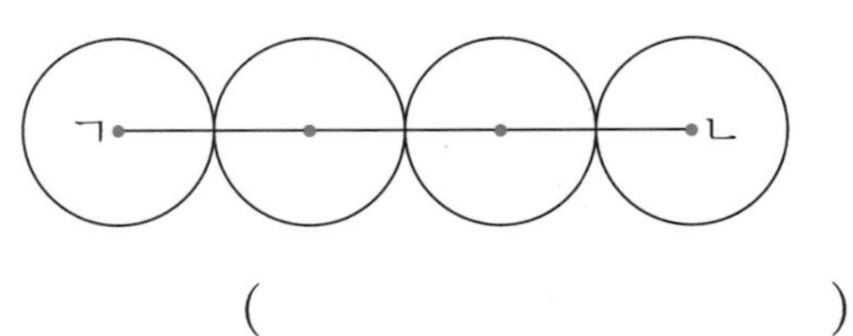

( )

▶정답 및 풀이 17쪽

[06~08] 민재네 모둠 친구들이 읽은 동화책 수를 조사하여 나타낸 표입니다. 물음에 답하시오.

친구들이 읽은 동화책 수

이름	민재	정린	상혁	가은	합계
동화책 수(권)	26	14	42	35	117

06 민재네 모둠 친구들이 읽은 동화책 수는 모두 몇 권입니까?

( )

07 표를 보고 그림그래프로 나타내시오.

친구들이 읽은 동화책 수

이름	동화책 수
민재	
정린	
상혁	
가은	

■10권 □1권

08 동화책을 많이 읽은 순서대로 이름을 쓰시오.

( )

[09~10] 인터넷 쇼핑몰에서 하루 동안 팔린 물건의 수를 조사하여 나타낸 그림그래프입니다. 물음에 답하시오.

하루 동안 팔린 물건의 수

종류	물건의 수
바지	◎◎◎◎◎◎◎◎ ○○○○○○
가방	◎◎◎◎◎ ○○○
신발	◎◎◎◎◎◎◎ ○○○○○○○○○
화장품	◎◎◎◎◎◎◎◎◎ ○○○○○○○

◎10개 ○1개

09 그림그래프를 보고 표로 나타내시오.

하루 동안 팔린 물건의 수

종류	바지	가방	신발	화장품	합계
물건의 수(개)					

10 그림의 단위에 맞게 그림그래프로 나타내시오.

하루 동안 팔린 물건의 수

종류	물건의 수
바지	
가방	
신발	
화장품	

●50개 ◎10개 ○1개

2 주

창의·융합·코딩 전략 ❶

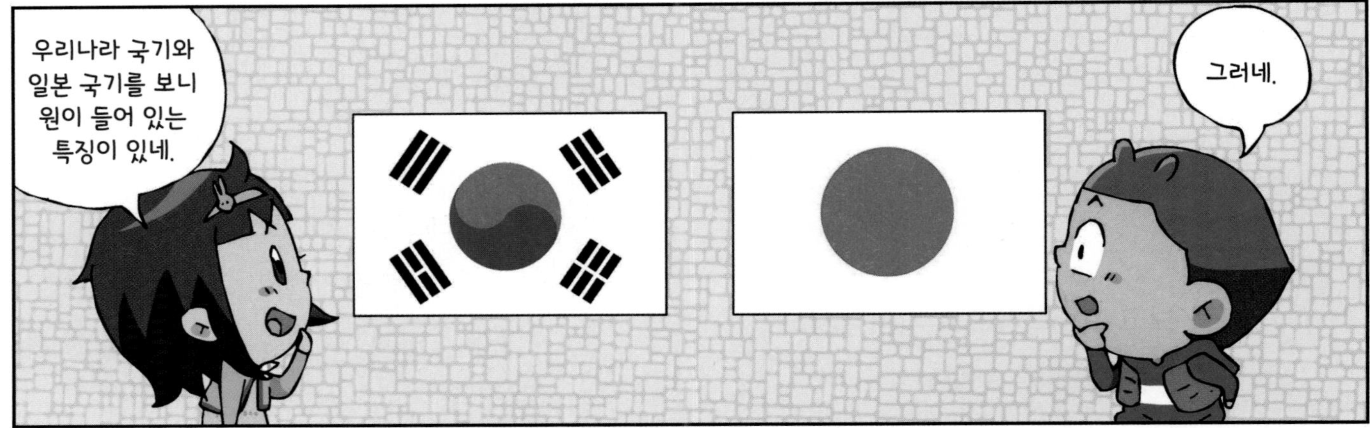

창의 융합

1 우리나라 국기와 일본 국기를 그리면서 이용한 원의 중심은 모두 몇 개인지 구하시오.

( )

▶정답 및 풀이 17쪽

창의 융합

2 사과를 좋아하는 학생은 230명, 귤을 좋아하는 학생은 240명, 배를 좋아하는 학생은 130명일 때 (큰 그림)과 (작은 그림)이 몇 명을 나타내는지 각각 구하시오.

(큰 그림) (   ), (작은 그림) (   )

창의·융합·코딩 전략 ❷

추론

1 원 모양의 색종이를 똑같이 둘로 나누어지도록 1번 접었다가 펼쳐서 나온 것이 ㉠이고 다시 1번 더 접었다가 펼쳐서 나온 것이 ㉡입니다. ㉠과 ㉡을 보고 □ 안에 알맞은 말을 써넣으시오.

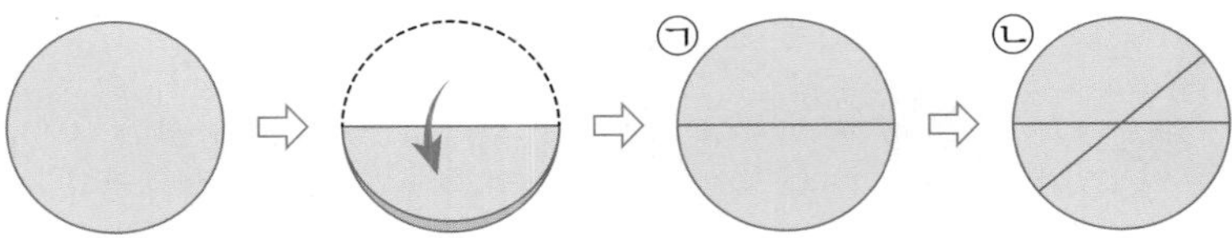

㉠ 원 모양의 색종이를 똑같이 둘로 나누어지도록 접어서 생긴 선분은 원의 □입니다.

㉡ 접어서 생긴 두 선분이 만나는 점은 원의 □입니다.

Tip

❶□은 원 안에 그을 수 있는 가장 긴 선분으로 원을 똑같이 둘로 나눕니다. 원 안에 그은 선분 중 길이가 가장 긴 선분은 원의 중심을 지나므로 두 지름이 만나는 점은 원의 ❷□입니다.

[답] ❶ 지름 ❷ 중심

코딩

2 원의 지름에 64 cm를 입력했을 때 나오는 값은 몇 cm인지 구하시오.

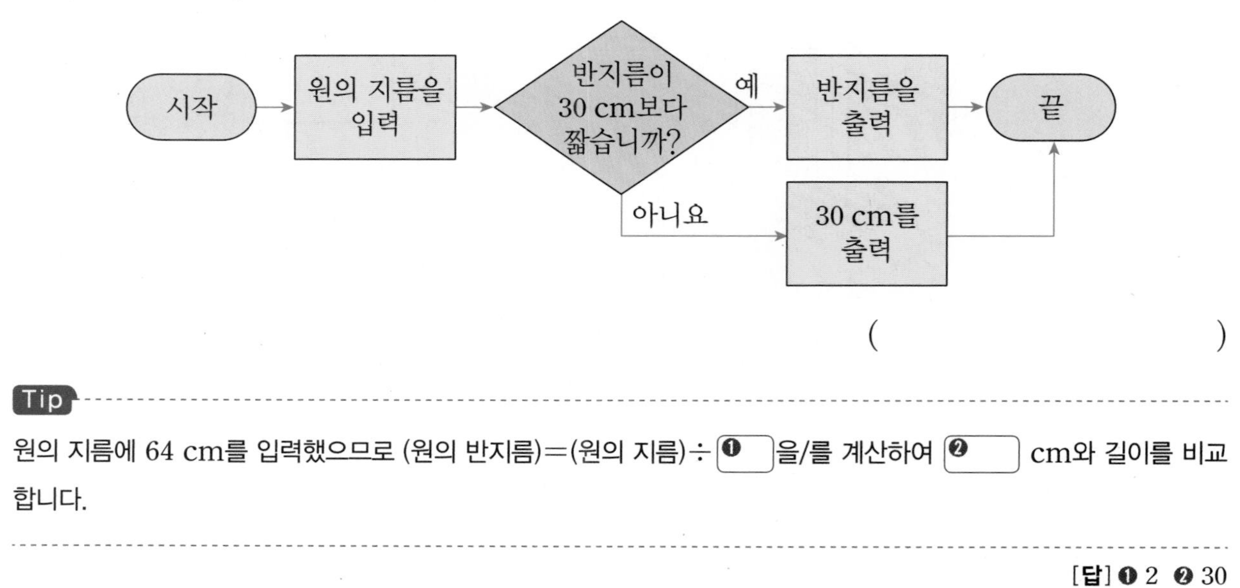

(　　　　　　　　　　)

Tip

원의 지름에 64 cm를 입력했으므로 (원의 반지름)=(원의 지름)÷❶□을/를 계산하여 ❷□ cm와 길이를 비교합니다.

[답] ❶ 2 ❷ 30

▶정답 및 풀이 18쪽

3 한식 식당에서 외국인이 주문한 한국 음식을 조사하여 나타낸 그림그래프입니다. 음식별로 주문한 수를 ☐ 안에 알맞게 써넣으시오.

외국인이 주문한 한국 음식

음식	삼겹살	불고기	김치찌개	비빔밥
주문 수	◯◯◯◯ ○○○○○○○○○	◯◯◯◯◯ ○○○○	◯◯◯ ○○○○○○○○	◯◯◯◯◯◯ ○○○○○○○

◯ 10건 ○ 1건

삼겹살: ☐건 불고기: ☐건 김치찌개: ☐건 비빔밥: ☐건

Tip

- 삼겹살: 큰 그림 4개와 작은 그림 ❶☐개
- 불고기: 큰 그림 ❷☐개와 작은 그림 4개
- 김치찌개: 큰 그림 3개와 작은 그림 8개
- 비빔밥: 큰 그림 6개와 작은 그림 7개

[**답**] ❶ 9 ❷ 5

문제 해결

4 치킨 가게에서 배달 앱으로 하루 동안 배달한 치킨을 종류별로 조사하여 나타낸 그림그래프입니다. ☐ 안에 알맞은 말을 써넣으시오.

하루 동안 배달한 치킨

치킨	주문 수
후라이드	◆◈◈◈◇◇◇◇◇
간장	◆◆◈◈◈◈◇◇
양념	◈◈◈◈◇◇◇◇
바비큐	◆◆◈◇◇◇◇◇◇

◆100건 ◈10건 ◇1건

(1) 주문이 가장 많은 치킨은 ☐ 치킨입니다.

(2) 주문이 가장 가장 적은 치킨은 ☐ 치킨입니다.

Tip

◆의 수를 비교하면 $2>1>0$이므로 ◆의 수가 2인 치킨은 간장 치킨과 바비큐 치킨입니다.
간장 치킨과 바비큐 치킨의 ◈의 수를 비교하면 ❶☐ >1입니다. ◆의 수가 0인 치킨은 ❷☐ 치킨입니다.

[**답**] ❶ 4 ❷ 양념

5 똑같은 페트리 접시 6개를 그림과 같이 붙여 놓았습니다. 페트리 접시의 지름은 몇 cm인지 구하시오.

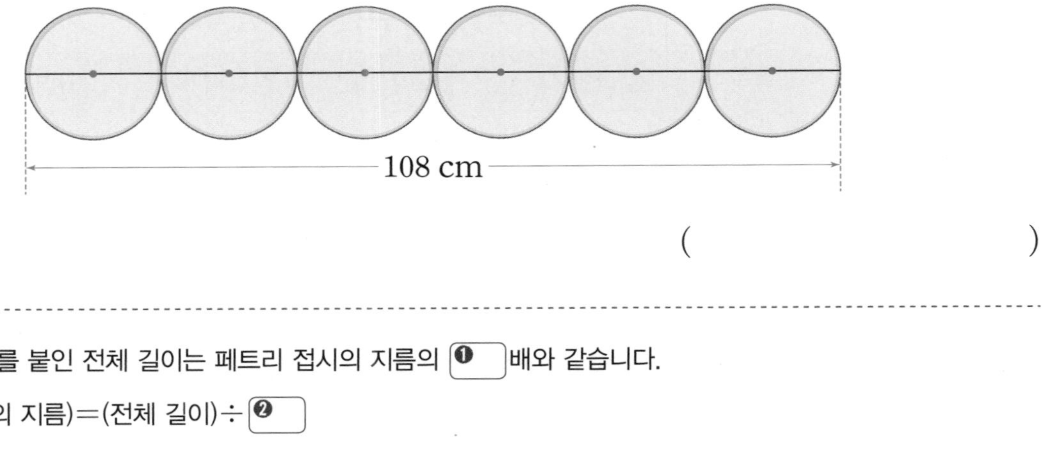

( )

Tip

페트리 접시 6개를 붙인 전체 길이는 페트리 접시의 지름의 ❶ 배와 같습니다.

⇨ (페트리 접시의 지름)=(전체 길이)÷❷

[답] ❶ 6 ❷ 6

창의 융합

6 지름이 각각 70 cm, 90 cm인 원 모양의 훌라후프 2개를 그림과 같이 겹쳐 놓았습니다. 점 ㄱ과 점 ㄴ이 각각 원의 중심일 때 선분 ㄱㄴ의 길이는 몇 cm인지 구하시오.

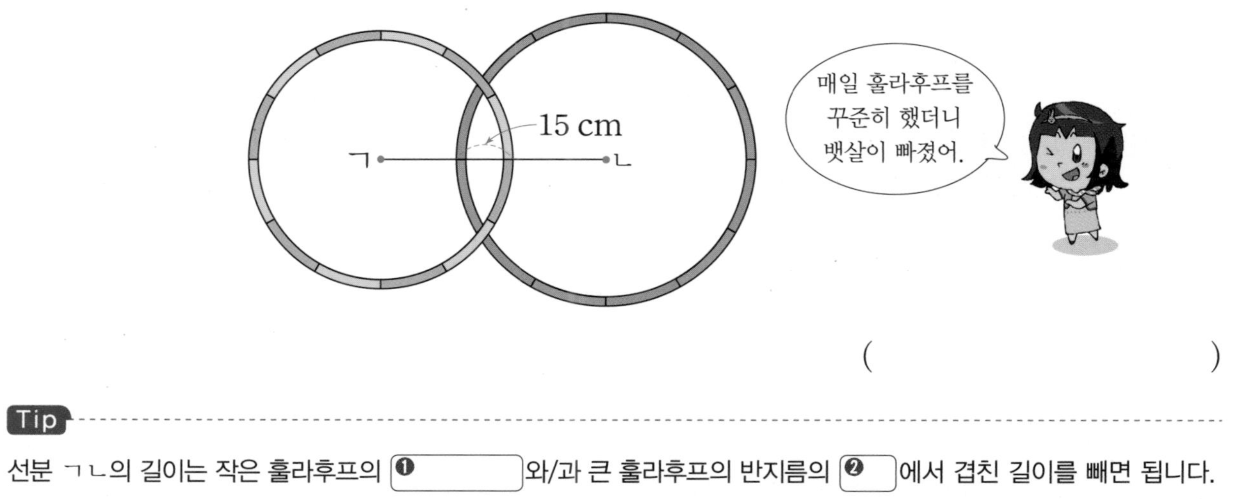

15 cm
ㄱ
ㄴ
매일 훌라후프를 꾸준히 했더니 뱃살이 빠졌어.

( )

Tip

선분 ㄱㄴ의 길이는 작은 훌라후프의 ❶ 와/과 큰 훌라후프의 반지름의 ❷ 에서 겹친 길이를 빼면 됩니다.

[답] ❶ 반지름 ❷ 합

7 다혜네 지역에 있는 초등학교 학생들 중에서 코로나에 걸렸거나 밀접 접촉자였던 학생 수를 조사하여 나타낸 표입니다. 그림그래프를 완성하시오.

코로나에 걸렸거나 밀접 접촉자였던 학생 수

학년	1학년	2학년	3학년	4학년	5학년	6학년	합계
남학생 수(명)	52	36	61	39	17	26	231
여학생 수(명)	47	55	18	34	38	23	215

코로나에 걸렸거나 밀접 접촉자였던 학생 수

남학생 수	학년	여학생 수
○○◎◎◎◎◎	1학년	◎◎◎◎○○○○○○○
○○○○○○◎◎◎	2학년	
	3학년	◎○○○○○○○○
	4학년	◎◎◎○○○○
	5학년	
○○○○○○◎◎	6학년	

◎ 10명
○ 1명

Tip
남학생 수는 3학년: 61 ⇨ ◎ ❶ 개와 ○ 1개, 4학년: 39 ⇨ ◎ 3개와 ○ 9개, 5학년: 17 ⇨ ◎ 1개와 ○ 7개입니다.
여학생 수는 2학년: 55 ⇨ ◎ 5개와 ○ 5개, 5학년: 38 ⇨ ◎ 3개와 ○ ❷ 개, 6학년: 23 ⇨ ◎ 2개와 ○ 3개입니다.

[답] ❶ 6 ❷ 8

8 7의 표를 보고 다음 표로 나타내시오.

코로나에 걸렸거나 밀접 접촉자였던 학생 수

학년	1학년	2학년	3학년	4학년	5학년	6학년	합계
학생 수(명)							

Tip
(학년별 학생 수)=(학년별 남학생 수)+(학년별 여학생 수)이므로 1학년부터 6학년까지 학년별로 ❶ 학생 수와 여학생 수를 더하여 빈칸에 써넣고 남학생 수의 합계와 여학생 수의 합계를 더하여 ❷ 에 써넣습니다.

[답] ❶ 남 ❷ 합계

3주

분수, 들이와 무게

삶은 달걀
먹을래?

삶은 달걀이
6개야.
$\frac{1}{2}$만큼 먹어.
$\frac{1}{2}$?

$\frac{1}{2}$만큼이
몇 개인지
몰라.
당당하네.

$\frac{1}{2}$은 똑같이
2묶음으로 나눈 것
중의 1묶음이야.

6개의 $\frac{1}{2}$은
3개야.
그렇구나.

달걀 진짜
맛있다.
와구!
와구!
천천히
먹어.

학습할 내용

❶ 분수만큼은 얼마인지 알아보기
❷ 여러 가지 분수 알아보기
❸ 들이 알아보기
❹ 무게 알아보기

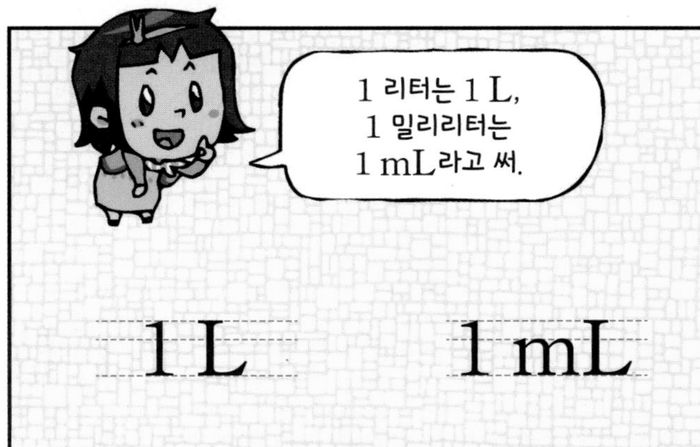

개념 돌파 전략 ❶

개념 1 분수만큼은 얼마인지 알아보기

[관련 단원] 분수

● 전체 6개를 똑같이 2부분으로 나누기

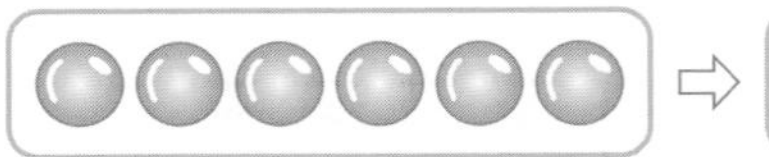 ⇨ 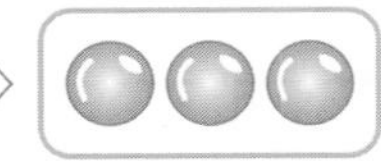 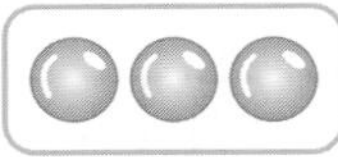

 은 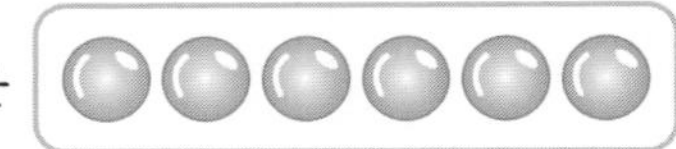 를 똑같이 2묶음으로 나눈 것 중의 1묶음이므로 $\frac{1}{2}$입니다.

● 6의 분수만큼은 얼마인지 알아보기

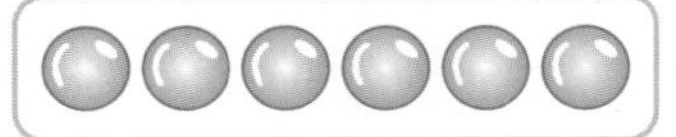 ⇨ 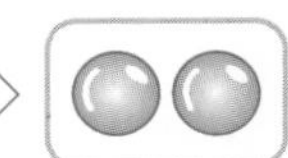 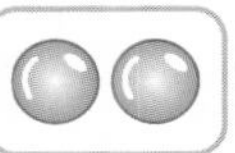 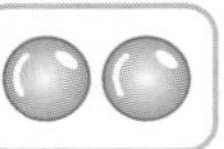

① 6을 똑같이 3묶음으로 나눈 것 중의 1묶음은 2입니다.

⇨ 6의 $\frac{1}{3}$은 2입니다.

② 6을 똑같이 3묶음으로 나눈 것 중의 2묶음은 4입니다.

⇨ 6의 $\frac{2}{3}$는 4입니다.

전체를 똑같이 ■묶음으로 나눈 것 중 ▲묶음을 $\frac{▲}{■}$라고 합니다.

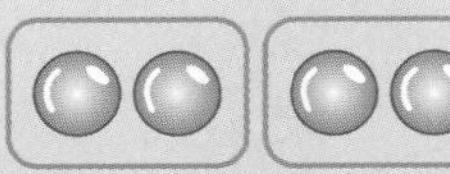

• 전체를 똑같이 2묶음으로 나눈 것 중의 ❶ [ ] 묶음은 $\frac{1}{2}$입니다.

• 4의 $\frac{1}{2}$은 ❷ [ ] 입니다.

답 ❶ 1 ❷ 2

개념 2 여러 가지 분수

[관련 단원] 분수

● 진분수: 분자가 분모보다 작은 분수

● 가분수: 분자가 분모와 같거나 분모보다 큰 분수

● 자연수: 1, 2, 3과 같은 수

● 대분수: 자연수와 진분수로 이루어진 분수

● 분수의 크기 비교

① 분모가 같은 가분수는 분자의 크기가 큰 가분수가 더 큽니다.

예 $5<6$ ⇨ $\frac{5}{4}<\frac{6}{4}$

② 분모가 같은 대분수는 자연수 부분이 큰 대분수가 더 큽니다.
자연수 부분이 같을 경우, 진분수 부분이 큰 대분수가 더 큽니다.

예 $1<2$ ⇨ $1\frac{4}{5}<2\frac{4}{5}$ $2<3$ ⇨ $1\frac{2}{5}<1\frac{3}{5}$

• 분자가 분모보다 작은 분수를 ❶ [ ] (이)라고 합니다.

• 분모가 같은 가분수는 ❷ [ ] 의 크기가 큰 가분수가 더 큽니다.

대분수끼리 비교할 때는 자연수 부분부터 비교합니다.

답 ❶ 진분수 ❷ 분자

개념 기초 확인

▶정답 및 풀이 19쪽

1-1 색칠한 부분을 분수로 나타내시오.

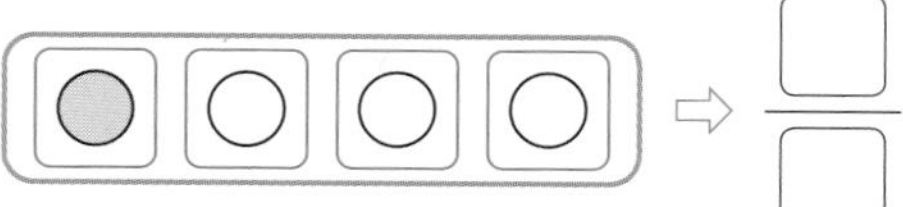

⇨ $\frac{\square}{\square}$

• **풀이** • 색칠한 부분은 전체를 똑같이 ❶ ☐ 묶음으로 나눈 것 중의 ❷ ☐ 묶음입니다.

답 ❶ 4 ❷ 1

1-2 색칠한 부분을 분수로 나타내시오.

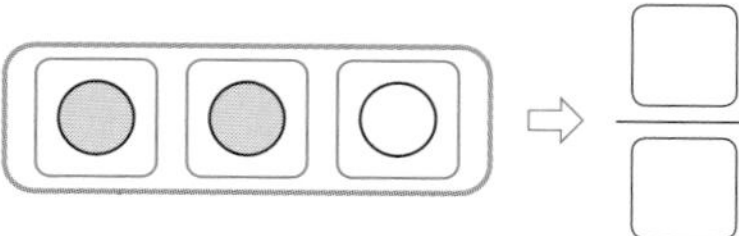

⇨ $\frac{\square}{\square}$

2-1 주어진 그림을 보고 ☐ 안에 알맞은 수를 써넣으시오.

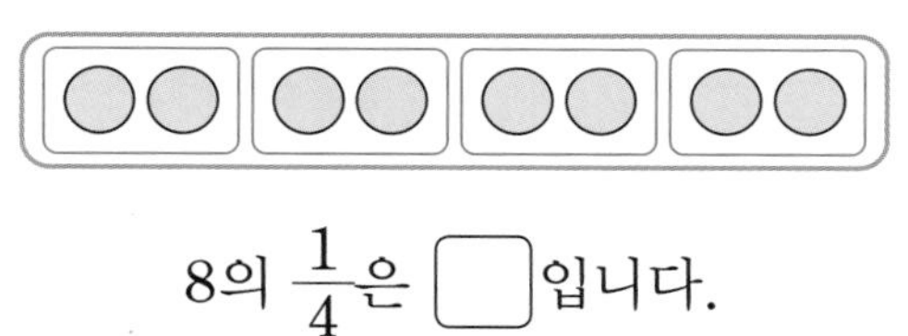

8의 $\frac{1}{4}$은 ☐입니다.

• **풀이** • 8을 똑같이 4묶음으로 나눈 것 중의 ❶ ☐ 묶음은 ❷ ☐ 입니다.

답 ❶ 1 ❷ 2

2-2 주어진 그림을 보고 ☐ 안에 알맞은 수를 써넣으시오.

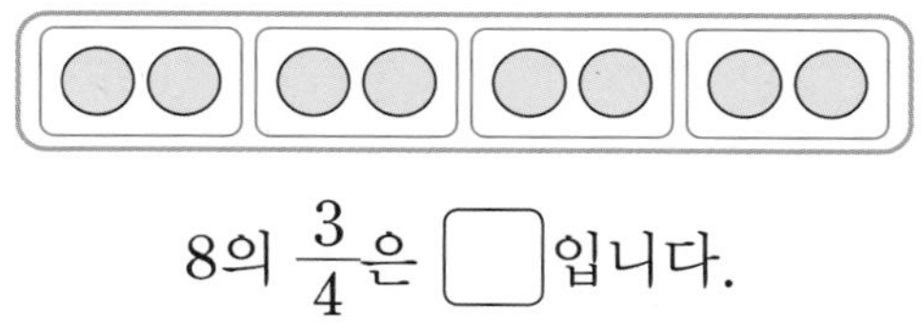

8의 $\frac{3}{4}$은 ☐입니다.

3-1 진분수를 찾아 기호를 쓰시오.

㉠ $2\frac{3}{5}$ ㉡ $\frac{5}{3}$ ㉢ $\frac{1}{2}$

( )

• **풀이** • 진분수는 분자가 ❶ ☐ 보다 작은 ❷ ☐ 입니다.

답 ❶ 분모 ❷ 분수

3-2 가분수를 찾아 기호를 쓰시오.

㉠ $\frac{6}{5}$ ㉡ $1\frac{1}{2}$ ㉢ $\frac{4}{6}$

( )

개념 3 들이 알아보기

[관련 단원] 들이와 무게

● 들이의 단위

읽기	1 리터	1 밀리리터
쓰기	1 L	1 mL

1 L=1000 mL

1 L보다 300 mL 더 많은 들이 **쓰기** 1 L 300 mL
읽기 1 리터 300 밀리리터

● 들이의 덧셈과 뺄셈

$$\begin{array}{rrr} & 3\text{ L} & 400\text{ mL} \\ + & 1\text{ L} & 200\text{ mL} \\ \hline & 4\text{ L} & 600\text{ mL} \end{array} \qquad \begin{array}{rrr} & 3\text{ L} & 400\text{ mL} \\ - & 1\text{ L} & 200\text{ mL} \\ \hline & 2\text{ L} & 200\text{ mL} \end{array}$$

- 1 L를 1 ❶ ______(이)라고 읽습니다.
- 1 mL를 1 ❷ ______(이)라고 읽습니다.
- 1 L는 1000 ❸ ______와/과 같습니다.

L는 L끼리,
mL는 mL끼리
계산합니다.

답 ❶ 리터 ❷ 밀리리터 ❸ mL

개념 4 무게 알아보기

[관련 단원] 들이와 무게

● 무게의 단위

읽기	1 그램	1 킬로그램	1 톤
쓰기	1 g	1 kg	1 t

1 kg=1000 g, 1 t=1000 kg

1 kg보다 700 g 더 무거운 무게 **쓰기** 1 kg 700 g
읽기 1 킬로그램 700 그램

● 무게의 덧셈과 뺄셈

$$\begin{array}{rrr} & 2\text{ kg} & 300\text{ g} \\ + & 1\text{ kg} & 200\text{ g} \\ \hline & 3\text{ kg} & 500\text{ g} \end{array} \qquad \begin{array}{rrr} & 2\text{ kg} & 300\text{ g} \\ - & 1\text{ kg} & 200\text{ g} \\ \hline & 1\text{ kg} & 100\text{ g} \end{array}$$

- 1 kg을 1 ❶ ______(이)라고 읽습니다.
- 1 g을 1 ❷ ______(이)라고 읽습니다.
- 1 kg은 1000 ❸ ______와/과 같습니다.

kg은 kg끼리,
g은 g끼리
계산합니다.

답 ❶ 킬로그램 ❷ 그램 ❸ g

개념 기초 확인

▶정답 및 풀이 19쪽

4-1 주어진 들이를 읽으시오.

3 L 800 mL

(　　　　　　　　　　)

• **풀이** • L는 ❶ [　　] (이)라고 읽고, mL는 ❷ [　　] (이)라고 읽습니다.

답 ❶ 리터 ❷ 밀리리터

4-2 주어진 들이를 읽으시오.

2 L 500 mL

(　　　　　　　　　　)

5-1 주어진 무게를 읽으시오.

4 kg 800 g

(　　　　　　　　　　)

• **풀이** • kg은 ❶ [　　] (이)라고 읽고, g은 ❷ [　　] (이)라고 읽습니다.

답 ❶ 킬로그램 ❷ 그램

5-2 주어진 무게를 읽으시오.

2 kg 300 g

(　　　　　　　　　　)

6-1 계산을 하시오.

$$\begin{array}{r} 3\text{ kg}\ \ 200\text{ g} \\ +\ 2\text{ kg}\ \ 100\text{ g} \\ \hline \end{array}$$

• **풀이** • 무게의 덧셈을 할 때 kg은 ❶ [　　] 끼리, g은 ❷ [　　] 끼리 더합니다.

답 ❶ kg ❷ g

6-2 계산을 하시오.

$$\begin{array}{r} 4\text{ kg}\ \ 600\text{ g} \\ -\ 1\text{ kg}\ \ 300\text{ g} \\ \hline \end{array}$$

3 주

예제 1 분수만큼은 얼마인지 알아보기

⇨ 10의 $\frac{1}{2}$은 5입니다.

$\frac{1}{2}$은 전체를 똑같이 ❶ [ ] 묶음으로 나눈것 중의 ❷ [ ] 묶음입니다.

[답] ❶ 2 ❷ 1

1 그림을 보고 □ 안에 알맞은 수를 써넣으시오.

(1) 20의 $\frac{1}{5}$은 □입니다.

(2) 20의 $\frac{3}{5}$은 □입니다.

예제 2 진분수, 가분수, 대분수

진분수: 분자가 분모보다 작은 분수
가분수: 분자가 분모와 같거나 분모보다 큰 분수
대분수: 자연수와 진분수로 이루어진 분수

분자가 분모보다 작은 분수를 ❶ [ ], 분자가 분모와 같거나 분모보다 큰 분수를 ❷ [ ], 자연수와 진분수로 이루어진 분수를 대분수라고 합니다.

[답] ❶ 진분수 ❷ 가분수

2 관계있는 것끼리 이어 보시오.

$\frac{7}{6}$ •	• 진분수
$\frac{2}{3}$ •	• 가분수
$6\frac{2}{3}$ •	• 대분수

예제 3 분수의 크기 비교하기

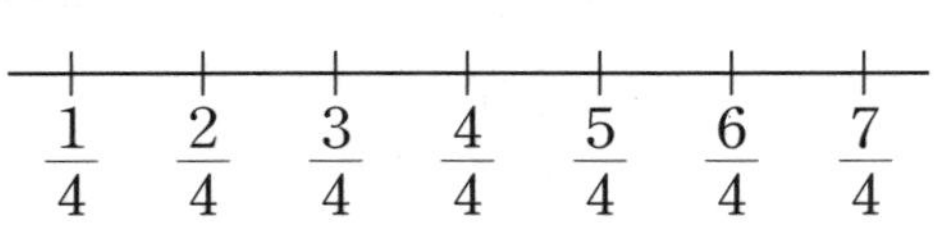

수직선에서 ❶ [ ] 이/가 같은 분수는 ❷ [ ] 쪽에 있을수록 더 큽니다.

[답] ❶ 분모 ❷ 오른

3 수직선을 보고 ○ 안에 >, =, <를 알맞게 써넣으시오.

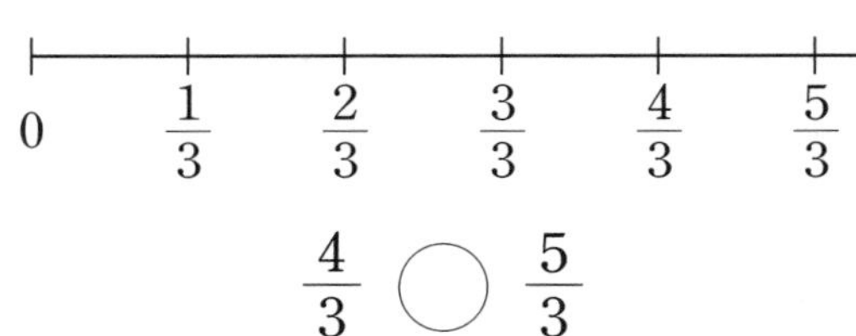

$\frac{4}{3}$ ○ $\frac{5}{3}$

▶정답 및 풀이 19쪽

예제 4 들이의 단위 바꾸어 나타내기

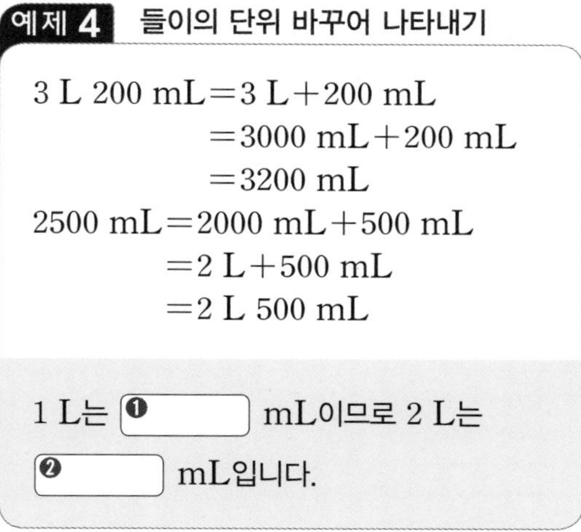

3 L 200 mL=3 L+200 mL
=3000 mL+200 mL
=3200 mL

2500 mL=2000 mL+500 mL
=2 L+500 mL
=2 L 500 mL

1 L는 ❶☐ mL이므로 2 L는 ❷☐ mL입니다.

[답] ❶ 1000 ❷ 2000

4 ☐ 안에 알맞은 수를 써넣으시오.

(1) 5 L 600 mL=☐ L+600 mL
=☐ mL+600 mL
=☐ mL

(2) 1700 mL=☐ mL+700 mL
=☐ L+700 mL
=☐ L 700 mL

예제 5 들이의 덧셈과 뺄셈

$$\begin{array}{rrr} & \scriptstyle 1 & \\ & 5\text{ L} & 600\text{ mL} \\ + & 2\text{ L} & 600\text{ mL} \\ \hline & 8\text{ L} & 200\text{ mL} \end{array} \qquad \begin{array}{rrr} & \scriptstyle 3 & \scriptstyle 1000 \\ & \not{4}\text{ L} & 200\text{ mL} \\ - & 1\text{ L} & 400\text{ mL} \\ \hline & 2\text{ L} & 800\text{ mL} \end{array}$$

mL끼리 더했을 때 1000 mL이거나 1000 mL가 넘으면 ❶☐ L로 받아❷☐합니다.

[답] ❶ 1 ❷ 올림

5 계산을 하시오.

(1)
$$\begin{array}{rrr} & 3\text{ L} & 300\text{ mL} \\ + & 3\text{ L} & 900\text{ mL} \\ \hline \end{array}$$

(2)
$$\begin{array}{rrr} & 5\text{ L} & 400\text{ mL} \\ - & 2\text{ L} & 900\text{ mL} \\ \hline \end{array}$$

(3) 2 L 800 mL+1 L 700 mL

(4) 6 L 300 mL−3 L 700 mL

예제 6 무게의 덧셈과 뺄셈

$$\begin{array}{rrr} & \scriptstyle 1 & \\ & 1\text{ kg} & 500\text{ g} \\ + & 1\text{ kg} & 600\text{ g} \\ \hline & 3\text{ kg} & 100\text{ g} \end{array} \qquad \begin{array}{rrr} & \scriptstyle 2 & \scriptstyle 1000 \\ & \not{3}\text{ kg} & 500\text{ g} \\ - & 1\text{ kg} & 800\text{ g} \\ \hline & 1\text{ kg} & 700\text{ g} \end{array}$$

g끼리 뺄 수 없으면 ❶☐ kg을 1000 g으로 받아❷☐합니다.

[답] ❶ 1 ❷ 내림

6 계산을 하시오.

(1)
$$\begin{array}{rrr} & 2\text{ kg} & 800\text{ g} \\ + & 3\text{ kg} & 900\text{ g} \\ \hline \end{array}$$

(2)
$$\begin{array}{rrr} & 4\text{ kg} & 500\text{ g} \\ - & 2\text{ kg} & 700\text{ g} \\ \hline \end{array}$$

(3) 3 kg 400 g+2 kg 700 g

(4) 7 kg 500 g−2 kg 800 g

전략 1 길이 구하기

[관련 단원] 분수

예 15 cm의 $\frac{3}{5}$은 몇 cm인지 구하기

0 3 6 9 12 15(cm)

(1) 15 cm를 똑같이 5로 나누면 1은 ❶ [ ] cm입니다.

(2) 15 cm의 $\frac{3}{5}$은 15 cm를 똑같이 5로 나눈 것 중의 3이므로 $3\times3=$ ❷ [ ] (cm)입니다.

답 ❶ 3 ❷ 9

필수 예제 | 01 |

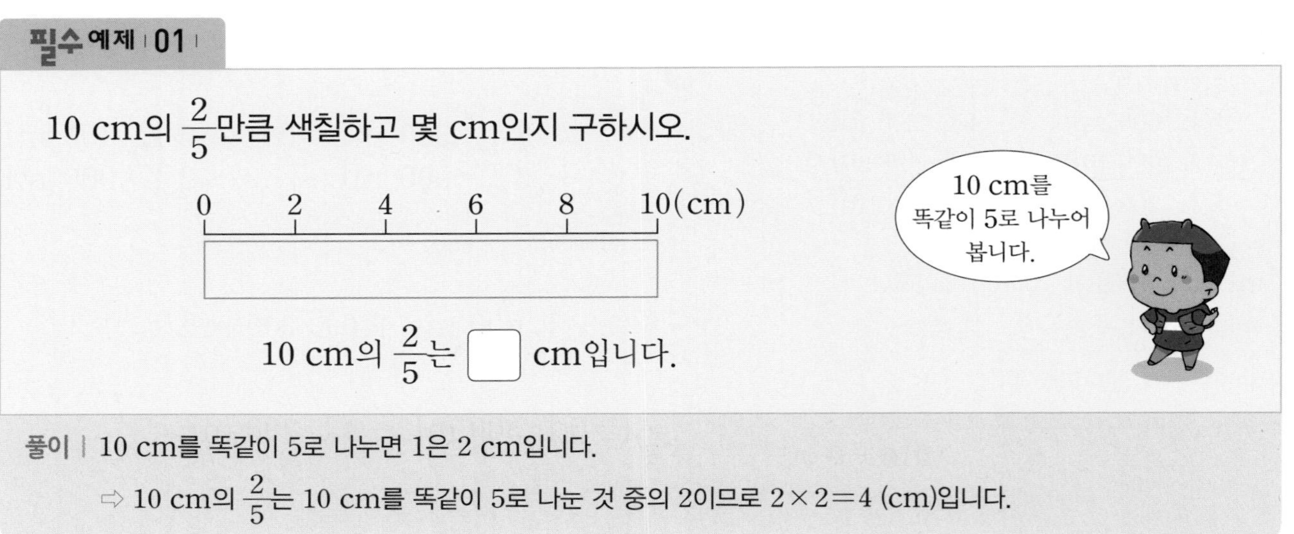

10 cm의 $\frac{2}{5}$만큼 색칠하고 몇 cm인지 구하시오.

10 cm의 $\frac{2}{5}$는 [ ] cm입니다.

풀이 | 10 cm를 똑같이 5로 나누면 1은 2 cm입니다.

⇨ 10 cm의 $\frac{2}{5}$는 10 cm를 똑같이 5로 나눈 것 중의 2이므로 $2\times2=4$ (cm)입니다.

확인 1-1

20 cm의 $\frac{3}{4}$만큼 색칠하고 몇 cm인지 구하시오.

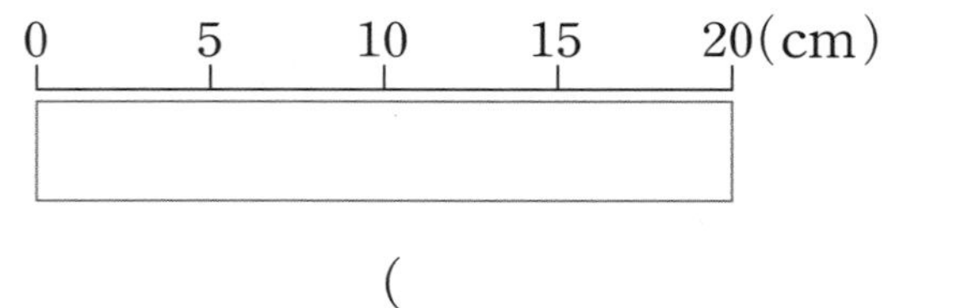

( )

확인 1-2

14 cm의 $\frac{4}{7}$만큼 색칠하고 몇 cm인지 구하시오.

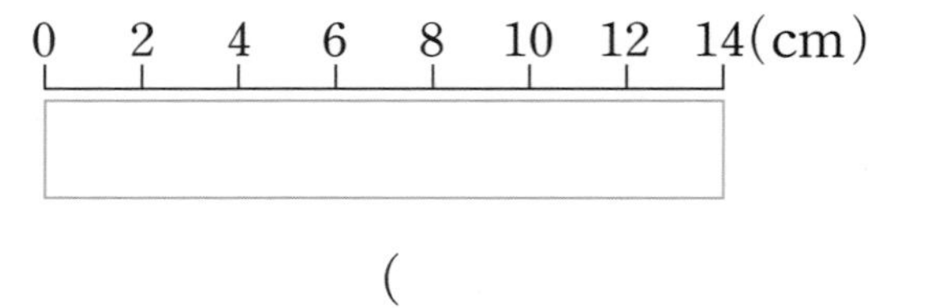

( )

▶정답 및 풀이 20쪽

전략 2 대분수와 가분수의 크기 비교하기

[관련 단원] 분수

예 $\frac{5}{3}$와 $1\frac{1}{3}$의 크기 비교하기

(1) 대분수를 가분수로 나타내기

$1\frac{1}{3}$ ⇨ $\left(1\text{과 }\frac{1}{3}\right)$ ⇨ $\left(\frac{3}{3}\text{과 }\frac{1}{3}\right)$ ⇨ $\frac{❶\square}{3}$

(2) 두 가분수의 크기 비교하기

분자를 비교하면 5 ❷○ 4이므로 $\frac{5}{3}$가 더 ❸☐.

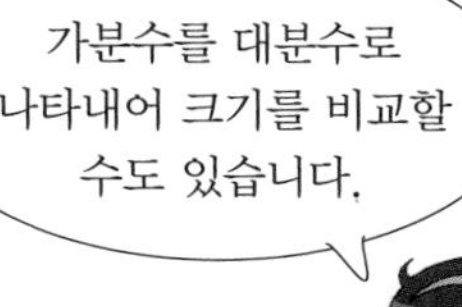
가분수를 대분수로
나타내어 크기를 비교할
수도 있습니다.

답 ❶ 4 ❷ > ❸ 큽니다

필수 예제 02

더 큰 분수를 찾아 기호를 쓰시오.

㉠ $\frac{7}{5}$ ㉡ $1\frac{4}{5}$

( )

풀이 | $1\frac{4}{5}$ ⇨ $\left(1\text{과 }\frac{4}{5}\right)$ ⇨ $\left(\frac{5}{5}\text{와 }\frac{4}{5}\right)$ ⇨ $\frac{9}{5}$

⇨ 분자를 비교하면 $7<9$이므로 더 큰 분수는 ㉡입니다.

확인 2-1

더 큰 분수를 찾아 기호를 쓰시오.

㉠ $\frac{11}{4}$ ㉡ $2\frac{2}{4}$

( )

확인 2-2

더 큰 분수를 찾아 기호를 쓰시오.

㉠ $\frac{11}{6}$ ㉡ $1\frac{3}{6}$

( )

3 주

전략 3 들이의 합이 몇 L 몇 mL인지 나타내기

[관련 단원] 들이와 무게

예 3830 mL와 2750 mL의 합이 몇 L 몇 mL인지 나타내기

(1) 3830 mL와 2750 mL의 합 구하기

3830 mL+2750 mL= ❶ ☐ mL

(2) 들이를 몇 L 몇 mL로 나타내기

6580 mL= ❷ ☐ mL+580 mL

= ❸ ☐ L+580 mL= ❹ ☐ L 580 mL

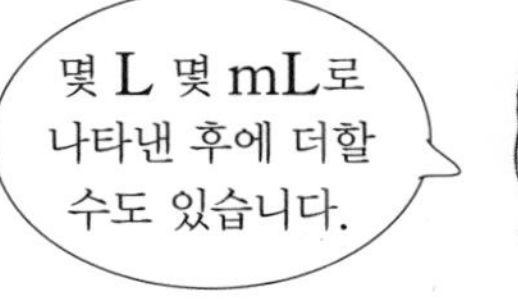

답 ❶ 6580 ❷ 6000 ❸ 6 ❹ 6

필수 예제 | 03 |

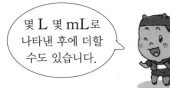

2500 mL와 1850 mL의 합은 몇 L 몇 mL입니까?

(1) 2500 mL와 1850 mL의 합을 구하시오.

( )

(2) (1)에서 구한 들이를 몇 L 몇 mL로 나타내시오.

( )

풀이 | (1) 2500 mL+1850 mL=4350 mL

(2) 4350 mL=4000 mL+350 mL

=4 L+350 mL=4 L 350 mL

확인 3-1

6250 mL와 1200 mL의 합은 몇 L 몇 mL입니까?

( )

확인 3-2

3950 mL와 1820 mL의 합은 몇 L 몇 mL입니까?

( )

▶정답 및 풀이 20쪽

전략 4 무게를 더 가깝게 어림한 사람 찾기

[관련 단원] 들이와 무게

예 1 kg인 무게를 더 가깝게 어림한 사람 찾기

철수: 900 g　　영희: 1200 g

어림한 무게와 실제 무게의 차가 적을수록 더 가깝게 어림한 것입니다.

(1) 1 kg을 g으로 나타내기

1 kg은 ❶ [　　] g입니다.

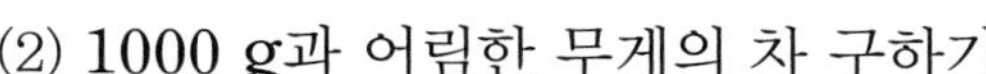

(2) 1000 g과 어림한 무게의 차 구하기

철수: 1000 g－900 g＝❷ [　　] g, 영희: 1200 g－1000 g＝❸ [　　] g

(3) 무게의 차 비교하기

100 g＜200 g이므로 더 가깝게 어림한 사람은 ❹ [　　]입니다.

답 ❶ 1000 ❷ 100 ❸ 200 ❹ 철수

필수 예제 | 04 |

1 kg의 소금을 승우는 930 g, 한희는 1050 g으로 어림하였습니다. 더 가깝게 어림한 사람은 누구입니까?

(　　　　　　　　)

풀이 | 1 kg＝1000 g
승우: 1000 g－930 g＝70 g, 영희: 1050 g－1000 g＝50 g
⇨ 50 g＜70 g이므로 더 가깝게 어림한 사람은 한희입니다.

확인 4-1

1 kg 500 g의 물건을 지혜는 1440 g, 은수는 1550 g으로 어림하였습니다. 더 가깝게 어림한 사람은 누구입니까?

(　　　　　　　　)

확인 4-2

1 kg 200 g의 물건을 명지는 1170 g, 석우는 1250 g으로 어림하였습니다. 더 가깝게 어림한 사람은 누구입니까?

(　　　　　　　　)

필수 체크 전략 ❷

[관련 단원] **분수**

1 ㉠과 ㉡에 알맞은 분수를 각각 구하시오.

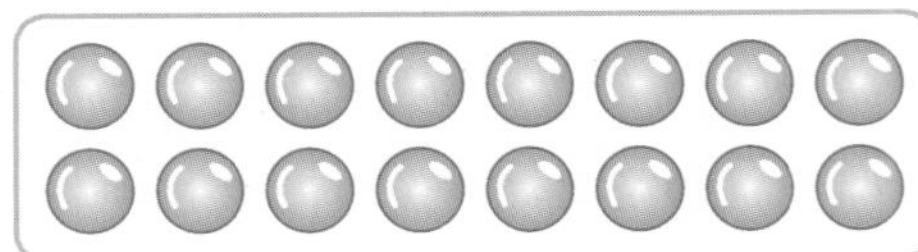

16을 2씩 묶으면 12는 20의 ㉠입니다.
16을 4씩 묶으면 12는 20의 ㉡입니다.

㉠ (　　　　　　　)

㉡ (　　　　　　　)

Tip

- 16을 2씩 묶으면 8묶음이 되고, 12는 8묶음 중의 ❶□묶음입니다.
- 16을 4씩 묶으면 4묶음이 되고, 12는 4묶음 중의 ❷□묶음입니다.

답 ❶ 6 ❷ 3

[관련 단원] **분수**

2 ❸조건을 만족하는 분수를 모두 구하시오.

- ❶대분수입니다.
- ❷자연수 부분이 4입니다.
- ❸분모가 3입니다.

(　　　　　　　)

Tip

❶ 대분수는 자연수와 ❶□(으)로 이루어져 있습니다.
❷ 자연수 부분에 4를 놓습니다.
❸ 분자는 ❷□보다 작습니다.

답 ❶ 진분수 ❷ 3

[관련 단원] **분수**

3 가장 큰 분수를 구하시오.

$2\frac{1}{7}$　　$\frac{18}{7}$　　$2\frac{3}{7}$

(　　　　　　　)

Tip

- $\frac{18}{7}$을 대분수로 나타내면 ❶□$\frac{❷□}{7}$입니다.
- 자연수 부분이 같으므로 ❸□ 부분의 분자를 비교합니다.

답 ❶ 2 ❷ 4 ❸ 진분수

[관련 단원] **들이와 무게**

4 두 수조에 들어있는 물의 양은 모두 몇 L 몇 mL입니까?

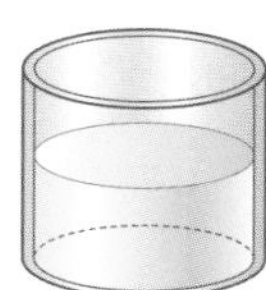
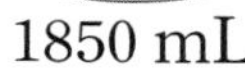
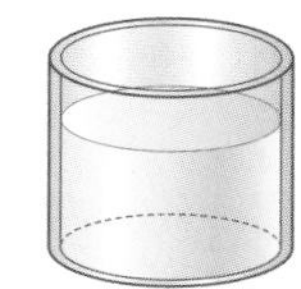

1850 mL　　2 L 450 mL

(　　　　　　　　　)

Tip

- 1850 mL = ❶ ☐ L 850 mL
- 두 수조에 들어있는 물의 양의 ❷ ☐ 을/를 구합니다.

답 ❶ 1 ❷ 합

[관련 단원] **들이와 무게**

5 가장 무거운 물건의 기호를 쓰시오.

(　　　　　　　　　)

Tip

- 가와 나를 비교하면 ❶ ☐ 가 더 무겁습니다.
- 가와 다를 비교하면 ❷ ☐ 가 더 무겁습니다.

답 ❶ 가 ❷ 다

[관련 단원] **들이와 무게**

6 500 g인 접시에 배를 올려놓고 무게를 재었더니 아래 그림과 같았습니다. 배의 무게를 구하시오.

(　　　　　　　　　)

Tip

- 접시의 무게와 ❶ ☐ 의 무게를 더하면 1 kg 250 g입니다.
- 배의 무게는 1 kg 250 g에서 ❷ ☐ 의 무게를 뺀 것과 같습니다.

답 ❶ 배 ❷ 접시

3 주

3주 03일 필수 체크 전략 ❶

전략 1 남은 수 구하기

[관련 단원] 분수

예 쿠키 20개 중 $\frac{1}{5}$을 먹었을 때 남은 쿠키의 수 구하기

(1) 먹은 쿠키의 수 구하기

20개의 $\frac{1}{5}$은 전체를 똑같이 5묶음으로 나눈 것 중의 1묶음이므로 ❶□개입니다.

(2) 남은 쿠키의 수 구하기

먹고 남은 쿠키의 수는 20－❷□＝❸□(개)입니다.

답 ❶ 4 ❷ 4 ❸ 16

필수 예제 01

쿠키 10개 중 $\frac{2}{5}$를 먹었습니다. 남은 쿠키는 몇 개입니까? (　　　)

① 2개 ② 3개 ③ 4개
④ 5개 ⑤ 6개

풀이 | 쿠키 10개의 $\frac{1}{5}$은 2개이므로 $\frac{2}{5}$는 전체를 똑같이 5묶음으로 나눈 것 중의 2묶음인 $2\times2=4$(개)입니다.
먹고 남은 쿠키의 수는 $10-4=6$(개)입니다.

확인 1-1

초콜릿 12개 중 $\frac{1}{4}$을 먹었습니다. 남은 초콜릿은 몇 개입니까?

(　　　　　　)

확인 1-2

젤리 14개 중 $\frac{6}{7}$을 먹었습니다. 남은 젤리는 몇 개입니까?

(　　　　　　)

▶정답 및 풀이 21쪽

전략 2 □ 안에 들어갈 수 있는 자연수 구하기

[관련 단원] **분수**

예 $4\frac{\square}{4}<\frac{18}{4}$일 때 □ 안에 들어갈 수 있는 자연수 구하기

(1) 가분수를 대분수로 나타내기

$\frac{18}{4}$ ⇨ $\left(\frac{16}{4}\text{과 }\frac{2}{4}\right)$ ⇨ $\left(4\text{와 }\frac{2}{4}\right)$ ⇨ $4\frac{❶\square}{4}$

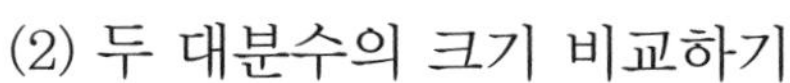

(2) 두 대분수의 크기 비교하기

자연수 부분이 같으므로 진분수 부분의 분자를 비교하면 □<❷□입니다.

따라서 □ 안에 들어갈 수 있는 자연수는 ❸□입니다.

□가 없는 가분수를 대분수로 나타냅니다.

답 ❶ 2 ❷ 2 ❸ 1

필수 예제 02

□ 안에 들어갈 수 있는 자연수를 구하시오.

$\frac{18}{5}<3\frac{\square}{5}$

→ 대분수

(　　　　　　　　)

풀이 | $\frac{18}{5}$ ⇨ $\left(\frac{15}{5}\text{와 }\frac{3}{5}\right)$ ⇨ $\left(3\text{과 }\frac{3}{5}\right)$ ⇨ $3\frac{3}{5}$

두 대분수의 자연수 부분이 같으므로 진분수 부분의 분자를 비교하면 3<□입니다. $\frac{\square}{5}$는 진분수이므로 □<5입니다. 따라서 □ 안에 들어갈 수 있는 자연수는 4입니다.

확인 2-1

□ 안에 들어갈 수 있는 자연수를 구하시오.

$2\frac{\square}{3}<\frac{8}{3}$

(　　　　　　　　)

확인 2-2

□ 안에 들어갈 수 있는 자연수를 구하시오.

$\frac{16}{6}<2\frac{\square}{6}$

→ 대분수

(　　　　　　　　)

3 주

전략 3 물의 양 같게 만들기

[관련 단원] 들이와 무게

예 두 수조의 물의 양을 같게 만들기 위해 나 수조에서 가 수조로 부어야 하는 양 알아보기

가 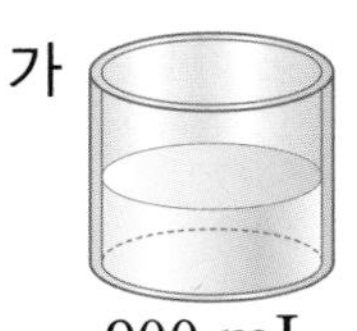 나 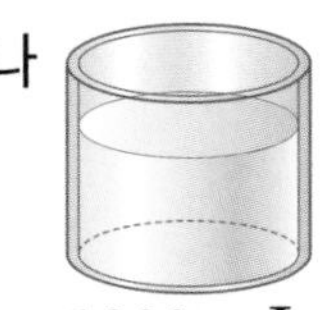

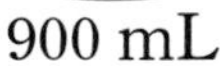

1300 mL

(1) 두 수조에 있는 물의 양의 차 알아보기

1300 mL－900 mL＝❶ mL입니다.

(2) 나 수조에서 부어야 하는 양 구하기

400 mL＝200 mL＋200 mL이므로 ❷ mL 부어야 합니다.

답 ❶ 400 ❷ 200

필수 예제 | 03 |

두 수조의 물의 양을 같게 하려면 나 수조에서 가 수조로 물을 몇 mL 부어야 합니까?

가 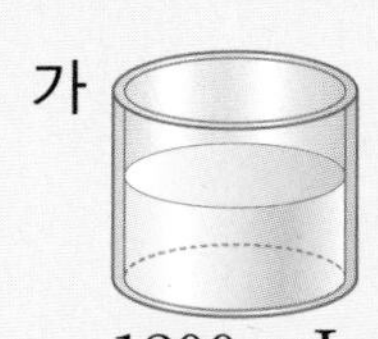 나 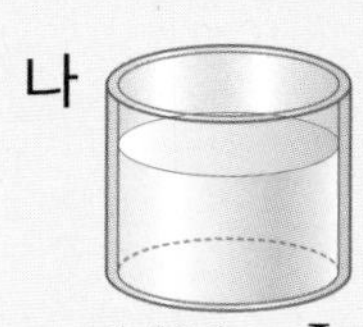

1200 mL 1400 mL

( )

풀이 | 두 수조에 있는 물의 양의 차는 1400 mL－1200 mL＝200 mL입니다.
⇨ 200 mL＝100 mL＋100 mL이므로 나 수조에서 가 수조로 100 mL 부어야 합니다.

확인 3-1

두 수조의 물의 양을 같게 하려면 가 수조에서 나 수조로 물을 몇 mL 부어야 합니까?

가 수조: 1200 mL 나 수조: 700 mL

( )

확인 3-2

두 수조의 물의 양을 같게 하려면 가 수조에서 나 수조로 물을 몇 mL 부어야 합니까?

가 수조: 1550 mL 나 수조: 850 mL

( )

▶정답 및 풀이 21쪽

전략 4 1개의 무게 구하기

[관련 단원] 들이와 무게

예 저울을 보고 무게가 같은 사과 1개의 무게 구하기

(1) 저울의 눈금 읽기

저울의 눈금을 읽으면 ❶ [   ] g입니다.

(2) 사과 1개의 무게 구하기

❷ [   ] g=200 g+200 g+200 g+200 g에서

사과 1개의 무게는 ❸ [   ] g입니다.

답 ❶ 800 ❷ 800 ❸ 200

필수 예제 04

저울을 보고 무게가 같은 배 1개의 무게는 몇 g인지 구하시오.

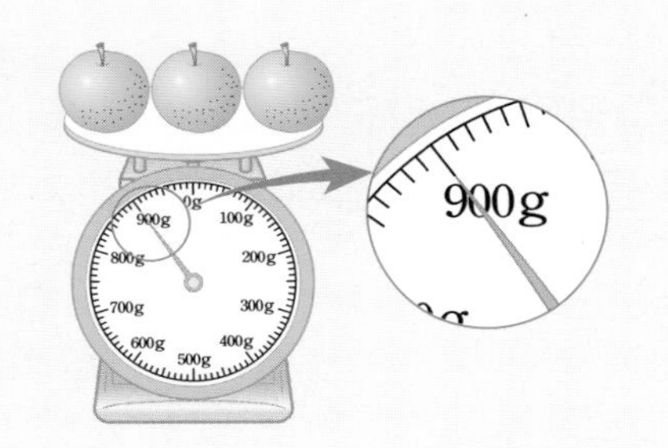

(   )

풀이 | 저울의 눈금을 읽으면 900 g입니다.

⇨ 900 g=300 g+300 g+300 g에서 배 1개의 무게는 300 g입니다.

확인 4-1

저울을 보고 무게가 같은 귤 1개의 무게는 몇 g인지 구하시오.

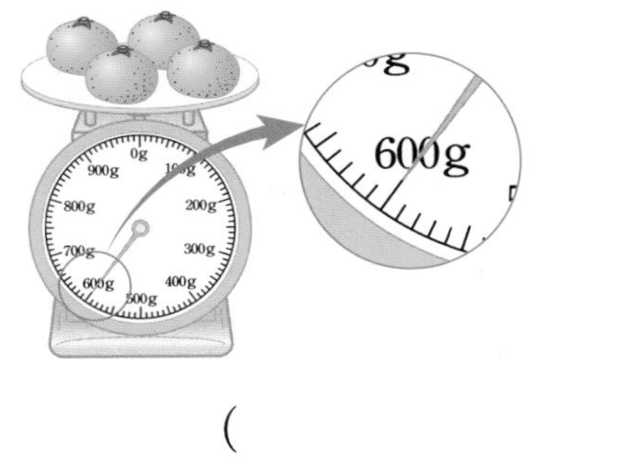

(   )

확인 4-2

저울을 보고 무게가 같은 쿠키 1개의 무게는 몇 g인지 구하시오.

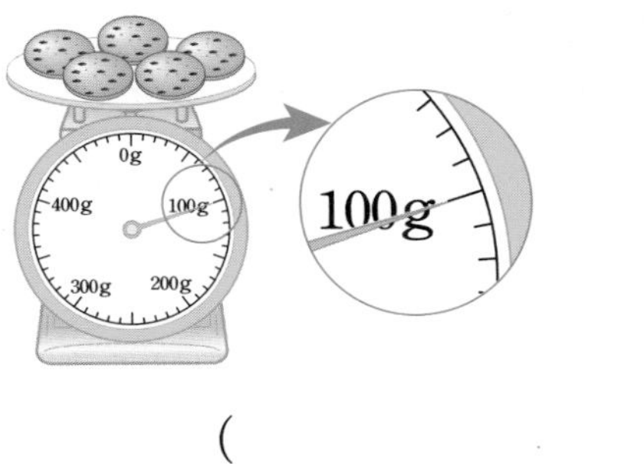

(   )

3주 03일 필수 체크 전략 ❷

[관련 단원] **분수**

1 그림을 보고 ☐ 안에 알맞은 수를 써넣으시오.

(1) 토끼 12마리의 $\frac{2}{3}$는 ☐마리입니다.

(2) 토끼 12마리의 $\frac{5}{6}$는 ☐마리입니다.

Tip

• $\frac{2}{3}$는 똑같이 3묶음으로 나눈 것 중의 ❶☐묶음입니다.

• $\frac{5}{6}$는 똑같이 6묶음으로 나눈 것 중의 ❷☐묶음입니다.

답 ❶ 2 ❷ 5

[관련 단원] **분수**

2 ❶3장의 수 카드 중 2장을 골라 한 번씩만 사용하여 진분수를 만들려고 합니다. ❷만들 수 있는 진분수를 모두 쓰시오.

❷  2 3 4

(　　　　　　　　　　)

Tip

❶ 진분수는 분자가 ❶☐보다 작은 분수입니다.

❷ 분자에 들어갈 수 있는 수는 2 또는 ❷☐입니다.

답 ❶ 분모 ❷ 3

[관련 단원] **분수**

3 ☐ 안에 들어갈 수 있는 수를 모두 찾아 ○표 하시오.

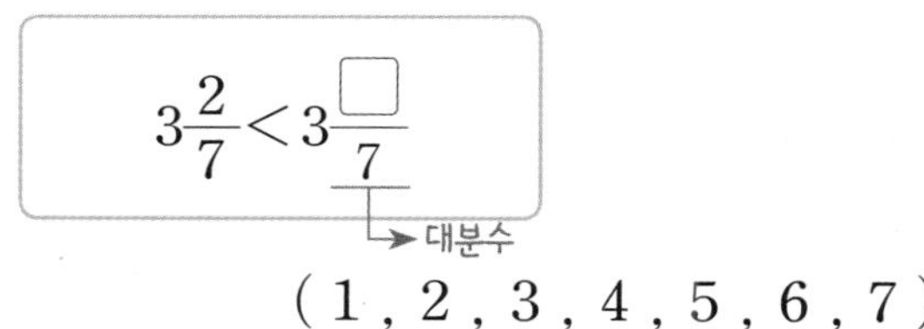

$$3\frac{2}{7} < 3\frac{\square}{7}$$

→ 대분수

(1 , 2 , 3 , 4 , 5 , 6 , 7)

Tip

• $3\frac{2}{7}$와 $3\frac{\square}{7}$는 자연수 부분이 ❶☐.

• 대분수의 자연수 부분이 같으면 진분수 부분에서 ❷☐을/를 비교합니다.

답 ❶ 같습니다 ❷ 분자

▶정답 및 풀이 22쪽

[관련 단원] **들이와 무게**

4 물의 양이 얼마인지 눈금을 읽어 보시오.

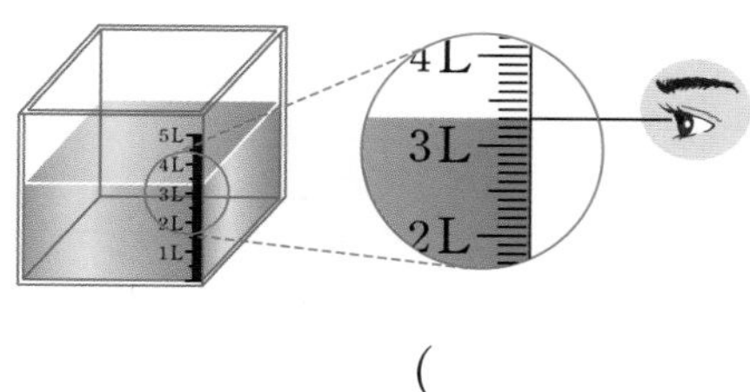

(   )

Tip

• 물의 높이가 가리키는 곳은 3 L에서 ❶ 칸 위입니다.

• 작은 눈금 1칸의 크기는 100 ❷ 입니다.

들이의 단위에 주의합니다.

[관련 단원] **들이와 무게**

5 수조에서 물을 700 mL 덜어 내면 남는 물은 몇 L 몇 mL인지 쓰시오.

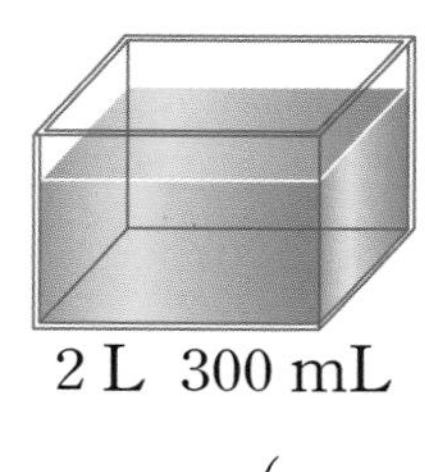

2 L 300 mL

(   )

Tip

• 수조에서 물을 덜어 냈으므로 수조의 물의 양과 700 mL의 ❶ 을/를 구합니다.

• mL끼리 뺄 수 없으면 ❷ mL를 받아내림합니다.

답 ❶ 차 ❷ 1000

[관련 단원] **들이와 무게**

6 더 무거운 것의 기호를 쓰시오.

㉠ 5050 g	㉡ 5 kg 300 g

(   )

Tip

• 5050 g=5 kg ❶ g

• kg끼리 비교하고, kg이 같으면 ❷ 끼리 비교합니다.

3주

교과서 대표 전략 ❶

대표 예제 | 01

16의 $\frac{3}{8}$만큼 색칠하시오.

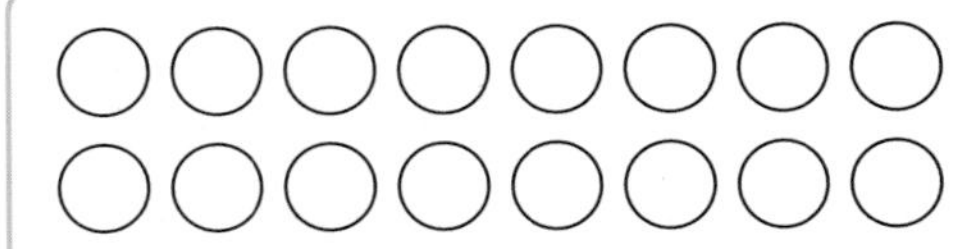

개념가이드

$\frac{3}{8}$은 전체를 똑같이 ❶ ☐ 묶음으로 나눈 것 중에서 ❷ ☐ 묶음입니다.

[답] ❶ 8 ❷ 3

대표 예제 | 02

진분수를 모두 찾아 ○표 하시오.

$\frac{2}{3}$　$\frac{9}{7}$　$1\frac{1}{6}$　$\frac{10}{10}$　$\frac{8}{9}$

개념가이드

진분수는 분자가 ❶ ☐ 보다 작은 ❷ ☐ 입니다.

[답] ❶ 분모 ❷ 분수

대표 예제 | 03

수직선에서 ↓가 나타내는 분수를 쓰시오.

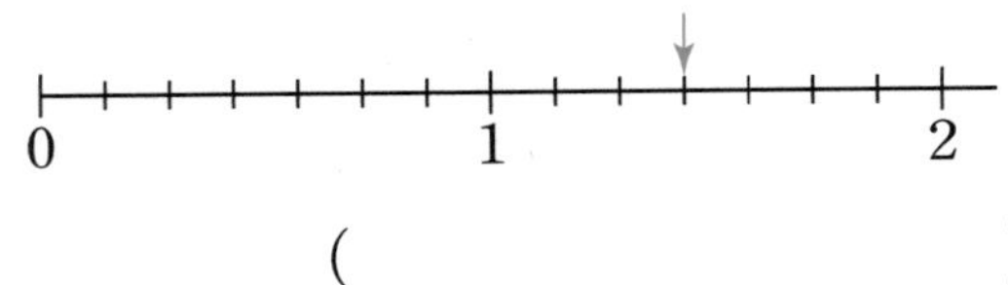

(　　　　　)

개념가이드

0부터 1까지 ❶ ☐ 칸으로 나누어져 있습니다.

↓는 1에서 ❷ ☐ 칸 더 간 곳을 가리키고 있습니다.

[답] ❶ 7 ❷ 3

대표 예제 | 04

$2\frac{■}{6}$가 대분수일 때 ■가 될 수 있는 수를 모두 쓰시오.

(　　　　　)

$\frac{■}{6}$는 진분수입니다.

개념가이드

대분수는 자연수와 ❶ ☐ (으)로 이루어져 있으므로 ■는 6보다 ❷ ☐ 니다.

[답] ❶ 진분수 ❷ 작습

▶정답 및 풀이 23쪽

대표 예제 | 05

$1\frac{1}{6}$만큼 색칠하고 대분수를 가분수로 나타내시오.

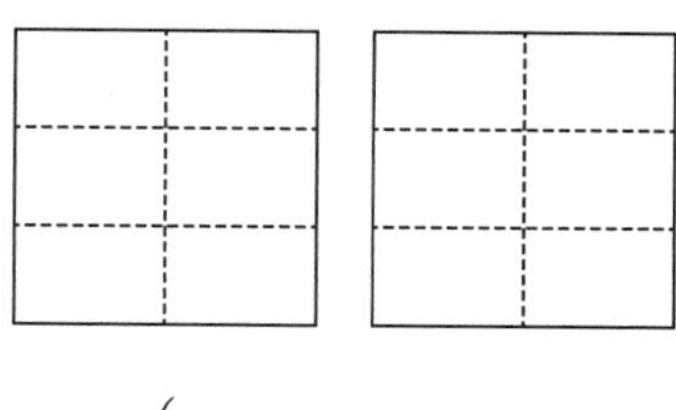

(　　　　　　　　　　)

개념가이드

$1\frac{1}{6}$은 ❶ [　] 만큼 색칠하고 $\frac{1}{6}$을 더 색칠한 것과 같으므로 $\frac{1}{6}$을 ❷ [　] 칸 색칠한 것과 같습니다.

[답] ❶ 1 ❷ 7

대표 예제 | 06

수 카드 3장을 한 번씩 사용하여 가장 큰 대분수를 만드시오.

(　　　　　　　　　　)

개념가이드

가장 큰 대분수를 만들려면 자연수 부분에 가장 ❶ [　] 수를 놓고 남은 수 카드로 ❷ [　] 을/를 만듭니다.

[답] ❶ 큰 ❷ 진분수

대표 예제 | 07

그림을 보고 1 m의 $\frac{1}{2}$은 몇 cm인지 구하시오.

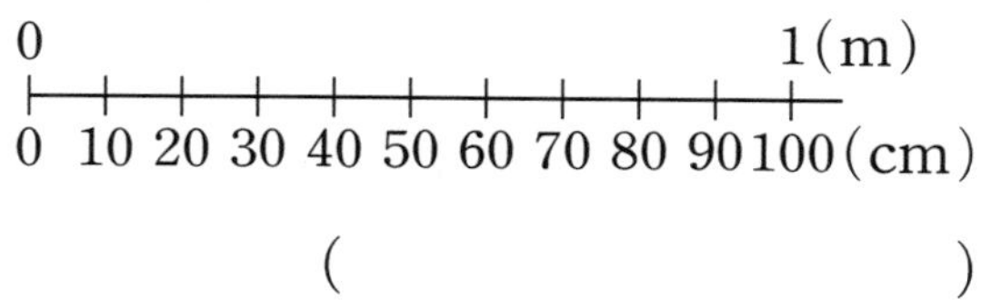

(　　　　　　　　　　)

개념가이드

1 m= ❶ [　] cm이므로 똑같이 2로 나눈 것 중의 ❷ [　] 만큼이 몇 cm인지 구합니다.

[답] ❶ 100 ❷ 1

대표 예제 | 08

가장 큰 분수에 ○표 하시오.

$1\frac{2}{4}$	$\frac{5}{4}$	$\frac{7}{4}$

개념가이드

대분수를 ❶ [　] (으)로 나타내고 분모의 크기가 같으므로 ❷ [　] 의 크기를 비교합니다.

[답] ❶ 가분수 ❷ 분자

3 주

대표 예제 | 09 |

공책과 책 중에서 어느 것이 구슬 몇 개 만큼 더 무거운지 차례로 써 보시오.

공책 구슬 9개 책 구슬 16개

( ), ( )

개념가이드

공책의 무게는 구슬 ❶ ☐ 개이고, 책의 무게는 구슬 ❷ ☐ 개입니다.

[답] ❶ 9 ❷ 16

대표 예제 | 10 |

들이의 덧셈을 하였습니다. 잘못된 이유를 쓰시오.

$$\begin{array}{r} 2\text{ L}\ \ 300\text{ mL} \\ +\ 1\text{ L}\ \ 800\text{ mL} \\ \hline 3\text{ L}\ \ 100\text{ mL} \end{array}$$

이유

개념가이드

mL끼리 더했을 때 1000 ❶ ☐ (이)거나 1000 mL가 넘으면 ❷ ☐ L를 받아올림합니다.

[답] ❶ mL ❷ 1

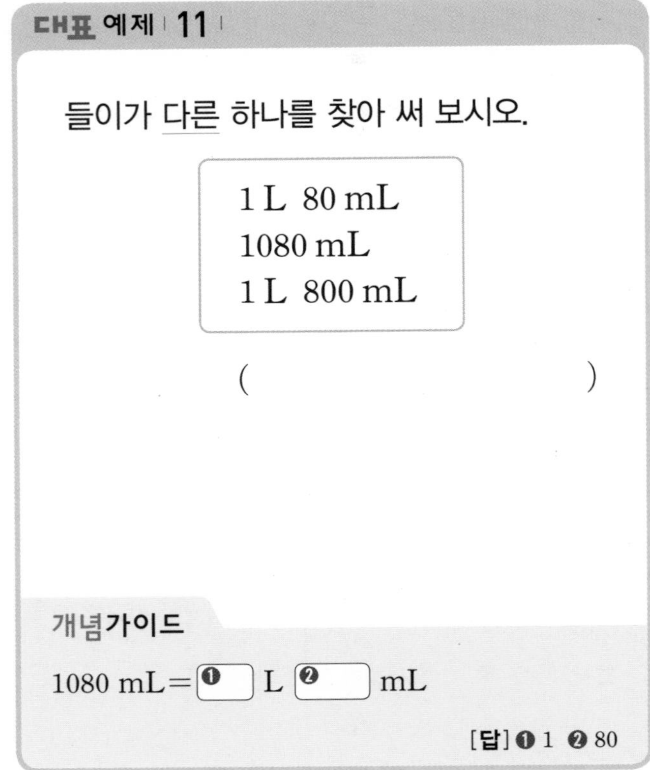

대표 예제 | 11 |

들이가 다른 하나를 찾아 써 보시오.

1 L 80 mL
1080 mL
1 L 800 mL

( )

개념가이드

1080 mL= ❶ ☐ L ❷ ☐ mL

[답] ❶ 1 ❷ 80

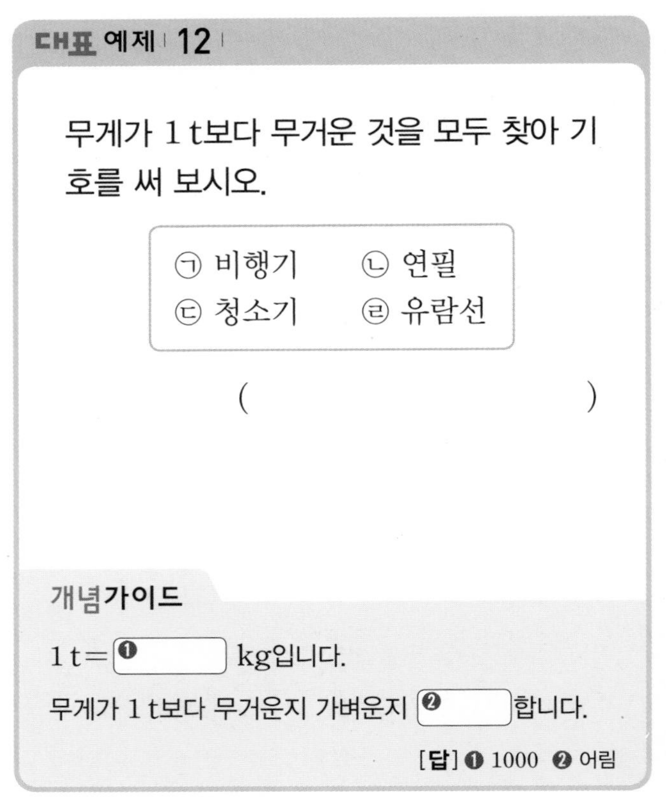

대표 예제 | 12 |

무게가 1 t보다 무거운 것을 모두 찾아 기호를 써 보시오.

㉠ 비행기 ㉡ 연필
㉢ 청소기 ㉣ 유람선

( )

개념가이드

1 t= ❶ ☐ kg입니다.

무게가 1 t보다 무거운지 가벼운지 ❷ ☐ 합니다.

[답] ❶ 1000 ❷ 어림

▶정답 및 풀이 23쪽

대표 예제 | 13

들이가 많은 순서대로 기호를 써 보시오.

㉠ 6050 mL
㉡ 6 L 150 mL
㉢ 5 L 900 mL

(　　　　　　　　　　)

개념가이드

6050 mL=❶[　] L ❷[　] mL입니다.
L부터 차례로 크기를 비교합니다.

[답] ❶ 6 ❷ 50

대표 예제 | 14

무게가 몇 g인지 구하시오.

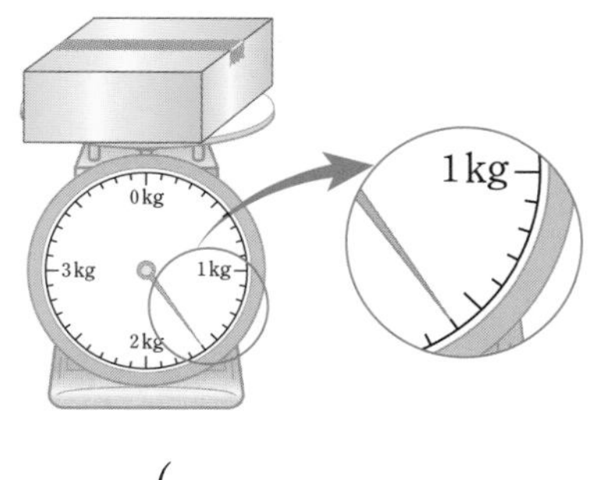

(　　　　　　　　　　)

개념가이드

1 kg에서 6칸만큼 더 간 곳을 가리키므로 ❶[　] kg ❷[　] g입니다.

[답] ❶ 1 ❷ 600

대표 예제 | 15

두 무게의 차는 몇 kg 몇 g인지 구하시오.

2500 g　　　4 kg 200 g

(　　　　　　　　　　)

개념가이드

2500 g=❶[　] kg ❷[　] g이므로 4 kg 200 g과의 차를 구합니다.

[답] ❶ 2 ❷ 500

대표 예제 | 16

물이 들어 있던 수조에 물 950 mL를 더 부었더니 3 L 300 mL가 되었습니다. 원래 수조에 들어 있던 물의 양은 몇 L 몇 mL입니까?

(　　　　　　　　　　)

개념가이드

원래 수조에 들어 있던 물의 양은 3 L ❶[　] mL에서 ❷[　] mL를 빼어 구합니다.

[답] ❶ 300 ❷ 950

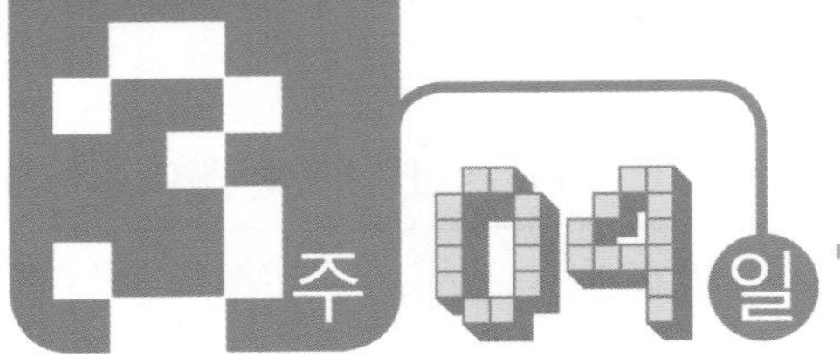

교과서 대표 전략 ❷

1 나타내는 수가 다른 하나를 찾아 기호를 쓰시오.

㉠ $\frac{13}{7}$ ㉡ $2\frac{1}{7}$ ㉢ $\frac{15}{7}$

( )

Tip

대분수를 ❶ ☐(으)로 나타냅니다.

이때 분모가 7로 같으므로 ❷ ☐끼리 비교합니다.

답 ❶ 가분수 ❷ 분자

2 ㉠에 알맞은 수를 구하시오.

㉠의 $\frac{1}{6}$은 5입니다.

( )

Tip

$\frac{1}{6}$은 전체를 똑같이 6묶음으로 나눈 것 중의 ❶ ☐묶음이므로 ㉠은 5의 ❷ ☐배입니다.

답 ❶ 1 ❷ 6

3 주어진 분수가 진분수일 때, 2부터 9까지의 자연수 중 ☐ 안에 들어갈 수 있는 가장 작은 수를 구하시오.

$\frac{5}{☐}$

( )

Tip

분모가 ❶ ☐보다 커야 하므로 ☐ 안에 들어갈 수 있는 수는 ❷ ☐보다 큰 수입니다.

답 ❶ 분자 ❷ 5

4 딸기가 24개 있었습니다. 딸기를 더 많이 먹은 사람은 누구인지 이름을 쓰시오.

해인: 전체의 $\frac{3}{8}$을 먹었습니다.

지우: 전체의 $\frac{1}{3}$을 먹었습니다.

( )

Tip

$\frac{3}{8}$: 똑같이 8묶음으로 나눈 것 중의 ❶ ☐묶음

$\frac{1}{3}$: 똑같이 3묶음으로 나눈 것 중의 ❷ ☐묶음

답 ❶ 3 ❷ 1

▶정답 및 풀이 24쪽

5 추 1개의 무게는 20 g입니다. 오이의 무게는 몇 g입니까?

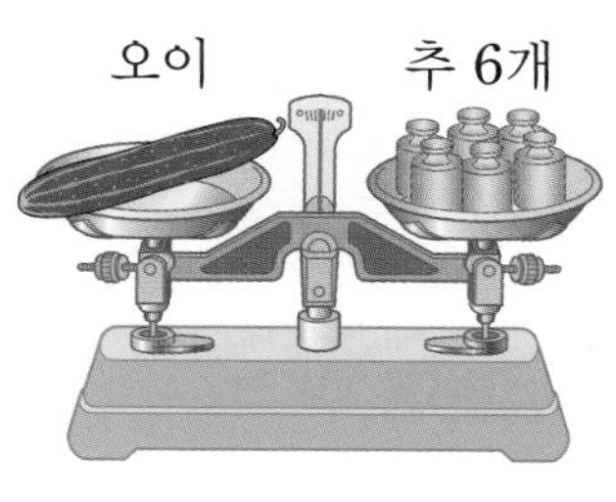

( )

Tip

추가 모두 ❶ ☐개 있으므로, 오이의 무게는 20 g을 ❷ ☐번 더한 것과 같습니다.

답 ❶ 6 ❷ 6

6 무게가 더 무거운 것의 기호를 쓰시오.

㉠ 2 kg 600 g+9 kg 500 g
㉡ 14 kg 300 g−3 kg 700 g

( )

Tip

kg은 ❶ ☐끼리 계산하고, g은 ❷ ☐끼리 계산한 후에 kg부터 차례로 수를 비교합니다.

답 ❶ kg ❷ g

7 똑같은 수조에 물을 채우려면 각 컵으로 다음과 같이 각각 부어야 합니다. 들이가 가장 많은 컵은 무엇입니까?

컵	가	나	다
횟수(번)	5	8	7

( )

Tip

똑같은 수조에 물을 채울 때에는 부은 횟수가 적을수록 컵의 들이가 더 ❶ ☐. 컵 중에서 부은 횟수가 가장 ❷ ☐ 컵을 찾습니다.

답 ❶ 많습니다 ❷ 적은

8 ☐ 안에 알맞은 수를 써넣으시오.

	☐	L	700	mL
+	1	L	☐	mL
	4	L	500	mL

Tip

mL끼리 계산하면 700과 어떤 수를 더해 500이 될 수 없으므로 ❶ ☐이/가 되어야 하고, ❷ ☐ L를 받아올림합니다.

답 ❶ 1500 ❷ 1

3주

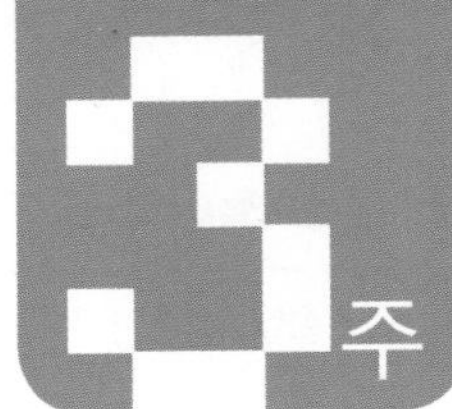

누구나 만점 전략

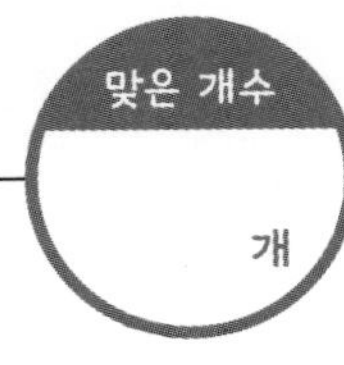

01 색칠한 부분을 분수로 나타내시오.

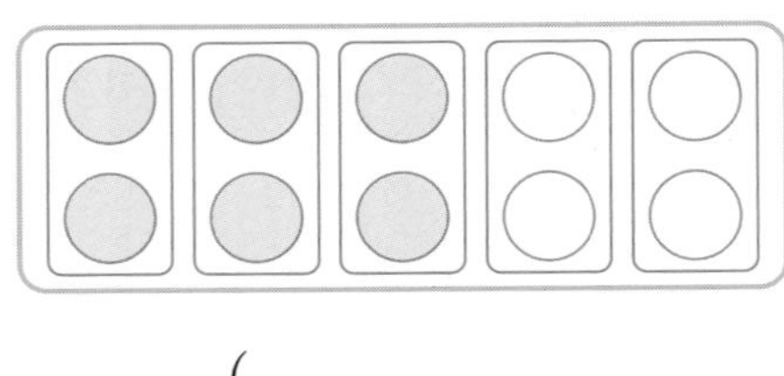

(　　　　　　　　　　)

02 가분수를 모두 찾아 ○표 하시오.

$\frac{5}{6}$　$3\frac{3}{4}$　$\frac{11}{2}$　$\frac{20}{20}$　$6\frac{2}{3}$

03 분수의 크기를 비교하여 ○ 안에 >, =, <를 알맞게 써넣으시오.

$\frac{11}{9}$ ○ $\frac{13}{9}$

04 그림을 보고 대분수로 나타내시오.

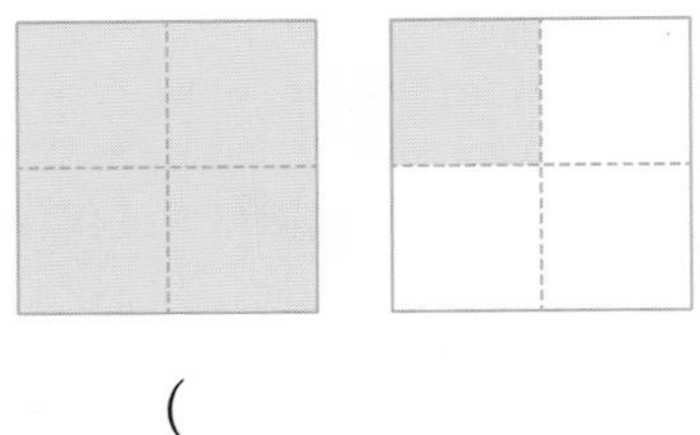

(　　　　　　　　　　)

05 사과 20개의 $\frac{2}{5}$는 몇 개입니까?

(　　　　　　　　　　)

사과 20개를 똑같이 5묶음으로 나누어 봅니다.

▶정답 및 풀이 25쪽

06 주어진 들이를 쓰시오.

1 L보다 600 mL 더 많은 들이

(　　　　　　　　)

07 저울의 눈금을 읽으시오.

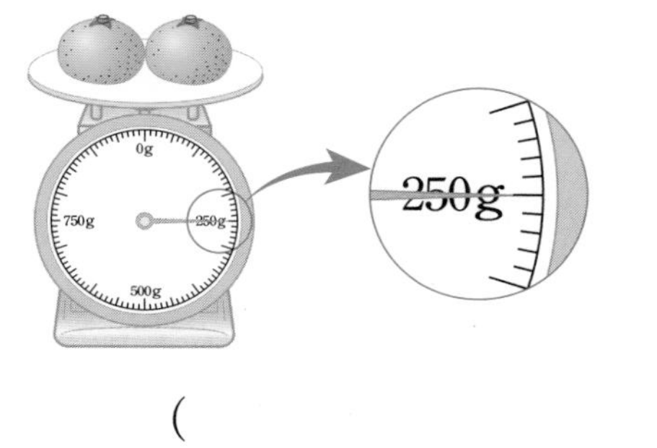

(　　　　　　　　)

08 보기에서 알맞은 단위를 골라 □ 안에 써넣으시오.

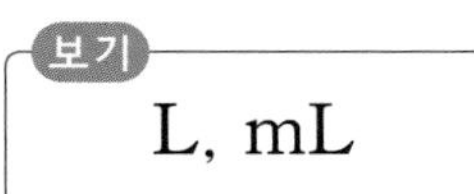

보기
L, mL

요구르트병의 들이는 약 100 □입니다.

09 두 수조에 담긴 물의 양의 합을 구하시오.

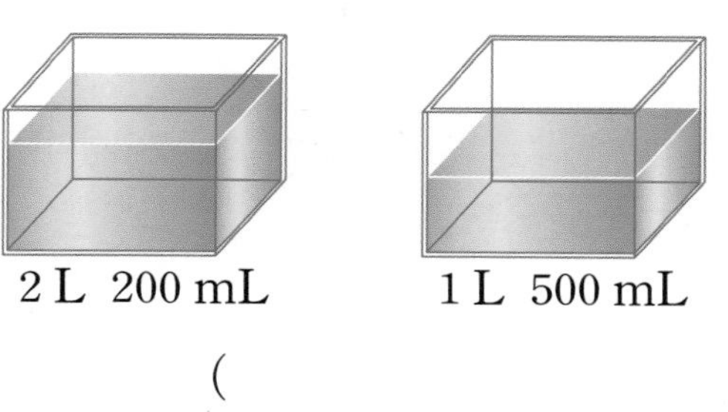

(　　　　　　　　)

10 음식이 담긴 접시의 무게는 1 kg 300 g이고, 빈 접시의 무게는 500 g입니다. 음식의 무게는 몇 g인지 구하시오.

(　　　　　　　　)

창의·융합·코딩 전략 ❶

창의 융합

1 위 대화를 읽고 남학생이 먹어야 하는 붕어빵의 수를 구하시오.

( )

▶정답 및 풀이 26쪽

창의 융합

2 남학생은 일주일 전보다 몸무게가 몇 g 늘었는지 구하시오.

(　　　　　　　　　　)

창의·융합·코딩 전략 ❷

추론

1 두 수를 넣으면 규칙에 따라 분수가 나옵니다. 9와 4를 넣었을 때 나오는 분수를 구하시오.

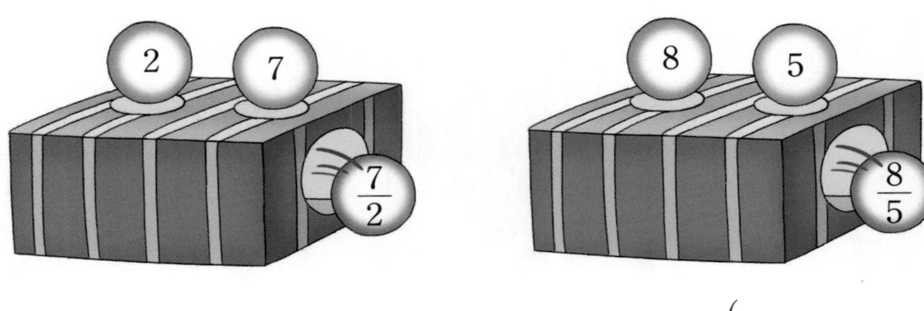

(   )

Tip

두 수 중 큰 수를 ❶ [   ]에, 작은 수를 ❷ [   ]에 넣은 분수가 나오는 규칙입니다.

[답] ❶ 분자 ❷ 분모

코딩

2 시작에 36을 넣었을 때 출력되는 수를 구해 보시오.

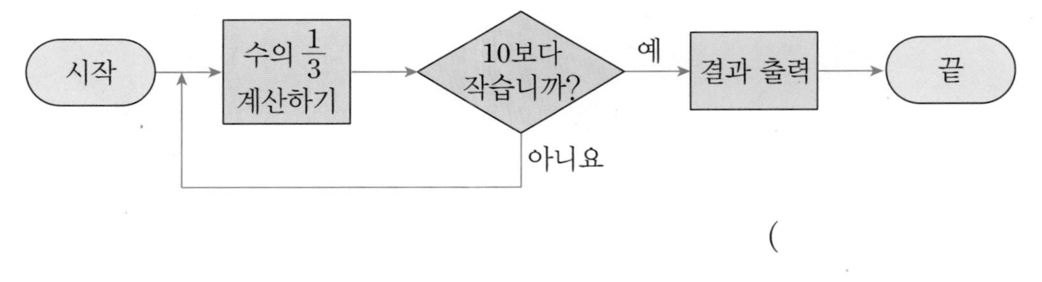

(   )

Tip

$\frac{1}{3}$은 전체를 똑같이 ❶ [   ]묶음으로 나눈 것 중의 ❷ [   ]묶음입니다.

[답] ❶ 3 ❷ 1

▶정답 및 풀이 26쪽

문제 해결

3 노란 구슬과 파란 구슬이 있습니다. 노란 구슬은 8개이고 이것은 전체 구슬의 $\frac{4}{9}$입니다. 파란 구슬만큼 색칠해 보시오.

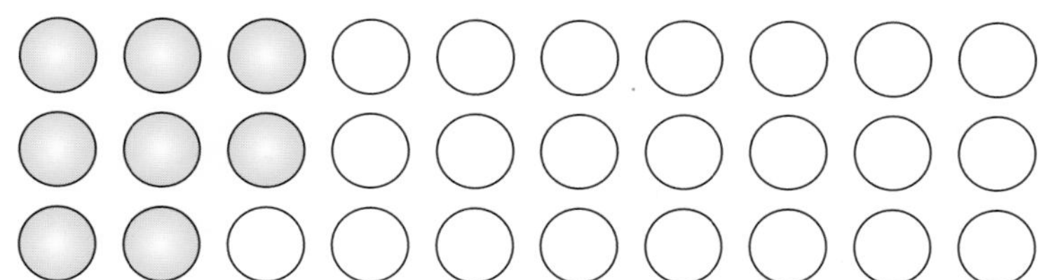

Tip

전체 구슬을 똑같이 9묶음으로 나눈 것 중의 4묶음이 8개이므로 1묶음은 ❶ ☐ 개입니다.

파란 구슬은 전체 구슬을 똑같이 9묶음으로 나눈 것 중의 ❷ ☐ 묶음입니다.

[답] ❶ 2 ❷ 5

창의 융합

4 어느 달의 달력입니다. 이달의 $\frac{2}{5}$는 비가 왔고, $\frac{3}{10}$은 흐렸고, 나머지 날은 맑았습니다. 맑은 날은 모두 며칠입니까?

일	월	화	수	목	금	토
	1	2	3	4	5	6
7	8	9	10	11	12	13
14	15	16	17	18	19	20
21	22	23	24	25	26	27
28	29	30				

( )

Tip

이달의 날수는 ❶ ☐ 일입니다.

비 온 날은 이달의 날수를 똑같이 5묶음으로 나눈 것 중의 ❷ ☐ 묶음입니다.

[답] ❶ 30 ❷ 2

추론

5 추 1개의 무게가 무거운 순서대로 색을 쓰시오. (단, 같은 색의 추끼리는 무게가 같습니다.)

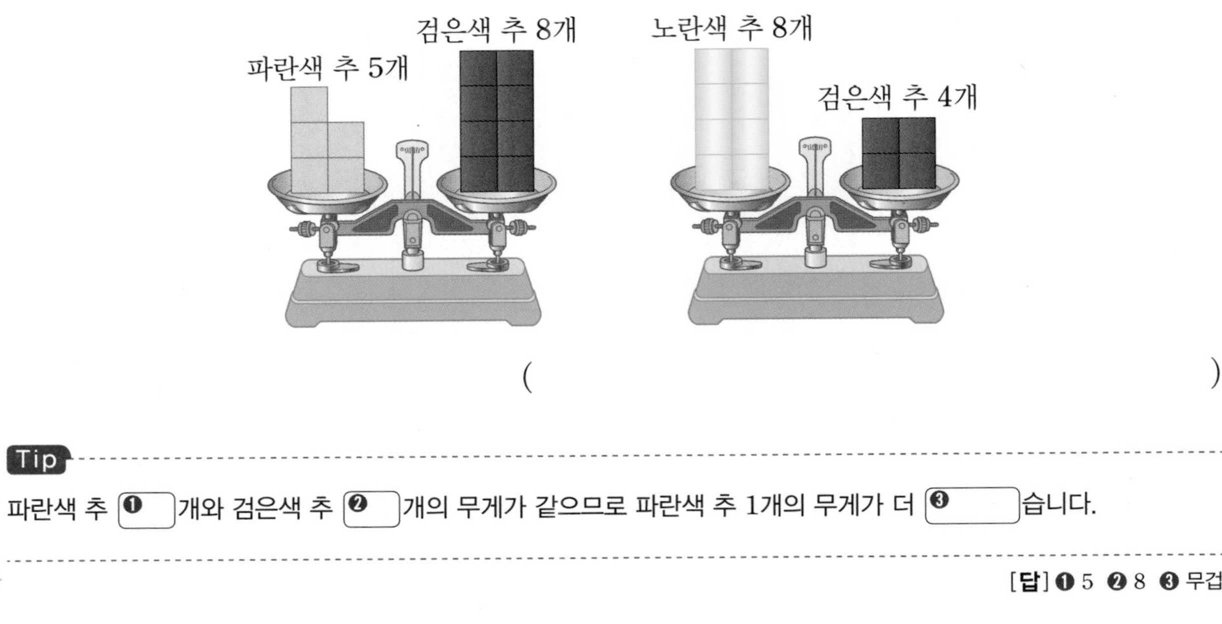

(　　　　　　　　　　　　　　　　　　　　　　　　)

Tip

파란색 추 ❶ [　　] 개와 검은색 추 ❷ [　　] 개의 무게가 같으므로 파란색 추 1개의 무게가 더 ❸ [　　] 습니다.

[답] ❶ 5 ❷ 8 ❸ 무겁

창의 융합

6 옛날 우리나라의 단위 중에는 되와 홉이 있습니다. 1되는 약 1 L 800 mL를 나타내고, 1홉은 약 180 mL를 나타냅니다. 1되 2홉은 몇 L 몇 mL인지 구하시오.

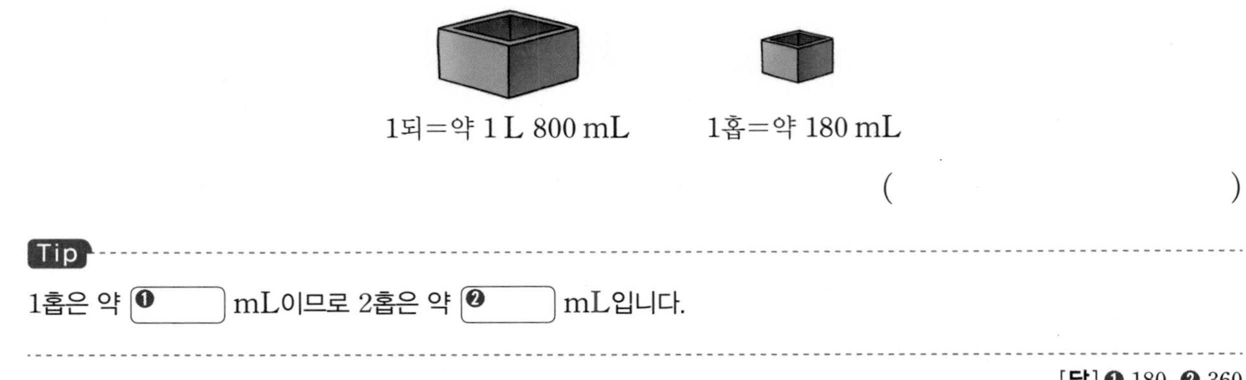

(　　　　　　　　　　)

Tip

1홉은 약 ❶ [　　] mL이므로 2홉은 약 ❷ [　　] mL입니다.

[답] ❶ 180 ❷ 360

▶정답 및 풀이 26쪽

추론

7 저울을 보고 복숭아 1개와 자두 1개의 무게의 합은 몇 g인지 구하시오. (단, 같은 종류의 과일끼리는 무게가 같습니다.)

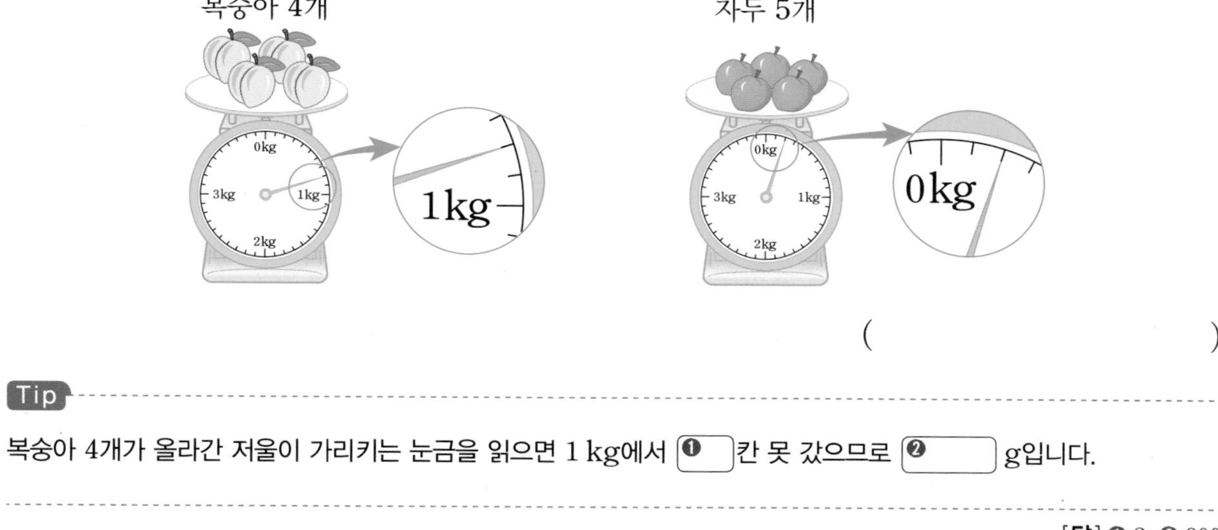

(　　　　　　　　)

Tip

복숭아 4개가 올라간 저울이 가리키는 눈금을 읽으면 1 kg에서 ❶ ☐칸 못 갔으므로 ❷ ☐ g입니다.

[**답**] ❶ 2 ❷ 800

문제 해결

8 들이가 1 L 700 mL인 물통에 물을 가득 담아 수조에 3번 부었더니 800 mL가 흘러넘쳤습니다. 수조의 들이는 몇 L 몇 mL입니까?

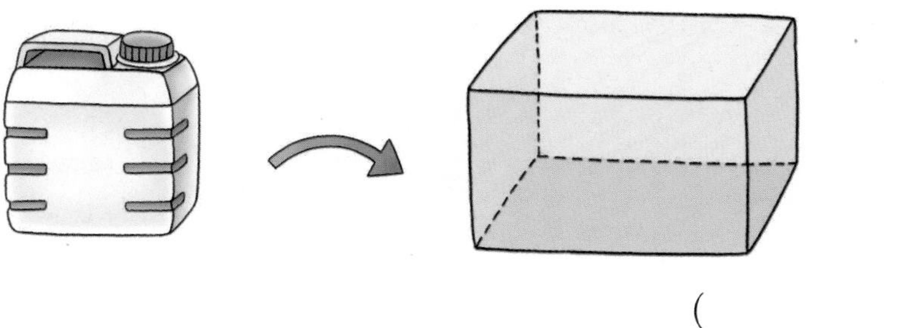

(　　　　　　　　)

Tip

수조에 3번 부은 물의 양은 1 L 700 mL를 ❶ ☐번 더한 것과 같습니다.

800 mL가 흘러넘쳤으므로 수조에 3번 부은 물의 양에서 800 mL를 ❷ ☐니다.

[**답**] ❶ 3 ❷ 뺍

3주

우와!
초밥이다.
내가 좋아하는
초밥을 아버지께서
사 오셨어.

손오공도
함께 먹자.
이 초밥의 맛의
비밀은 밥알의
개수에 있다며?

어, 밥알을
3×25만큼
넣어서 맛이
있는 거라고.

3
× 2 5
7 5
3×5=15,
3×20=60이므로
15+60=75.
밥알은 75개야.

그런데 이건
맛이 좀 없어.
……?!!

밥알 몇 개가
썩어서 맛이
없나 봐.
밥알이 아니라
네 이빨이
썩었잖아.

네 이빨부터
치료해야겠어.
알겠어!

초밥은 36개,
우린 셋이니까
36÷3으로
계산해 보면

36÷3=12
초밥을 12개씩
먹었구나.

으앙~ 초밥을
맛있게 먹었더니
몸무게가 1 kg
이나 늘었어.

정말로
1000 g이나
늘었네.
1000 g?

1 kg은 1000 g과
같은 무게야.
1 킬로그램은
1 kg,
1 그램은
1 g이라고 쓴대.
1 kg=1000 g

나도 몸무게를
재어 봐야지.

어떡해!
몸무게가
5 kg이나
늘었어.
꾸욱!

신유형·신경향·서술형 전략

[관련 단원] **곱셈**

1 영아네 모둠 친구들이 각자의 곱셈 결과를 선물로 받을 수 있습니다. 친구들의 선물을 찾아 선으로 이어 보시오.

Tip

세로셈으로 바꾸어 계산하면 쉽게 구할 수 있습니다.

$312\times2=624$, $50\times40=$ ❶ ____, $18\times60=1080$, $3\times67=201$, $26\times35=$ ❷ ____

[**답**] ❶ 2000 ❷ 910

▶정답 및 풀이 27쪽

[관련 단원] **나눗셈**

2

알리바바는 40명의 도적으로부터 금과 은으로 된 동전을 얻었습니다. 얻은 동전을 동네의 불우한 친구들에게 똑같이 나누어 주고 남는 동전을 알리바바가 갖는다고 합니다. 금으로 된 동전은 213개이고 은으로 된 동전은 615개일 때 알리바바가 갖는 동전은 몇 개인지 구하시오.

❶ 금으로 된 동전을 친구 1명에게 4개씩 나누어 준다면 몇 명에게 나누어 줄 수 있고 몇 개가 남겠습니까?

( ), ( )

❷ 은으로 된 동전을 친구 1명에게 7개씩 나누어 준다면 몇 명에게 나누어 줄 수 있고 몇 개가 남겠습니까?

( ), ( )

❸ 알리바바가 갖는 동전은 몇 개입니까?

( )

Tip

알리바바가 갖는 동전은 ❶ ÷4를 계산하고 ❷ ÷7을 계산한 뒤 나머지의 합을 구합니다.

[답] ❶ 213 ❷ 615

[관련 단원] **원**

3 원에 대한 내용입니다. 출발부터 글을 읽고 맞으면 ○, 틀리면 ×로 이동하여 무사히 목적지에 도착하시오.

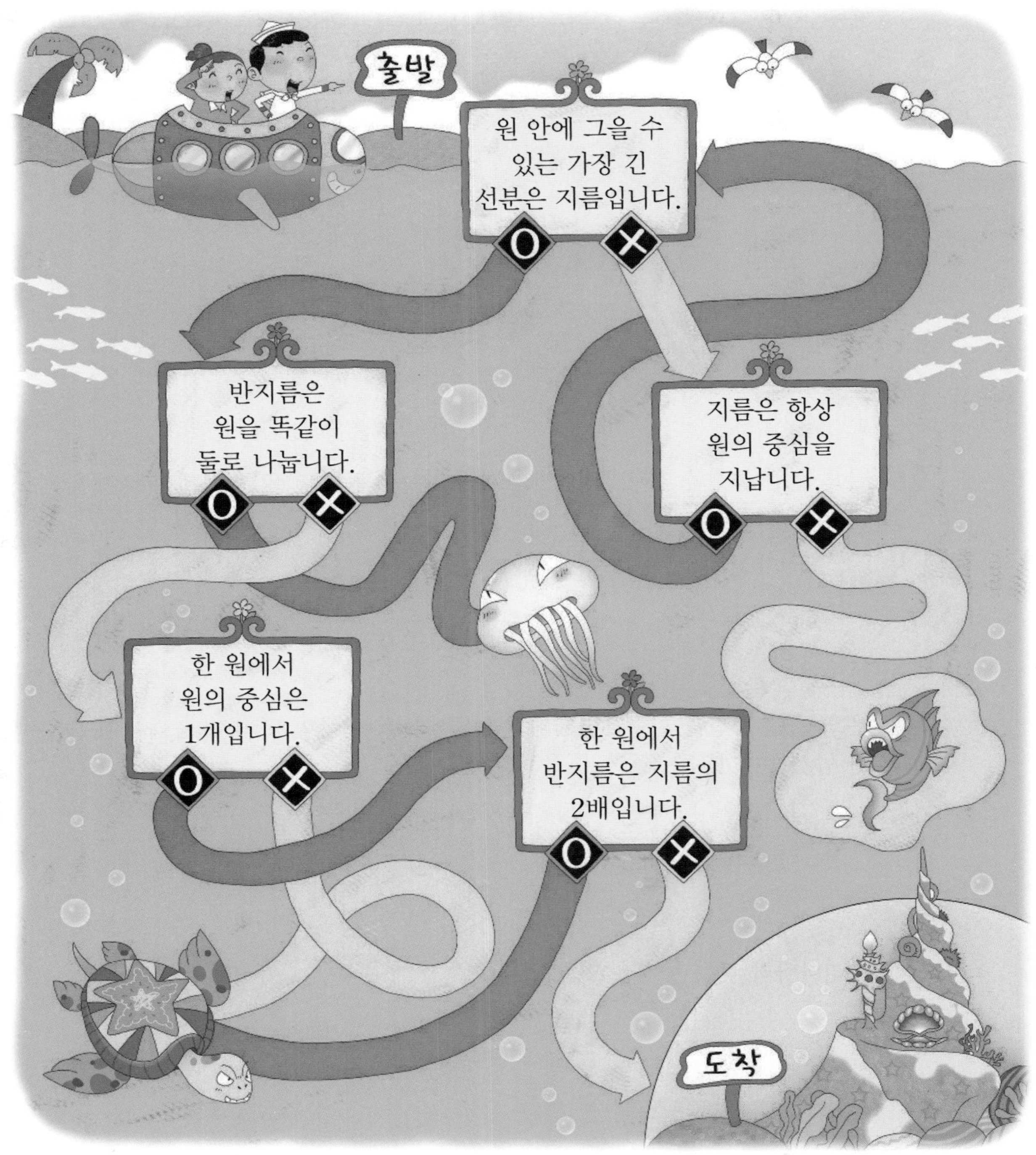

Tip

❶ [ ]은 원을 똑같이 둘로 나눕니다. 한 원에서 지름은 반지름의 2배입니다. 한 원에서 반지름은 지름의 ❷ [ ]입니다.

[답] ❶ 지름 ❷ 반

▶정답 및 풀이 27쪽

[관련 단원] **분수**

4

3명의 여학생이 그린 모양에서 이용한 원의 중심의 수 3개를 한 번씩 사용하여 가장 큰 대분수를 만들었습니다. 만든 대분수를 가분수로 나타내시오.

❶ 3명의 여학생이 그린 모양에서 이용한 원의 중심은 각각 몇 개입니까?

가은 (　　　　　　), 은경 (　　　　　　), 경아 (　　　　　　)

❷ 3명의 여학생이 그린 모양에서 이용한 원의 중심의 수 3개를 한 번씩 사용하여 만들 수 있는 가장 큰 대분수는 얼마입니까?

(　　　　　　)

❸ ❷에서 만든 대분수를 가분수로 나타내면 얼마입니까?

(　　　　　　)

Tip

컴퍼스의 ❶ 을 꽂아야 하는 곳이 원의 중심입니다.

만들 수 있는 가장 큰 대분수는 구한 세 수 중 가장 ❷ 수를 자연수 부분에 놓고 남은 두 수로 진분수를 만듭니다.

[답] ❶ 침 ❷ 큰

[관련 단원] **들이와 무게**

5 다음과 같이 주머니에 들이와 무게를 쓰면 2개의 들이와 2개의 무게로 가르기 됩니다. ㉠, ㉡, ㉢에 알맞은 들이나 무게를 구하시오.

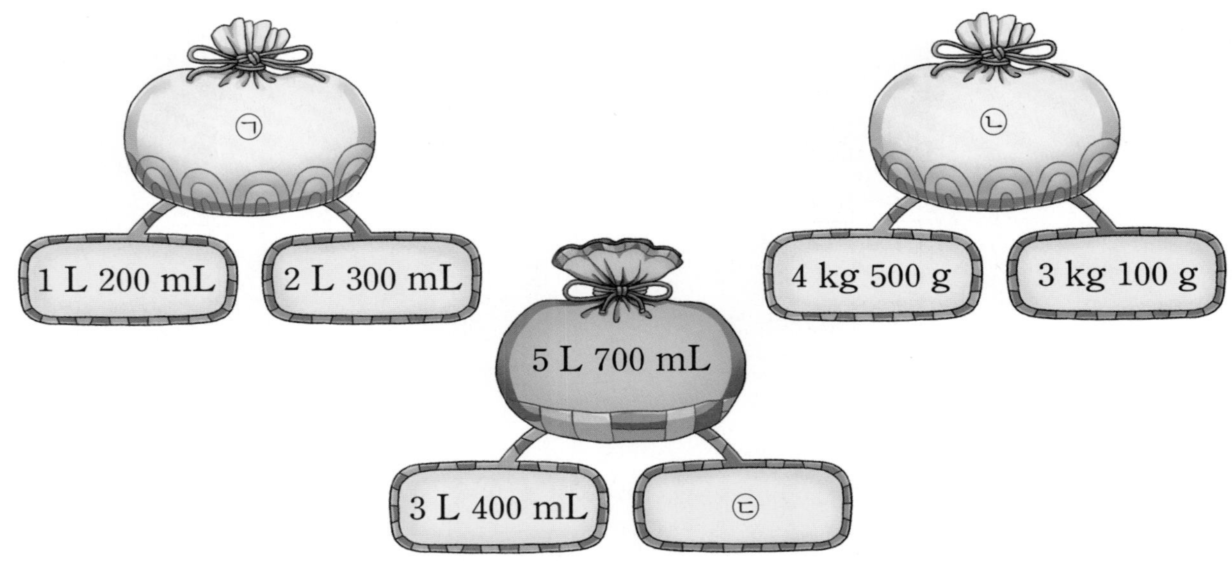

❶ ㉠에 알맞은 들이를 구하시오.

(　　　　　　　　)

❷ ㉡에 알맞은 무게를 구하시오.

(　　　　　　　　)

❸ ㉢에 알맞은 들이를 구하시오..

(　　　　　　　　)

Tip

㉠=1 L 200 mL+2 L 300 mL, ㉡=4 kg 500 g❶ 3 kg 100 g, ㉢=5 L 700 mL❷ 3 L 400 mL를 계산합니다.

[답] ❶ + ❷ −

▶정답 및 풀이 27쪽

[관련 단원] **자료와 그림그래프**

6 연경이네 학교 3학년 학생들이 간식으로 먹고 싶은 음식을 조사하여 나타낸 그림그래프입니다. 그림그래프를 보고 물음에 답하시오.

간식으로 먹고 싶은 음식

음식	학생 수
햄버거	
떡볶이	
치킨	
피자	

10명
1명

❶ 표로 나타내시오.

간식으로 먹고 싶은 음식

음식	햄버거	떡볶이	치킨	피자	합계
학생 수(명)					

❷ 가장 많은 학생이 먹고 싶은 음식을 구하시오.

( )

❸ 가장 적은 학생이 먹고 싶은 음식을 구하시오.

( )

Tip

• 햄버거: 큰 그림 2개, 작은 그림 8개 ⇨ 20+8 떡볶이: 큰 그림 4개, 작은 그림 9개 ⇨ [❷]+9
치킨: 큰 그림 5개, 작은 그림 4개 ⇨ 50+4 피자: 큰 그림 3개, 작은 그림 7개 ⇨ 30+7
합계는 음식별로 구한 학생 수를 모두 더합니다.

• 큰 그림의 수를 세어 보면 2, 4, 5, 3이므로 가장 많은 학생이 먹고 싶은 음식은 큰 그림의 수가 가장 [❷] 수이고, 가장 적은 학생이 먹고 싶은 음식은 큰 그림의 수가 가장 작은 수입니다.

[답] ❶ 40 ❷ 큰

학력진단 전략 1회

01 다음 중 곱이 나머지와 다른 하나는 어느 것입니까? (　　　)

① 25×60　　② 15×80
③ 20×60　　④ 24×50
⑤ 40×30

02 오른쪽을 계산할 때 $6 \times 8 = 48$의 8은 어느 자리에 써야 하는지 기호를 쓰시오.

$$\begin{array}{rrrr} & & 6 & 0 \\ \times & & 8 & 0 \\ \hline ㉠ & ㉡ & ㉢ & ㉣ \end{array}$$

(　　　　　　　)

03 오른쪽 계산에서 □ 안의 수 3이 실제로 나타내는 수는 얼마입니까?

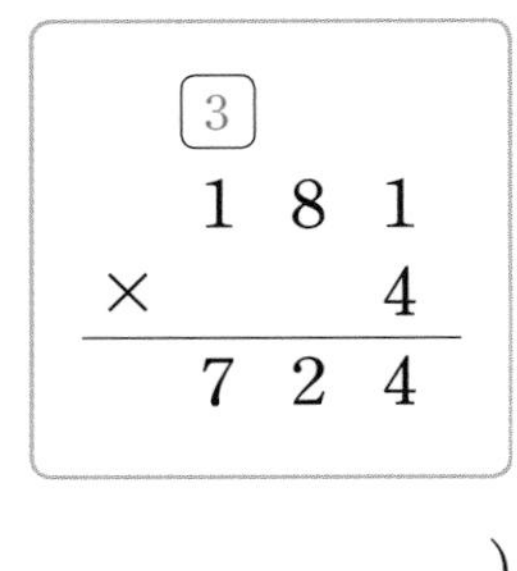

(　　　　　　　)

04 계산을 하시오.

(1) $\begin{array}{rrrr} & 3 & 2 & 4 \\ \times & & & 2 \\ \hline \end{array}$　　(2) $\begin{array}{rrr} & & 5 \\ \times & 2 & 7 \\ \hline \end{array}$

05 다음 중 나머지가 3이 될 수 없는 식은 어느 것입니까? (　　　)

① □÷9　　② □÷8
③ □÷2　　④ □÷5
⑤ □÷6

▶정답 및 풀이 28쪽

06 계산을 하시오.

(1) $4\overline{)84}$ (2) $7\overline{)93}$

07 계산 결과를 찾아 선으로 이어 보시오.

6×47 •		• 262
		• 282

08 □ 안에 알맞은 수를 써넣으시오.

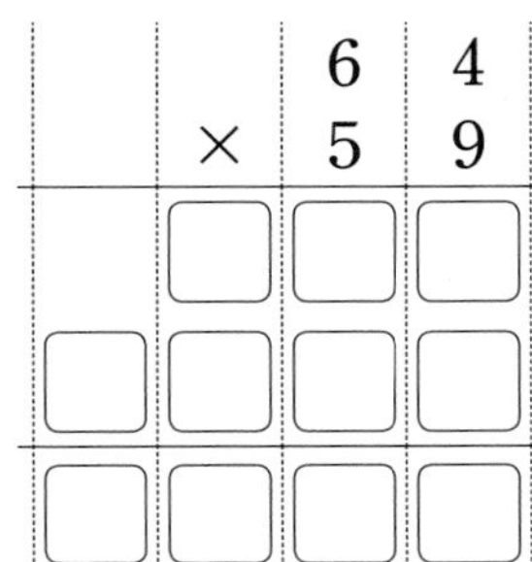

09 나눗셈을 하여 몫과 나머지를 써넣으시오.

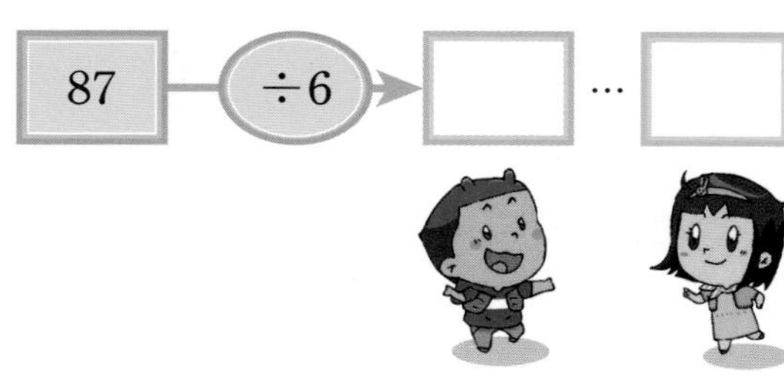

10 몫을 찾아 선으로 이어 보시오.

80÷4 •	• 15
	• 20
90÷6 •	• 25

11 계산을 하시오.

$5\overline{)730}$

12 나눗셈을 하고 맞게 계산했는지 확인해 보시오.

$6\overline{)453}$

확인 6×□=□
⇨ □+□=□

13 가장 큰 수와 가장 작은 수의 곱은 얼마입니까?

(　　　　　　　　)

14 사각형에 적힌 수들의 곱을 구하시오.

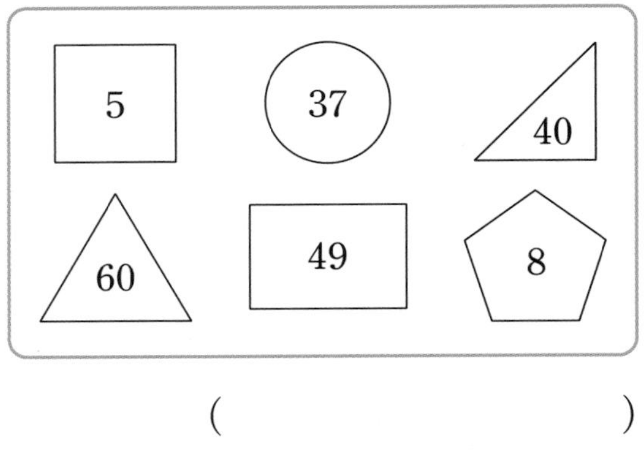

(　　　　　　　　)

15 다음을 읽고 할아버지가 이 고개에서 15번 넘어지면 몇 년을 살 수 있는지 구하시오.

(　　　　　　　　)

▶정답 및 풀이 28쪽

16 화살을 쏘아 과녁에 모두 맞혀 96점을 얻었습니다. 화살을 모두 8점짜리에 맞혔다면 화살을 몇 번 쏜 것입니까?

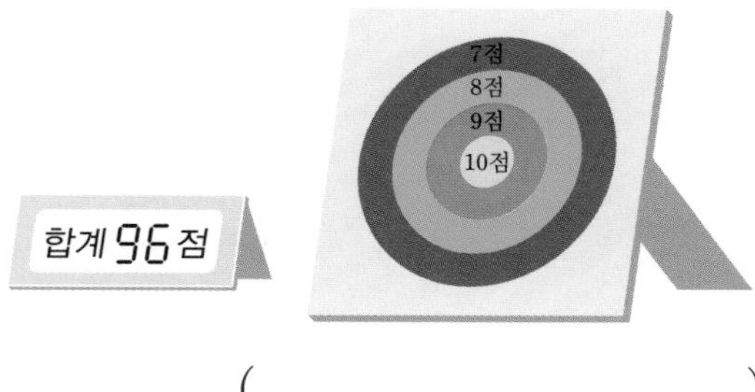

( )

17 어떤 수를 7로 나누어야 할 것을 잘못하여 5로 나누었더니 몫이 37이고 나머지가 3이 되었습니다. 바르게 계산했을 때의 몫과 나머지를 각각 구하시오.

몫 ( )
나머지 ( )

18 수 카드 3장 중 2장을 골라 한 번씩 사용하여 두 자리 수를 만들었습니다. 가장 큰 수와 가장 작은 수의 곱을 구하시오.

7 3 5

( )

19 길이가 280 cm인 색 테이프를 사용하여 그림과 같이 크기가 같은 정사각형을 2개 만들었습니다. 만든 정사각형의 한 변의 길이는 몇 cm입니까?

( )

20 소영이는 배추흰나비의 한살이를 관찰하는 동안 사진을 찍었습니다. 소영이는 사진을 모두 몇 번 찍었습니까?

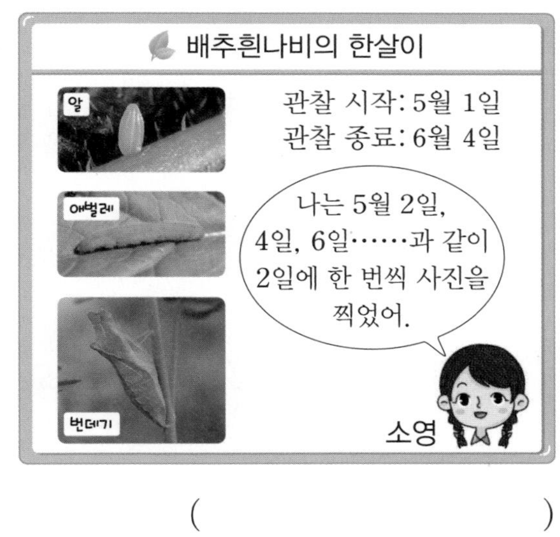

배추흰나비의 한살이
알
애벌레
번데기
관찰 시작: 5월 1일
관찰 종료: 6월 4일
나는 5월 2일, 4일, 6일……과 같이 2일에 한 번씩 사진을 찍었어.
소영

( )

학력진단 전략 2회

01 □ 안에 알맞은 말을 써넣으시오.

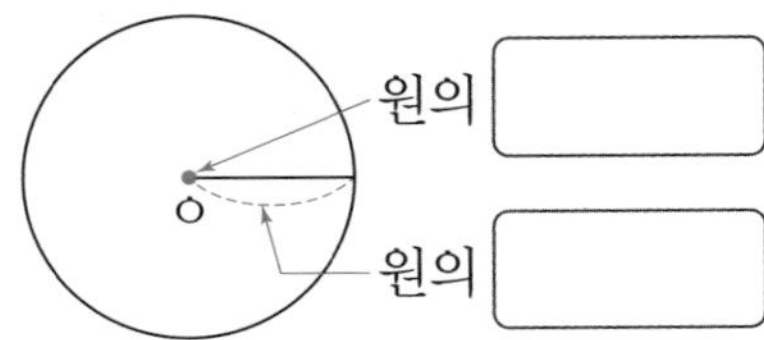

02 다음과 같이 컴퍼스를 벌려 그린 원의 반지름은 몇 cm입니까?

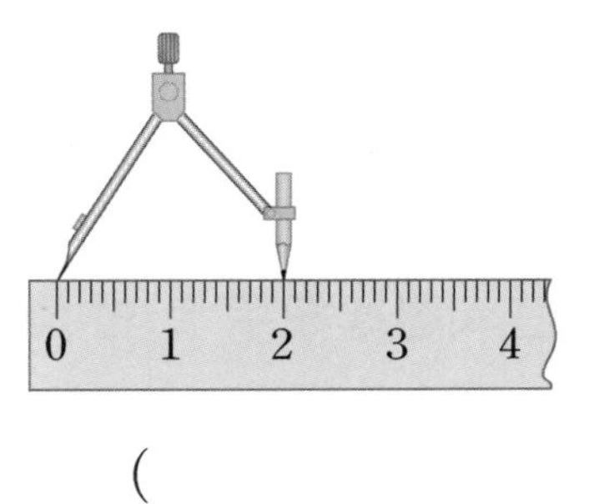

(　　　　　　　　)

03 원에 반지름을 2개 그어 보시오.

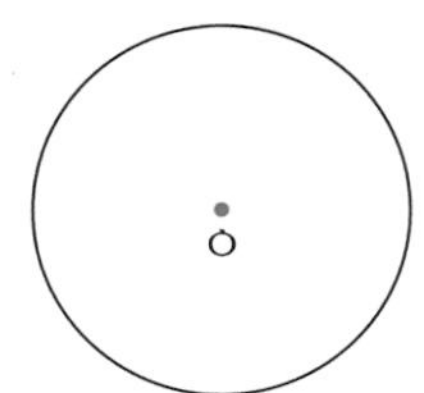

04 원에 지름을 2개 그어 보시오.

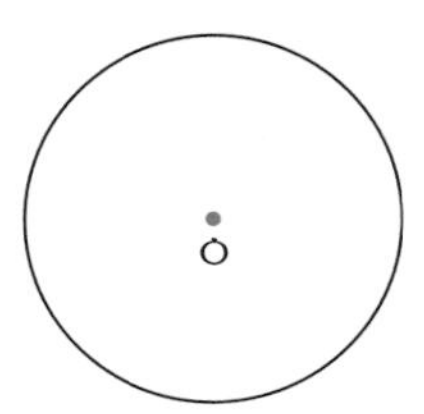

05 원의 지름은 몇 cm입니까?

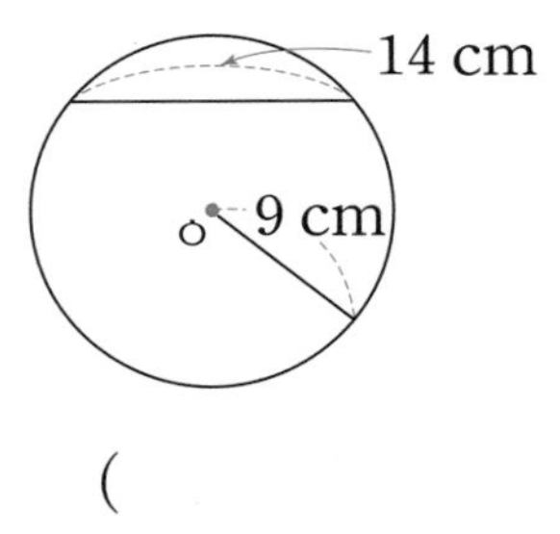

(　　　　　　　　)

06 원의 반지름은 몇 cm입니까?

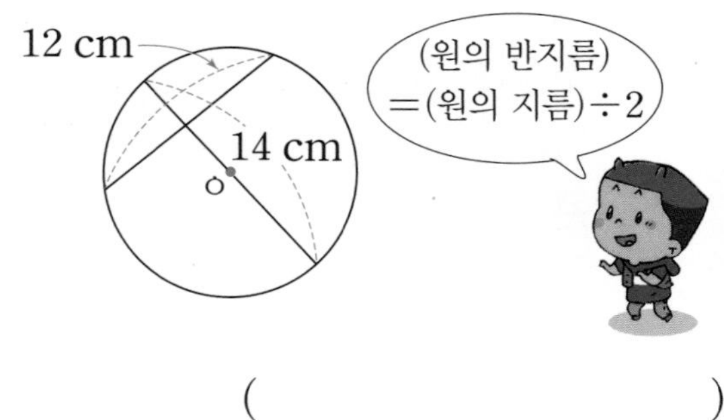

(　　　　　　　　)

▶정답 및 풀이 30쪽

[07~08] 상혁이네 반 학생들의 혈액형을 조사하여 나타낸 표입니다. 물음에 답하시오.

학생들의 혈액형

혈액형	A형	B형	AB형	O형	합계
학생 수(명)	7	5	4	12	

07 상혁이네 반 학생은 모두 몇 명입니까?

( )

08 그림그래프로 나타내시오.

학생들의 혈액형

혈액형	학생 수
A형	
B형	
AB형	
O형	

▲10명 △1명

09 진수네 학교 3학년의 반별 학생 수를 조사하여 나타낸 그림그래프입니다. 그림그래프를 보고 표로 나타내시오.

반별 학생 수

반	학생 수
1반	●●○○○○○○○
2반	●●○○○○
3반	●●○○○○○○○○

● 10명 ○ 1명

반별 학생 수

반	1반	2반	3반	합계
학생 수(명)				

10 두 원의 지름의 합은 몇 cm입니까?

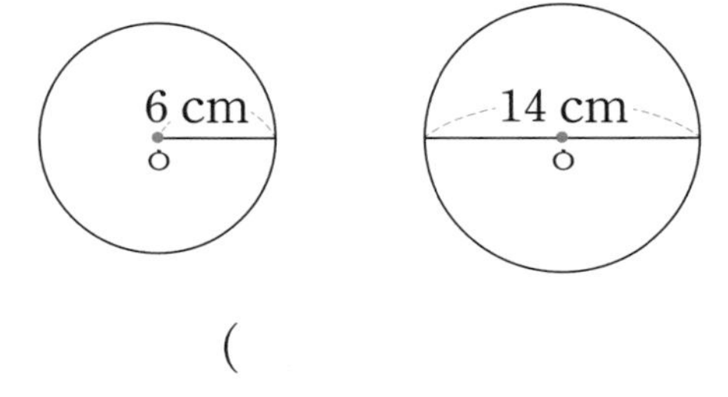

( )

[11~12] **분식점에서 하루 동안 팔린 음식의 수를 조사하여 나타낸 그림그래프입니다. 물음에 답하시오.**

하루 동안 팔린 음식

음식	판매량
떡볶이	◆◆◆◆◇◇◇◇◇◇◇
순대	◆◇◇◇◇◇◇◇◇
김밥	◆◆◆◆◆◇◇◇◇
어묵	◆◆◆◇◇◇◇◇◇◇◇

◆10인분 ◇1인분

11 가장 많이 팔린 음식은 무엇입니까?

( )

12 가장 적게 팔린 음식은 무엇입니까?

( )

13 주어진 모양과 똑같이 그려 보시오.

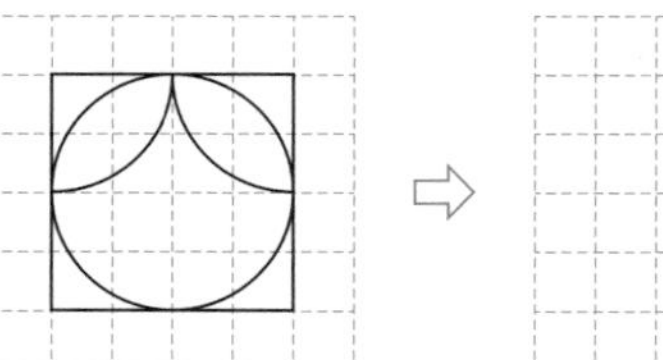

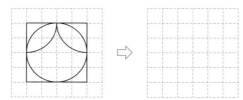

[14~15] **현빈이네 아파트에 있는 자동차 수를 조사하여 나타낸 그림그래프입니다. 물음에 답하시오.**

아파트에 있는 자동차 수

아파트	자동차 수
A동	●○○○○○○○○
B동	●●●○○○○○○
C동	●●○○○○○
D동	●●●●○○○○○○○

●10대 ○1대

14 자동차 수가 많은 동부터 차례로 쓰시오.

( )

15 그림의 단위에 맞게 그림그래프를 완성하시오.

아파트에 있는 자동차 수

아파트	자동차 수
A동	●◎○○○
B동	
C동	
D동	

●10대 ◎5대 ○1대

[16~17] 가은이네 학교 3학년 학생들이 좋아하는 색깔을 조사하여 나타낸 그림그래프입니다. 물음에 답하시오.

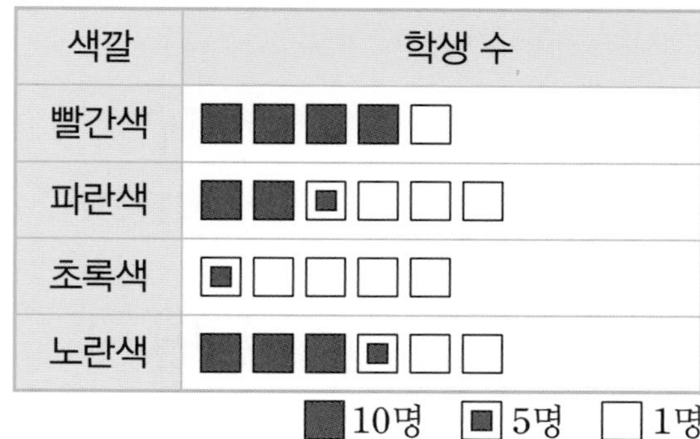

학생들이 좋아하는 색깔

색깔	학생 수
빨간색	■■■■□
파란색	■■▣□□□
초록색	▣□□□□
노란색	■■■▣□□

■10명 ▣5명 □1명

16 노란색을 좋아하는 학생은 몇 명입니까?

( )

17 빨간색을 좋아하는 학생은 초록색을 좋아하는 학생보다 몇 명 더 많습니까?

( )

18 반지름이 7 cm인 원 3개를 겹치지 않게 이어서 붙였습니다. 원의 중심이 일직선 위에 있을 때 선분 ㄱㄴ의 길이는 몇 cm입니까?

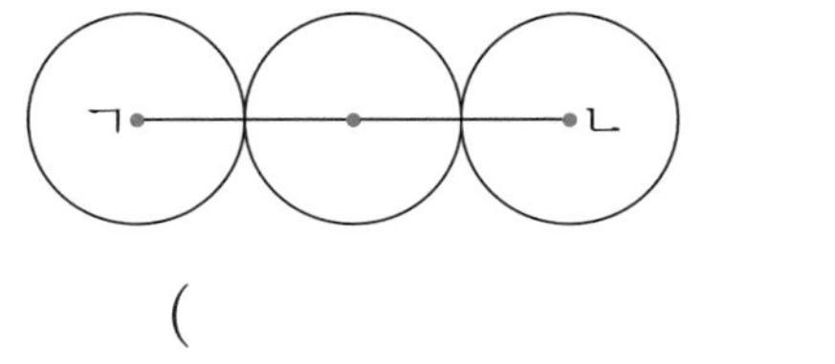

( )

19 점 ㄴ과 점 ㄷ은 원의 중심입니다. 선분 ㄱㄷ의 길이는 몇 cm입니까?

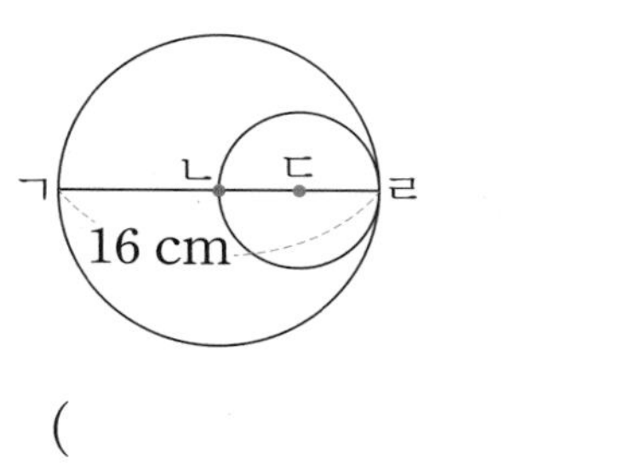

( )

20 초아네 학교 3학년 학생들이 좋아하는 과일을 조사하여 나타낸 표와 그림그래프입니다. 표와 그림그래프를 각각 완성하시오.

학생들이 좋아하는 과일

과일	귤	사과	복숭아	배	합계
학생 수(명)	45		28		

학생들이 좋아하는 과일

과일	학생 수
귤	
사과	◎◎◎○○○○○○○
복숭아	
배	◎○○○○○○

◎10명 ○1명

학력진단 전략 3회

01 사과와 배의 무게를 비교하고 있습니다. 알맞은 말에 ○표 하시오.

사과가 배보다 구슬 2개만큼 더
(무겁습니다 , 가볍습니다).

02 알맞은 단위에 ○표 하시오.

음료수 캔의 들이는
약 250 (mL , L)입니다.

03 진분수에 ○표, 가분수에 △표, 대분수에 □표 하시오.

$\frac{7}{7}$ $\frac{5}{6}$ $1\frac{2}{8}$

( ) ( ) ( )

04 가 그릇과 나 그릇에 물을 가득 채운 후 모양과 크기가 같은 컵에 옮겨 담았습니다. □ 안에 알맞게 써넣으시오.

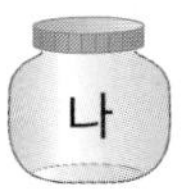

□ 그릇이 □ 그릇보다 컵 □개만큼 물이 더 들어갑니다.

05 코끼리에 대한 설명입니다. 아프리카코끼리의 무게는 몇 t입니까?

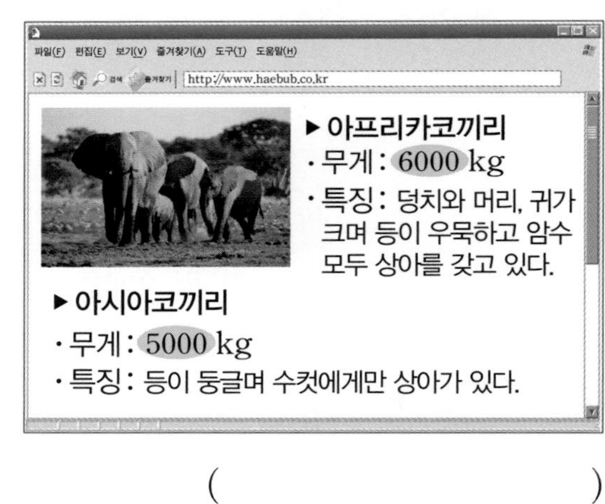

http://www.haebub.co.kr
▶ 아프리카코끼리
· 무게 : 6000 kg
· 특징 : 덩치와 머리, 귀가 크며 등이 우묵하고 암수 모두 상아를 갖고 있다.
▶ 아시아코끼리
· 무게 : 5000 kg
· 특징 : 등이 둥글며 수컷에게만 상아가 있다.

( )

06 그림을 보고 □ 안에 알맞은 수를 써넣으시오.

0 2 4 6 8 10 12 14 (cm)

(1) 14 cm의 $\frac{1}{7}$은 □ cm입니다.

(2) 14 cm의 $\frac{6}{7}$은 □ cm입니다.

07 그림을 보고 색칠한 부분을 대분수와 가분수로 각각 나타내어 보시오.

대분수 (　　　　　　　　)

가분수 (　　　　　　　　)

08 □ 안에 알맞은 수를 써넣으시오.

(1) 4 kg 70 g= □ g

(2) 2005 g= □ kg □ g

09 □ 안에 알맞은 수를 써넣으시오.

(1) 3 L 5 mL= □ mL

(2) 5060 mL= □ L □ mL

10 그림을 보고 □ 안에 알맞은 수를 써넣으시오.

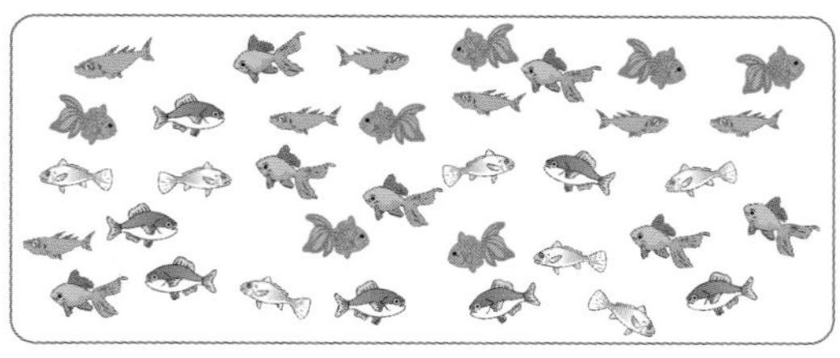

35를 7씩 묶으면 28은 35의 $\frac{\square}{\square}$입니다.

11 대분수는 가분수로, 가분수는 대분수로 나타내시오.

(1) $5\frac{1}{3}$ ⇨ (　　　　　　　　)

(2) $\frac{42}{5}$ ⇨ (　　　　　　　　)

12 두 무게의 크기를 비교하여 ○ 안에 $>$, $=$, $<$를 알맞게 써넣으시오.

3 kg 500 g+2 kg 400 g ○ 5 kg 700 g

13 두 분수의 크기를 비교하여 ○ 안에 $>$, $=$, $<$를 알맞게 써넣으시오.

$4\frac{2}{7}$ ○ $\frac{31}{7}$

14 ㉠에 알맞은 가장 작은 수와 ㉡에 알맞은 가장 큰 수의 합을 구하시오.

$\frac{㉠}{9}$	$6\frac{㉡}{7}$
가분수	대분수

(　　　　　　　　)

15 서진이와 예림이가 앉아 윗몸 앞으로 굽히기를 하고 있습니다. 서진이의 기록은 $8\frac{2}{13}$ cm, 예림이의 기록은 $\frac{105}{13}$ cm입니다. 누구의 기록이 더 깁니까?

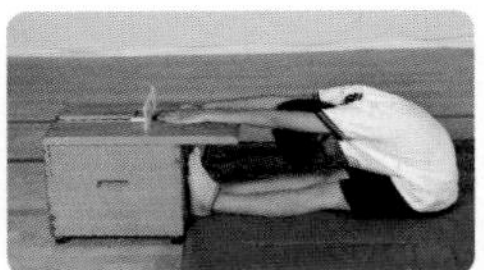

(　　　　　　　　)

16 오른쪽과 같이 진분수가 쓰여 있는 카드에 물감이 묻어 분모가 보이지 않습니다. 2부터 9까지의 자연수 중 분모가 될 수 있는 수를 모두 찾아 그 합을 구하시오.

(　　　　　　　　)

▶정답 및 풀이 31쪽

17 희재는 식초와 소다를 사용하여 화산의 모습을 표현하였습니다. 1 L 800 mL 만큼 들어있는 식초 중 사용하고 남은 식초가 1 L 150 mL일 때 사용한 식초는 몇 mL입니까?

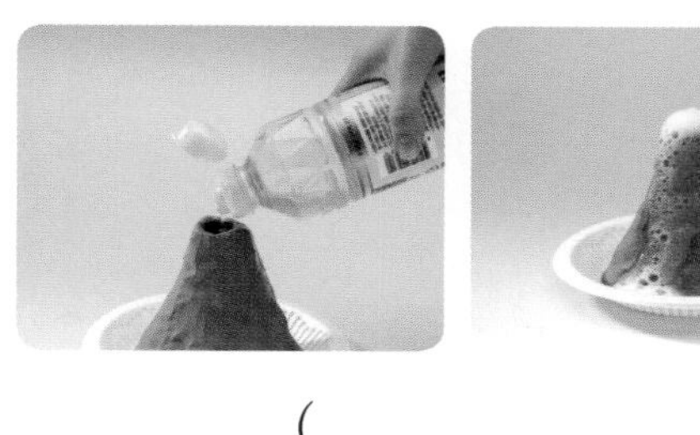

(　　　　　　　　　　)

18 시원이와 형이 들고 간 두 물통에 담을 수 있는 물은 모두 몇 L 몇 mL입니까?

(　　　　　　　　　　)

19 수현이와 경천이는 갯벌 체험을 가서 조개를 캤습니다. 수현이와 경천이가 캔 조개는 모두 몇 kg 몇 g입니까?

(　　　　　　　　　　)

20 수 카드 3장 중 2장을 골라 한 번씩 사용하여 진분수를 만들었습니다. 만든 진분수를 모두 쓰시오.

(　　　　　　　　　　)

메모

초등생의 필수 학습!
탄탄하게 다져두자!

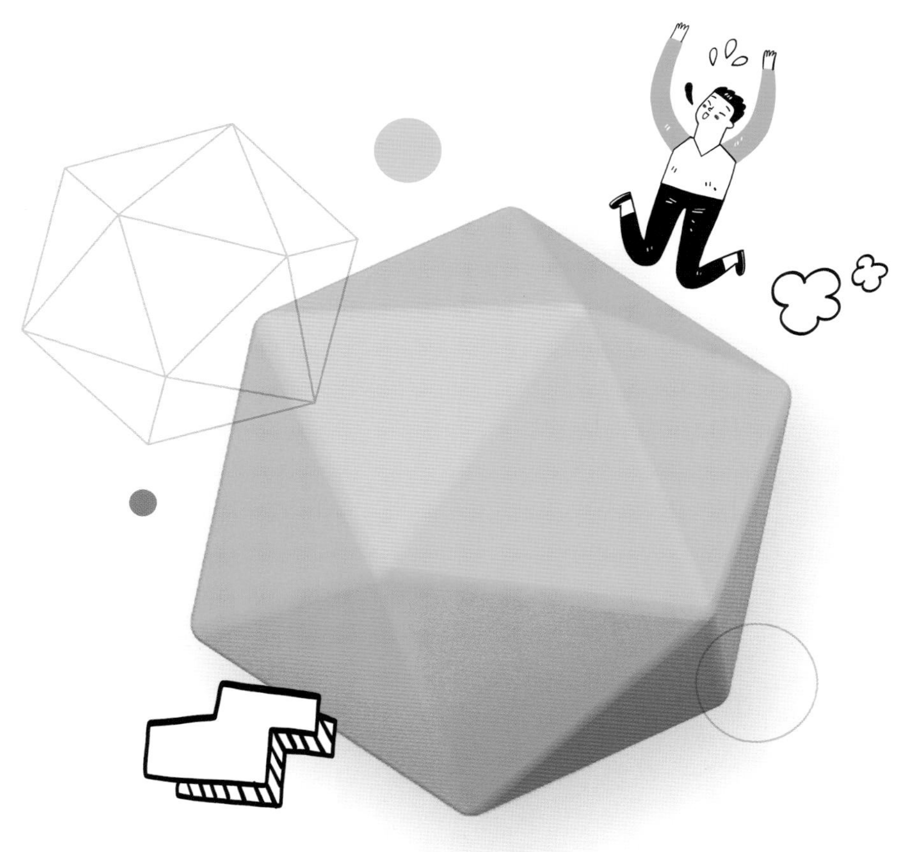

초등 **수학**

천재교육

초등생의 필수 학습!
탄탄하게 다져두자!

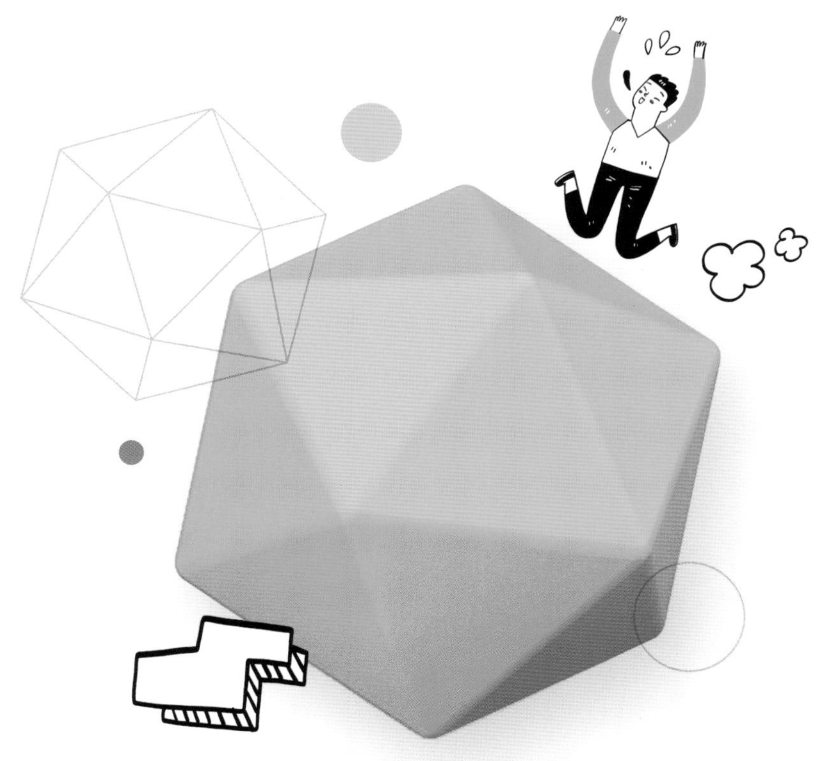

초등 **수학**

핵심개념 & 연산 집중연습

3·2

천재교육

3·2

목차

1 올림이 없는 (세 자리 수)×(한 자리 수)

● 123×2의 계산

• 123×2를 수 모형으로 알아보기

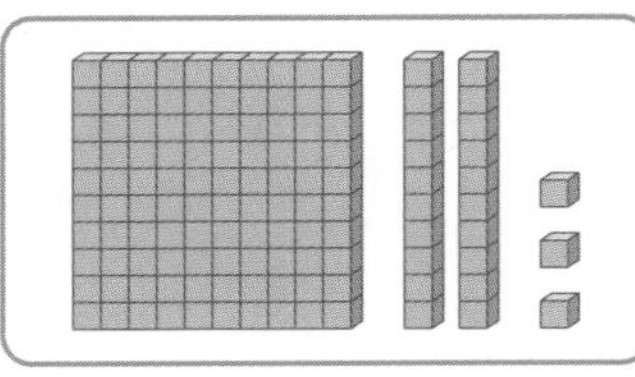
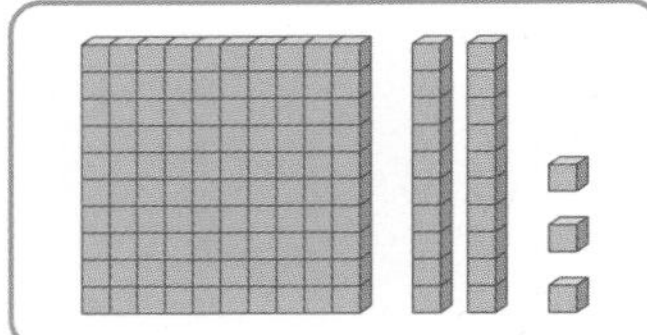

① 일 모형의 수: 3×2=6
② 십 모형의 수: 2×2=❶
③ 백 모형의 수: 1×2=❷

⇨ 123×2=246

• 123×2의 계산 방법 알아보기

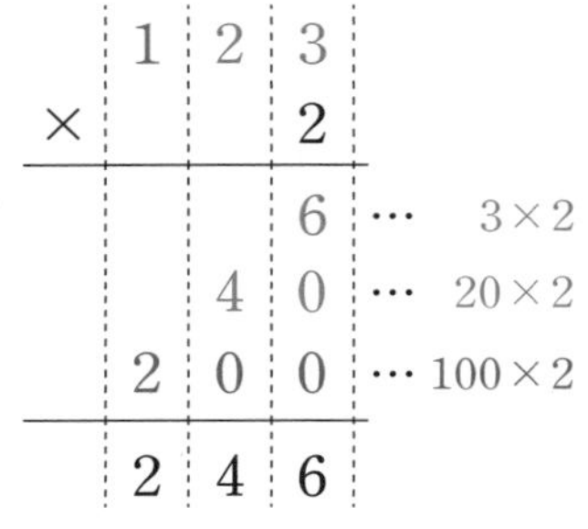

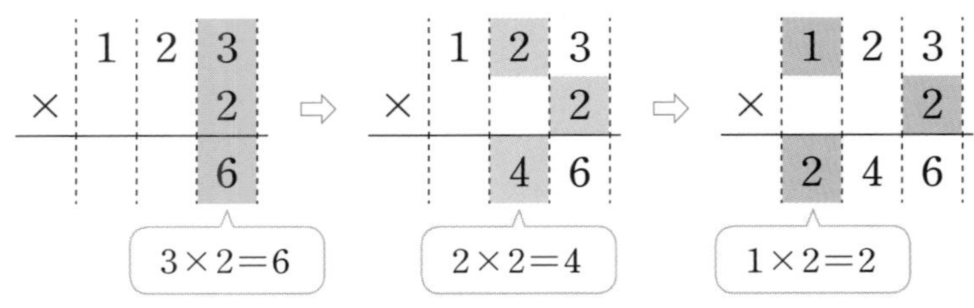

[답] ❶ 4 ❷ 2

핵심 체크

1 214×2에서 2와 2의 곱은 (십 , 백)의 자리에 씁니다.

2 112×4는 (448 , 488)입니다.

2 일의 자리에서 올림이 있는 (세 자리 수)×(한 자리 수)

○ 236×2의 계산

• 236×2를 수 모형으로 알아보기

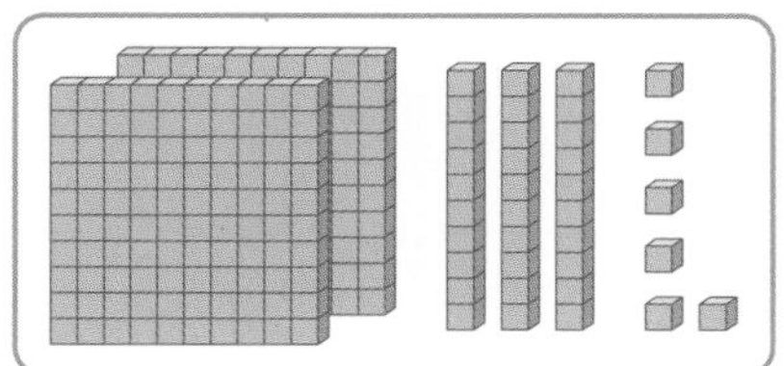
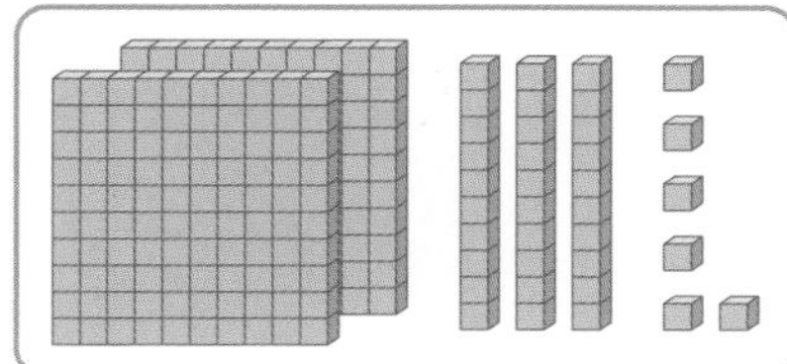

① 일 모형의 수: $6 \times 2 = 12$

② 십 모형의 수: $3 \times 2 =$ ❶ ☐

③ 백 모형의 수: $2 \times 2 =$ ❷ ☐

⇨ $236 \times 2 = 472$

• 236×2의 계산 방법 알아보기

	2	3	6	
×			2	
		1	2	… 6×2
		6	0	… 30×2
	4	0	0	… 200×2
	4	7	2	

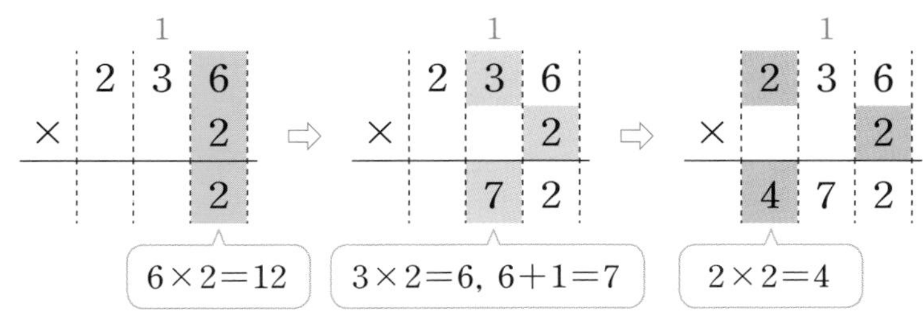

[답] ❶ 6 ❷ 4

핵심 체크

1 128×2에서 8과 2의 곱은 (6 , 16)이므로 십의 자리에 (1 , 2)을/를 올립니다.

일의 자리에서
올림한 수는
십의 자리를 계산할 때
더합니다.

2 135×2는 (260 , 270)입니다.

3 십의 자리, 백의 자리에서 올림이 있는 (세 자리 수)×(한 자리 수)

162×3의 계산

• 162×3의 계산 방법 알아보기

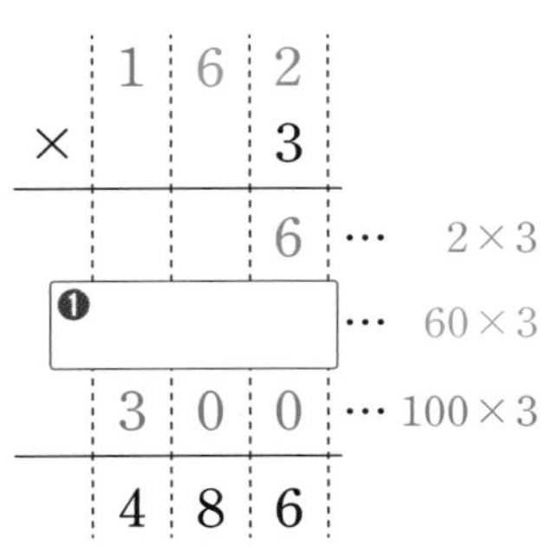

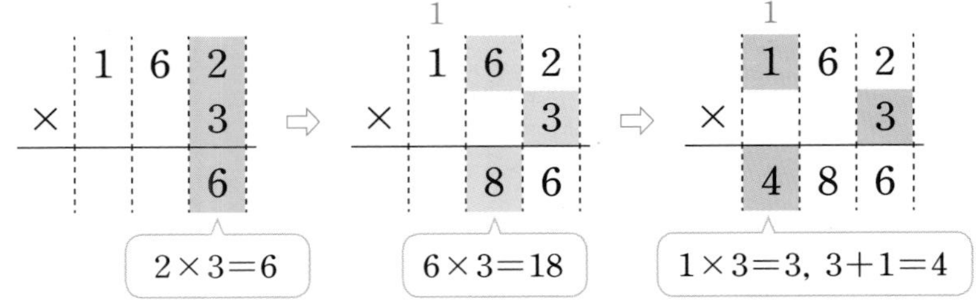

724×2의 계산

• 724×2의 계산 방법 알아보기

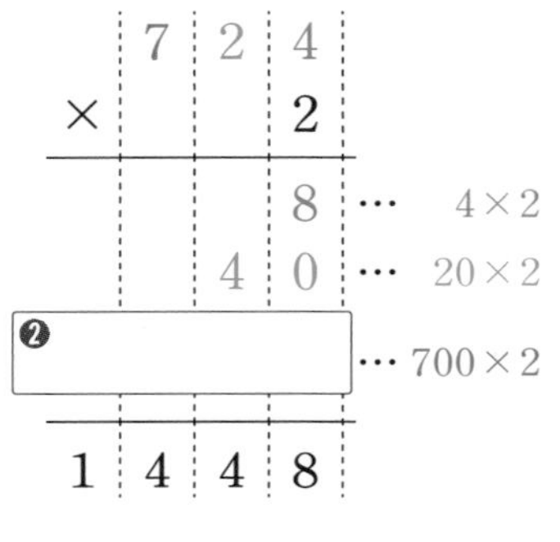

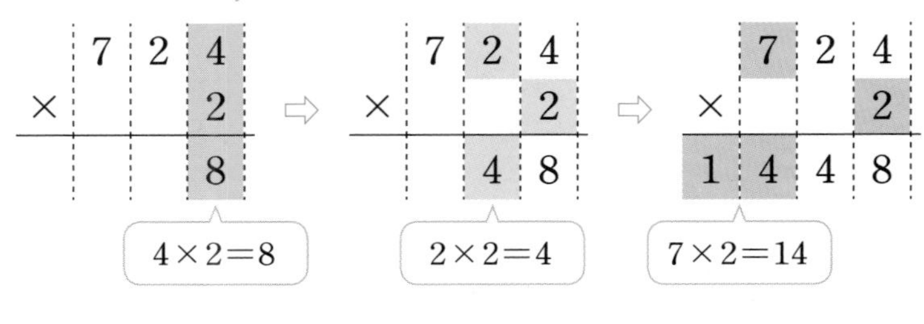

[답] ❶ 180 ❷ 1400

핵심 체크

1 153×3에서 5와 3의 곱은 (5 , 15)이므로 십의 자리에 5를 쓰고 백의 자리에 (1 , 2)을/를 올림합니다.

2 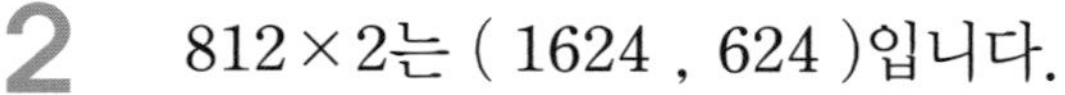
812×2는 (1624 , 624)입니다.

4 (몇십)×(몇십), (몇십몇)×(몇십)

● 30×20의 계산

• 30×20의 계산 방법 알아보기

0이 2개

$30 \times 20 = 600$

$3 \times 2 = 6$

		3	0
×		2	0
	6	0	0

(몇십)×(몇십)의 계산은 (몇)×(몇)을 계산한 값에 0을 ❶ [ ] 개 붙입니다.

● 34×20의 계산

• 34×20의 계산 방법 알아보기

0이 1개

$34 \times 20 = 680$

$34 \times 2 = 68$

		3	4
×		2	0
	6	8	0

(몇십몇)×(몇십)의 계산은 (몇십몇)×(몇)을 계산한 값에 0을 ❷ [ ] 개 붙입니다.

[**답**] ❶ 2 ❷ 1

핵심 체크

1 20×20의 계산은 2×2를 계산한 값에 0을 (1개 , 2개) 붙인 것과 같습니다.

2 11×30은 (33 , 330)입니다.

5 (몇)×(몇십몇)

◉ 4×16의 계산

• 4×16의 모눈종이로 알아보기

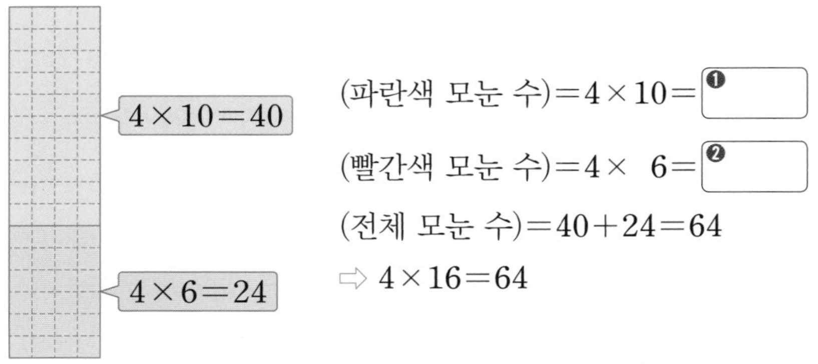

(파란색 모눈 수)=4×10=❶ ☐

(빨간색 모눈 수)=4× 6=❷ ☐

(전체 모눈 수)=40+24=64

⇨ 4×16=64

• 4×16의 계산 방법 알아보기

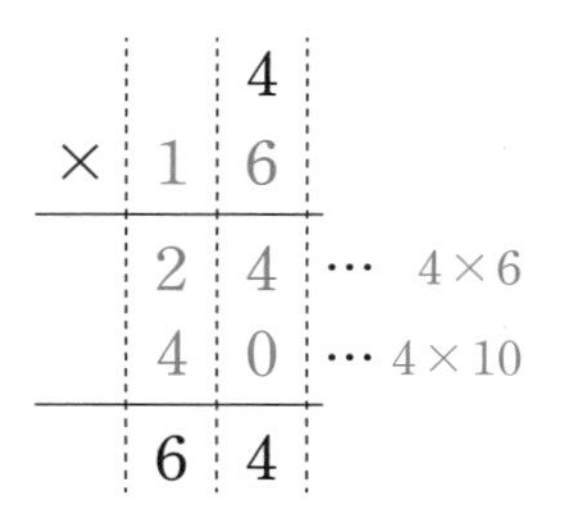

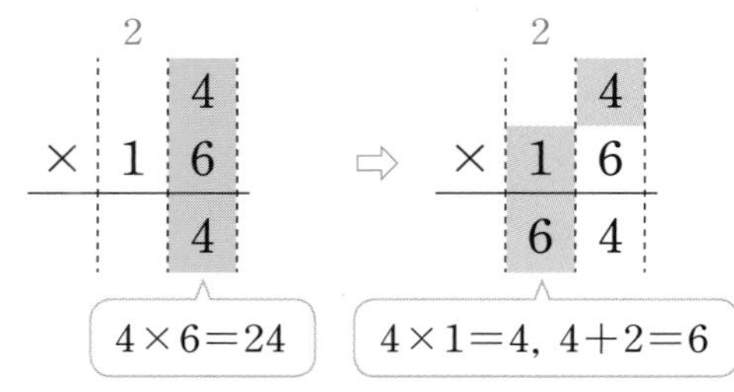

[답] ❶ 40 ❷ 24

핵심 체크

1 5×15는 5×5와 5×10의 (합 , 차)와/과 같습니다.

2 3×22는 (66 , 99)입니다.

6 (몇십몇)×(몇십몇)

● 22×14의 계산

• 22×14의 모눈종이로 알아보기

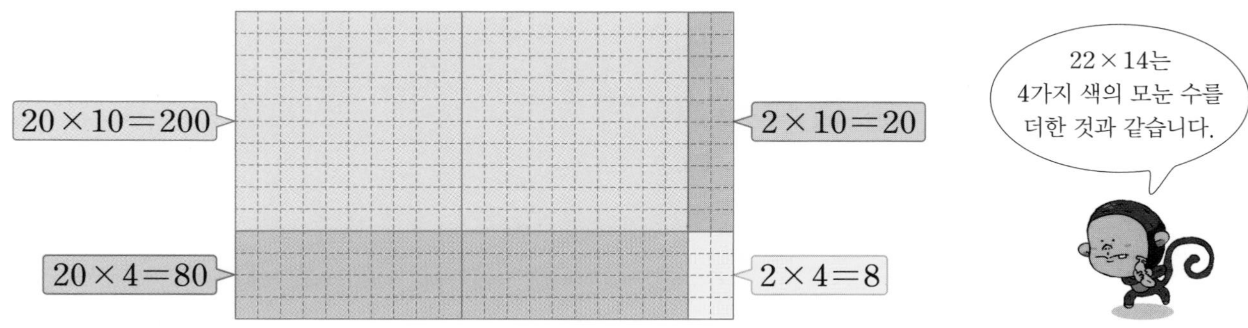
20×10=200
2×10=20
20×4=80
2×4=8
22×14는 4가지 색의 모눈 수를 더한 것과 같습니다.

(전체 모눈 수)=200+20+80+ ❶ [ ] =308

⇨ 22×14= ❷ [ ]

• 22×14의 계산 방법 알아보기

$$\begin{array}{rrr} & 2 & 2 \\ \times & 1 & 4 \\ \hline & 8 & 8 \end{array} \Rightarrow \begin{array}{rrr} & 2 & 2 \\ \times & 1 & 4 \\ \hline & 8 & 8 \\ 2 & 2 & 0 \end{array} \Rightarrow \begin{array}{rrrl} & 2 & 2 & \\ \times & 1 & 4 & \\ \hline & 8 & 8 & \cdots 22\times 4 \\ 2 & 2 & 0 & \cdots 22\times 10 \\ \hline 3 & 0 & 8 & \end{array}$$

[답] ❶ 8 ❷ 308

핵심 체크

1 12×16은 12×10과 12×6의 (합 , 차)와/과 같습니다.

16은
10+6입니다.

2 13×10은 130이고, 13×2=26이므로 13×12는 (104 , 156)입니다.

집중 연습

[01~08] 계산을 하시오.

01

$$\begin{array}{r} 1\ 1\ 2 \\ \times \quad\quad 2 \\ \hline \end{array}$$

02

$$\begin{array}{r} 2\ 3\ 1 \\ \times \quad\quad 3 \\ \hline \end{array}$$

03

$$\begin{array}{r} 1\ 1\ 4 \\ \times \quad\quad 5 \\ \hline \end{array}$$

04

$$\begin{array}{r} 2\ 1\ 6 \\ \times \quad\quad 3 \\ \hline \end{array}$$

05

$$\begin{array}{r} 3\ 7\ 2 \\ \times \quad\quad 2 \\ \hline \end{array}$$

06

$$\begin{array}{r} 2\ 8\ 3 \\ \times \quad\quad 3 \\ \hline \end{array}$$

07

$$\begin{array}{r} 8\ 2\ 3 \\ \times \quad\quad 3 \\ \hline \end{array}$$

08

$$\begin{array}{r} 4\ 1\ 1 \\ \times \quad\quad 4 \\ \hline \end{array}$$

[09~16] 계산을 하시오.

09
$$\begin{array}{r} 50 \\ \times\ 20 \\ \hline \end{array}$$

10
$$\begin{array}{r} 31 \\ \times\ 10 \\ \hline \end{array}$$

11
$$\begin{array}{r} 7 \\ \times\ 42 \\ \hline \end{array}$$

12
$$\begin{array}{r} 36 \\ \times\ 25 \\ \hline \end{array}$$

13
$$\begin{array}{r} 35 \\ \times\ 17 \\ \hline \end{array}$$

14
$$\begin{array}{r} 24 \\ \times\ 64 \\ \hline \end{array}$$

15
$$\begin{array}{r} 42 \\ \times\ 66 \\ \hline \end{array}$$

16
$$\begin{array}{r} 63 \\ \times\ 45 \\ \hline \end{array}$$

7 (몇십)÷(몇)

● 40÷2의 계산

• 40÷2를 수 모형으로 알아보기

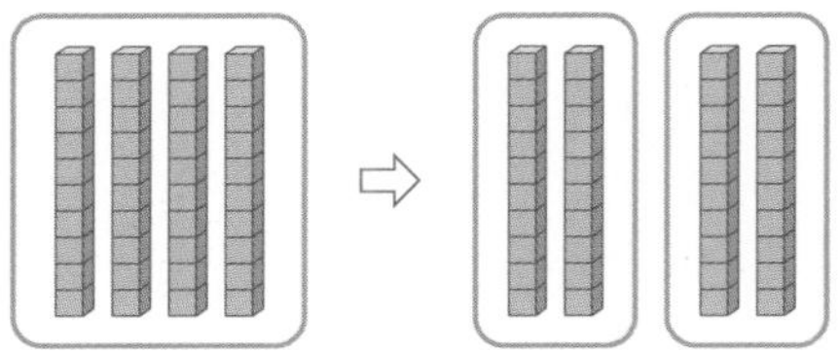

① 십 모형 4개를 똑같이 2묶음으로 나누면 한 묶음에 십 모형이 ❶ [ ] 개입니다.

② 40÷2= ❷ [ ] 입니다.

● 60÷4의 계산

• 60÷4의 계산 방법 알아보기

```
                     1                    1 5
4)6 0   ⇨         4)6 0         ⇨       4)6 0
                     4  ← 4×1             4
                    2 0                   2 0
                                          2 0 ← 4×5
                                            0
```

```
           몫
나누는 수) 나누어지는 수
```

[답] ❶ 2 ❷ 20

핵심 체크

1 수 모형 을 똑같이 3묶음으로 나누면 한 묶음에 십 모형이 (1개 , 2개)입니다.

2 80÷5는 (6 , 16)입니다.

8 내림이 없는 (몇십몇)÷(몇)

36÷3의 계산

• 36÷3을 수 모형으로 알아보기

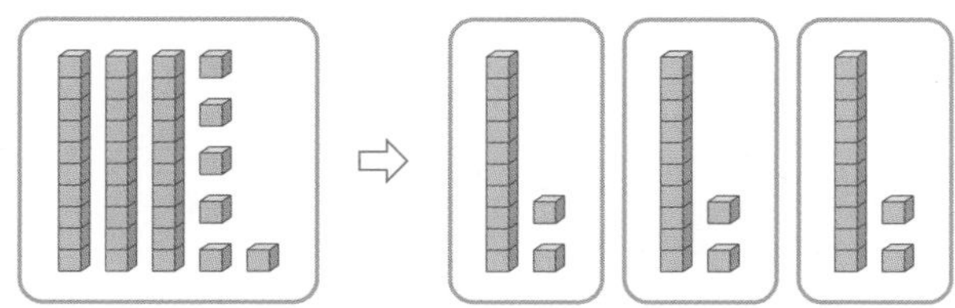

① 십 모형 3개를 똑같이 3묶음으로 나누면 한 묶음에 십 모형이 ❶ ☐개입니다.

② 일 모형 6개를 똑같이 3묶음으로 나누면 한 묶음에 일 모형이 ❷ ☐개입니다.

③ 36÷3=12입니다.

• 36÷3의 계산 방법 알아보기

$$3\overline{)36} \Rightarrow \begin{array}{r} 1 \\ 3\overline{)36} \\ 3 \\ \hline 6 \end{array} \leftarrow 3\times1 \Rightarrow \begin{array}{r} 12 \\ 3\overline{)36} \\ 3 \\ \hline 6 \\ 6 \\ \hline 0 \end{array} \leftarrow 3\times2$$

[답] ❶ 1 ❷ 2

핵심 체크

1 수 모형 (십 모형 2개, 일 모형 4개)을 2묶음으로 나누면 한 묶음에 십 모형이 (1개 , 2개)이고, 일 모형이 (1개 , 2개)입니다.

2 26÷2는 (12 , 13)입니다.

9 내림이 있는 (몇십몇)÷(몇)

32÷2의 계산

- 32÷2를 수 모형으로 알아보기

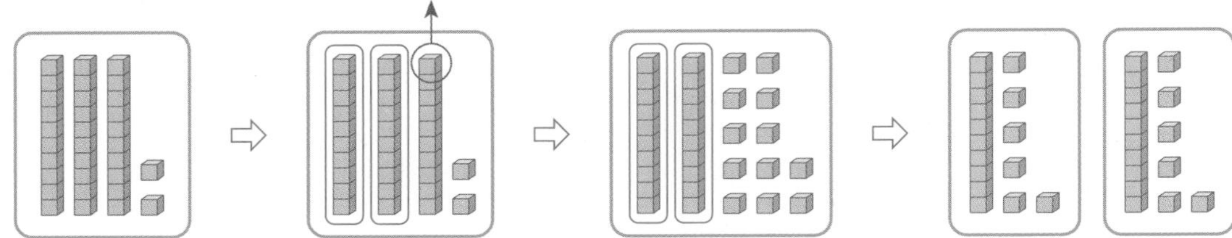

십 모형 1개를 일 모형 10개로 바꿉니다.

① 십 모형 3개 중 2개를 똑같이 2묶음으로 나누면 한 묶음에 십 모형이 ❶ [ ] 개입니다.

② 남은 십 모형 1개를 일 모형 ❷ [ ] 개로 바꿉니다.

③ 일 모형 12개를 똑같이 2묶음으로 나누면 한 묶음에 일 모형이 6개입니다.

④ 32÷2=16입니다.

- 32÷2의 계산 방법 알아보기

$$2\overline{)32} \Rightarrow \begin{array}{r} 1 \\ 2\overline{)32} \\ 2 \\ \hline 12 \end{array} \leftarrow 2\times1 \Rightarrow \begin{array}{r} 16 \\ 2\overline{)32} \\ 2 \\ \hline 12 \\ 12 \\ \hline 0 \end{array} \leftarrow 2\times6$$

[답] ❶ 1 ❷ 10

핵심 체크

1 십 모형 1개는 일 모형 (1개 , 10개)로 바꿀 수 있습니다.

2 42÷3은 (10 , 14)입니다.

먼저 4를 3으로 나눕니다.

10 나머지가 있는 (몇십)÷(몇), (몇십몇)÷(몇)

● 46÷6의 계산

$$6\overline{)46} \Rightarrow \begin{array}{r} 7 \\ 6\overline{)46} \\ 42 \\ \hline 4 \end{array}$$

42 ← 6×7

4 ← 나머지

6은 4를
나눌 수 없습니다.

46을 6으로 나누면 몫이 7이고 4가 남습니다.
이때 4를 46÷6의 나머지라고 합니다.

46÷6=7⋯4

나머지가 없으면 나머지가 0이라고 말할 수 있습니다.
나머지가 0일 때 나누어떨어진다고 합니다.

$$\begin{array}{r} 7 \\ 6\overline{)46} \\ 42 \\ \hline 4 \end{array}$$

7 ← 몫

4 ← 나머지

● 55÷7의 계산

$$7\overline{)55} \Rightarrow \begin{array}{r} 7 \\ 7\overline{)55} \\ 49 \\ \hline 6 \end{array}$$

49 ← 7×7

55÷7의 몫은 ❶ [ ]이고
나머지는 ❷ [ ]입니다.

[답] ❶ 7 ❷ 6

핵심 체크

1 22÷4=5⋯2에서 몫은 (2 , 5)이고 나머지는 (2 , 5)입니다.

나누어지는 수는
22이고 나누는 수는
4입니다.

2 나눗셈에서 나머지가 (0 , 1)일 때 나누어떨어진다고 합니다.

11 나머지가 없는 (세 자리 수)÷(한 자리 수)

550÷5의 계산

$$5\overline{)550}:\ 1,\ 5\ (\leftarrow 5\times1),\ 0 \Rightarrow 11,\ 5,\ 5,\ 5\ (\leftarrow 5\times1),\ 0 \Rightarrow 110$$

550÷5의 몫은
55÷5의 몫의
10배입니다.

⇨ 550÷5=❶ [ ] 입니다.

276÷3의 계산

$$3\overline{)276}:\ 9,\ 27\ (\leftarrow 3\times9),\ 6 \Rightarrow 92,\ 27,\ 6,\ 6\ (\leftarrow 3\times2),\ 0$$

백의 자리 수에서는
나누지 못합니다.

⇨ 276÷3=❷ [ ] 입니다.

[답] ❶ 110 ❷ 92

핵심 체크

1 400÷5는 (8 , 80)입니다.

400÷5는 40÷5의
계산 결과에 0을 1개
붙인 것과 같습니다.

2 336÷4에서 백의 자리 수에서는 나눌 수 없으므로 (십의 자리 , 일의 자리)부터 4로 나누는 계산을 해야 합니다.

12 나머지가 있는 (세 자리 수)÷(한 자리 수)

413÷4의 계산

$$\begin{array}{r} 1 \\ 4\overline{)413} \\ 4 \\ \hline 0 \end{array} \leftarrow 4\times1 \quad \Rightarrow \quad \begin{array}{r} 10 \\ 4\overline{)413} \\ 4 \\ \hline 1 \end{array} \quad \Rightarrow \quad \begin{array}{r} 103 \\ 4\overline{)413} \\ 4 \\ \hline 13 \\ 12 \\ \hline 1 \end{array} \leftarrow 4\times3$$

⇨ 413÷4의 몫은 ❶ ☐ 이고, 나머지는 ❷ ☐ 입니다.

215÷6의 계산

$$\begin{array}{r} 3 \\ 6\overline{)215} \\ 18 \\ \hline 3 \end{array} \leftarrow 6\times3 \quad \Rightarrow \quad \begin{array}{r} 35 \\ 6\overline{)215} \\ 18 \\ \hline 35 \\ 30 \\ \hline 5 \end{array} \leftarrow 6\times5$$

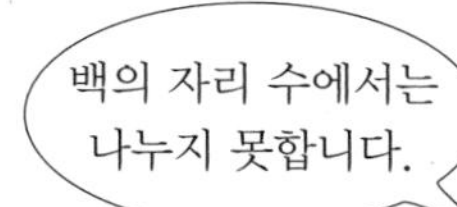

⇨ 215÷6의 몫은 35이고, 나머지는 5입니다.

계산이 맞는지 확인하기

14÷4=3⋯2 4×3=12, 12+2=14

나누는 수와 몫의 곱에 나머지를 더하면 나누어지는 수가 되어야 합니다.

[답] ❶ 103 ❷ 1

핵심 체크

1 105÷8=13⋯1에서 나머지는 (1 , 13)입니다.

2 계산이 맞는지 확인할 때 나누는 수와 (몫 , 나머지)의 곱에 (몫 , 나머지)을/를 더하면 나누어지는 수가 되어야 합니다.

집중 연습

[01~08] 계산을 하시오.

01

$4\overline{)48}$

02

$6\overline{)78}$

03

$3\overline{)45}$

04

$8\overline{)96}$

05

$7\overline{)85}$

06

$6\overline{)80}$

07

$4\overline{)54}$

08

$9\overline{)83}$

[09~16] 계산을 하시오.

09

$3\overline{)336}$

13

$4\overline{)333}$

10

$6\overline{)612}$

14

$6\overline{)435}$

11

$4\overline{)924}$

15

$8\overline{)556}$

12

$5\overline{)540}$

16

$7\overline{)445}$

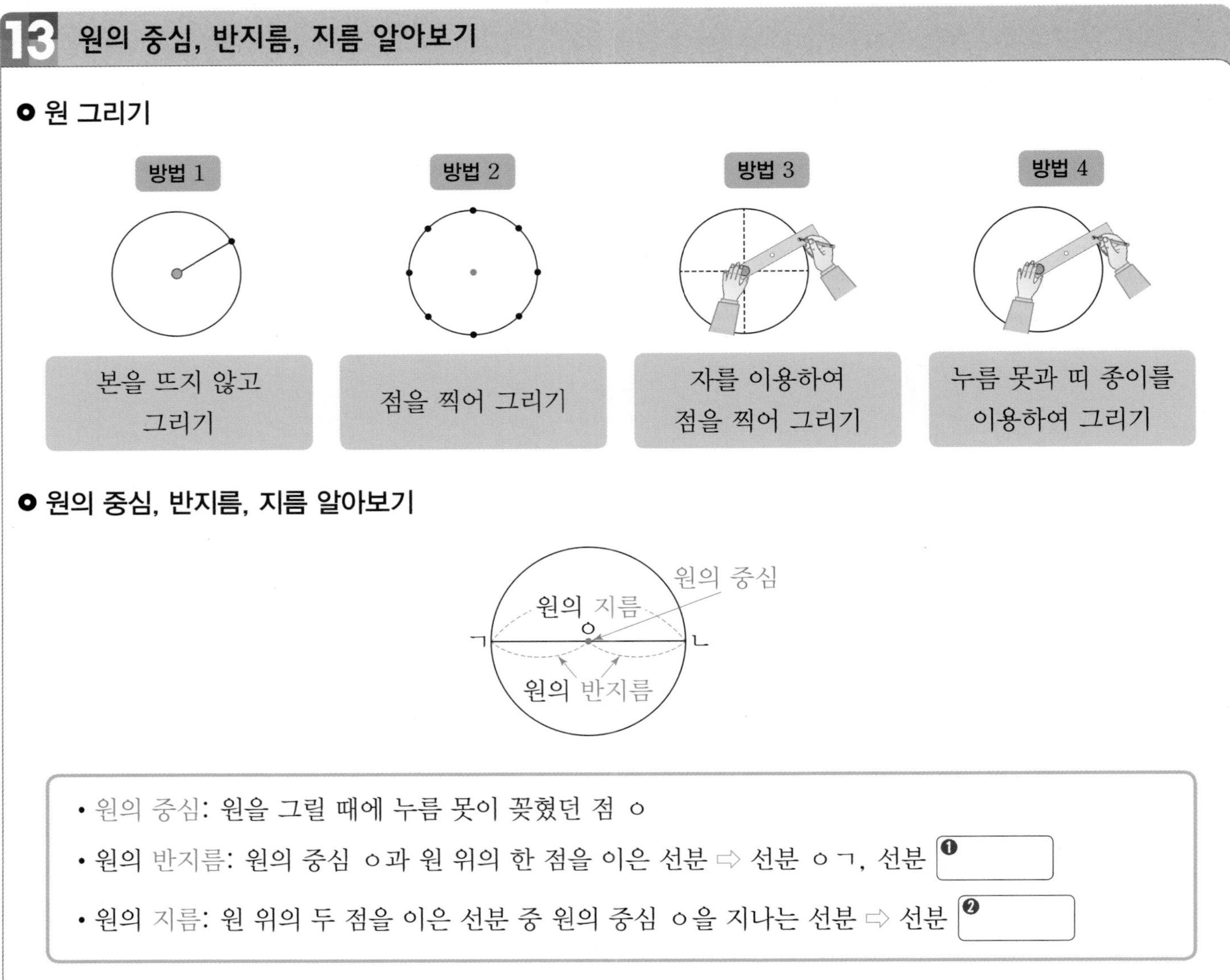

13 원의 중심, 반지름, 지름 알아보기

○ 원 그리기

방법 1	방법 2	방법 3	방법 4
본을 뜨지 않고 그리기	점을 찍어 그리기	자를 이용하여 점을 찍어 그리기	누름 못과 띠 종이를 이용하여 그리기

○ 원의 중심, 반지름, 지름 알아보기

- 원의 중심: 원을 그릴 때에 누름 못이 꽂혔던 점 ㅇ
- 원의 반지름: 원의 중심 ㅇ과 원 위의 한 점을 이은 선분 ⇨ 선분 ㅇㄱ, 선분 ❶ ☐
- 원의 지름: 원 위의 두 점을 이은 선분 중 원의 중심 ㅇ을 지나는 선분 ⇨ 선분 ❷ ☐

[답] ❶ ㅇㄴ ❷ ㄱㄴ

핵심 체크

1 원을 그릴 때에 누름 못이 꽂혔던 점을 원의 (중심 , 반지름)이라고 합니다.

2 원 위의 두 점을 이은 선분 중 원의 중심을 지나는 선분을 (반지름 , 지름)이라고 합니다.

14 원의 성질 알아보기

● 원을 똑같이 둘로 나누는 선분 알아보기

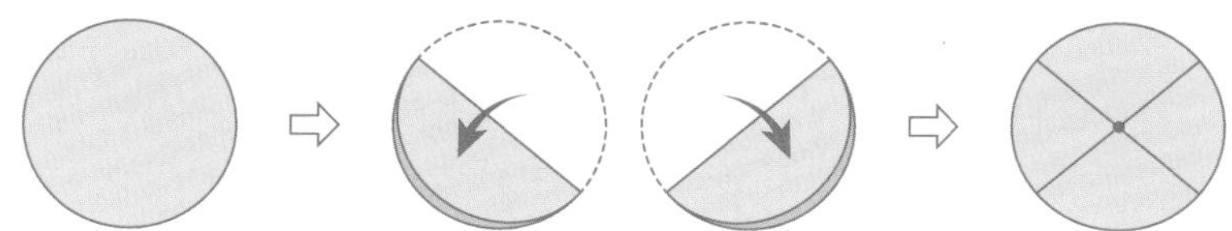

접었을 때 생기는 선분은 원의 지름입니다.

접었을 때 생기는 선분들이 만나는 점이 원의 ❶ ______ 입니다.

● 원의 성질 알아보기

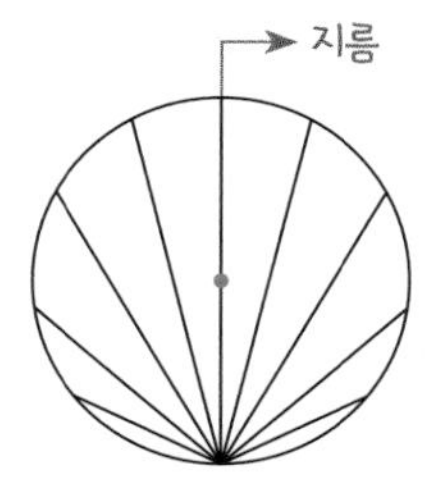
지름

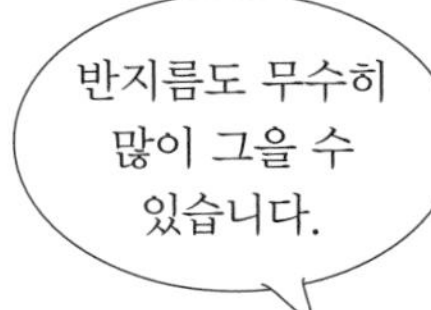
반지름도 무수히
많이 그을 수
있습니다.

① 지름은 원을 똑같이 둘로 나눕니다.

② 지름은 원 안에 그을 수 있는 가장 긴 선분입니다.

③ 지름은 무수히 많이 그을 수 있습니다.

④ 한 원에서 지름은 반지름의 2배입니다.

⇨ (원의 지름)=(원의 반지름)×❷ ______

[답] ❶ 중심 ❷ 2

핵심 체크

1 지름은 무수히 많이 그을 수 있습니다. (○ , ×)

2 한 원에서 지름은 반지름의 2배입니다. (○ , ×)

(원의 지름)
=(원의 반지름)×2

15 컴퍼스를 이용하여 원 그리기

● 반지름이 2 cm인 원 그리기

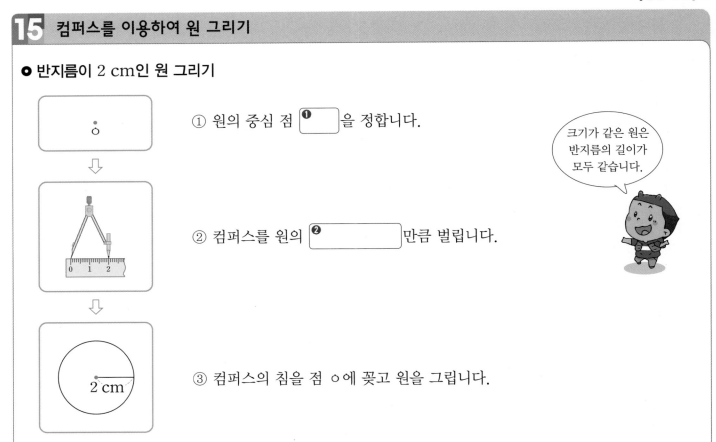

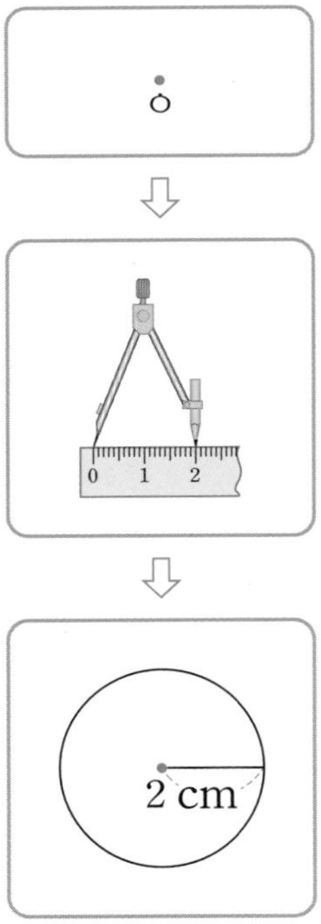

① 원의 중심 점 ❶ ☐을 정합니다.

② 컴퍼스를 원의 ❷ ☐만큼 벌립니다.

③ 컴퍼스의 침을 점 ㅇ에 꽂고 원을 그립니다.

크기가 같은 원은 반지름의 길이가 모두 같습니다.

[답] ❶ ㅇ ❷ 반지름

핵심 체크

1 컴퍼스를 이용하여 원을 그릴 때에는 컴퍼스를 원의 (반지름 , 지름)만큼 벌립니다.

2 오른쪽 그림은 컴퍼스를 (3 cm , 4 cm)가 되도록 벌린 것입니다.

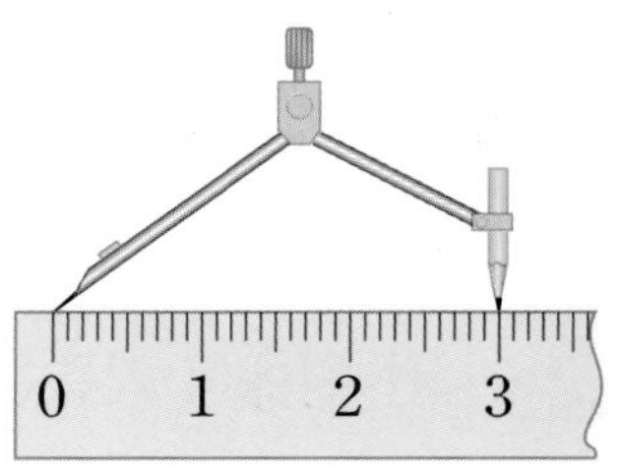

16 여러 가지 모양 그리기

● 중심이 같고 크기가 다른 원 그리기

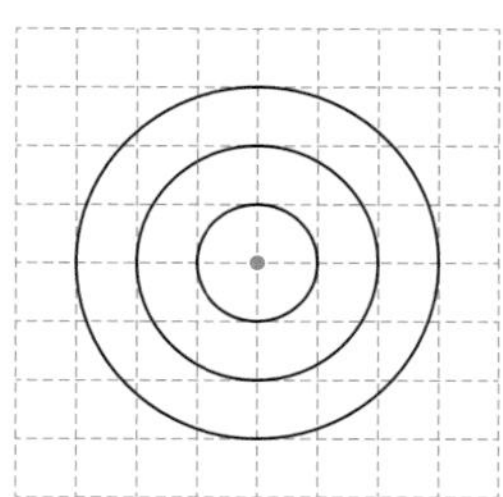

컴퍼스의 침을
꽂은 곳은 모두
같습니다.

원의 ❶ [ ] 은 같고 반지름을 모눈 1칸, 2칸, 3칸으로 1칸씩 늘려 가면서 그렸습니다.

● 규칙에 따라 원 그리기

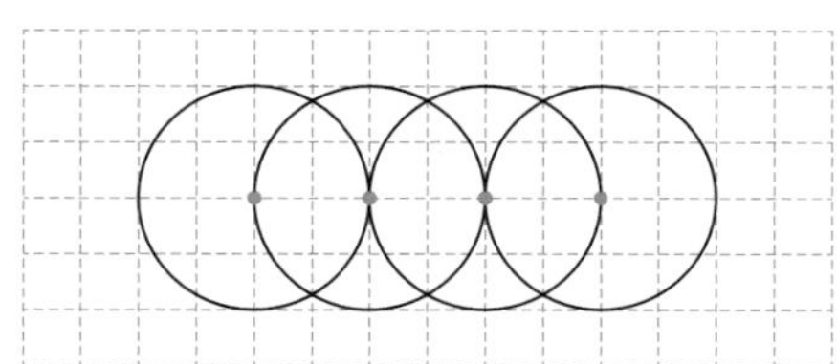

원의 크기는
모두 같습니다.

- 원의 중심은 오른쪽으로 모눈 ❷ [ ] 칸씩 이동합니다.
- 원의 반지름은 모눈 2칸입니다.

[답] ❶ 중심 ❷ 2

핵심 체크

[1~2] 그림을 보고 알맞은 말에 ○표 하시오.

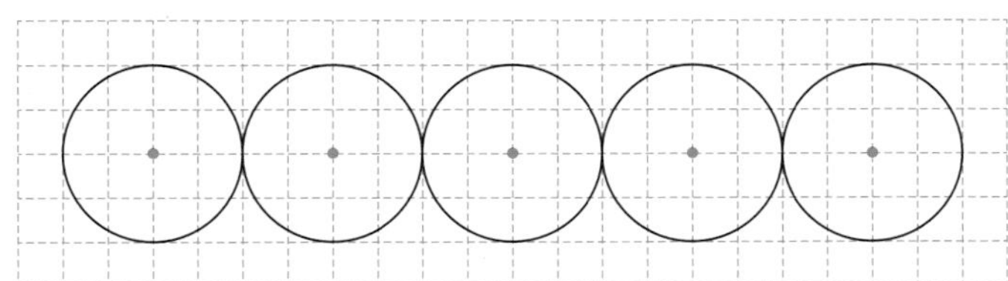

1 원의 중심은 오른쪽으로 (2칸씩 , 4칸씩) 이동했습니다.

원의 중심과
중심 사이의 모눈 칸 수를
세어 봅니다.

2 원의 반지름은 (같습니다 , 다릅니다).

집중 연습

[01~06] 원의 반지름은 몇 cm인지 구하시오.

01

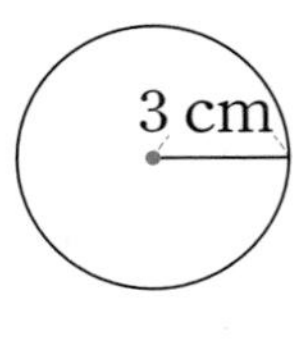

( )

02

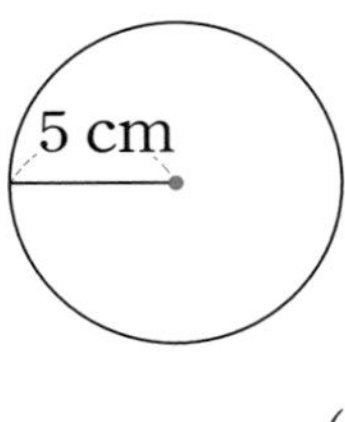

( )

03

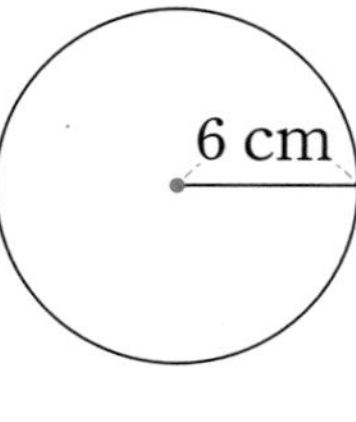

( )

04

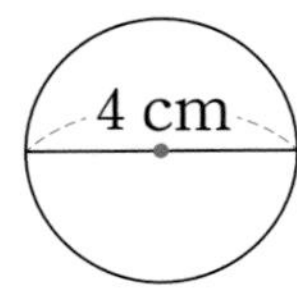

( )

05

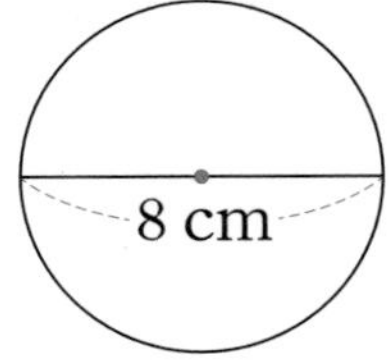

( )

06

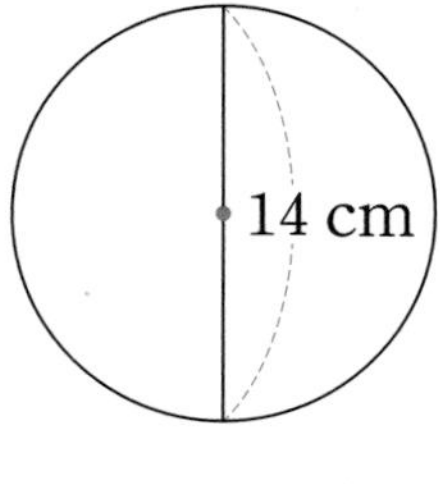

( )

[07~12] 원의 지름은 몇 cm인지 구하시오.

07

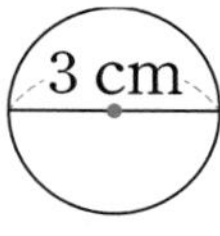

(　　　　　　　　　　)

08

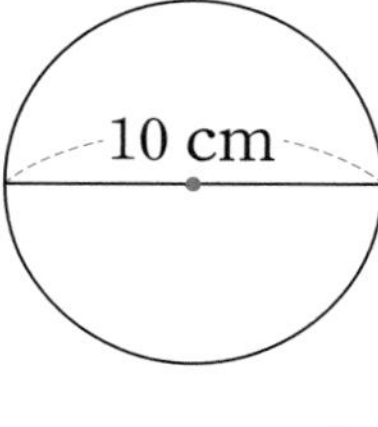

(　　　　　　　　　　)

09

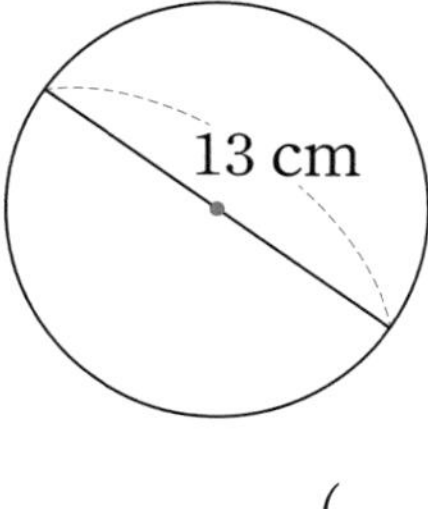

(　　　　　　　　　　)

10

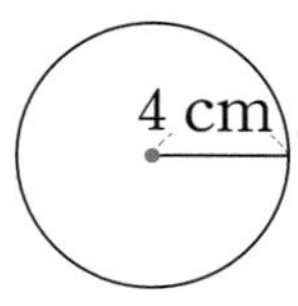

(　　　　　　　　　　)

11

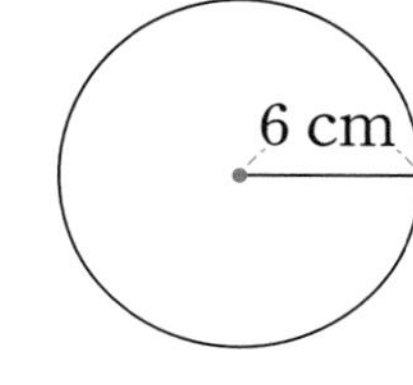

(　　　　　　　　　　)

12

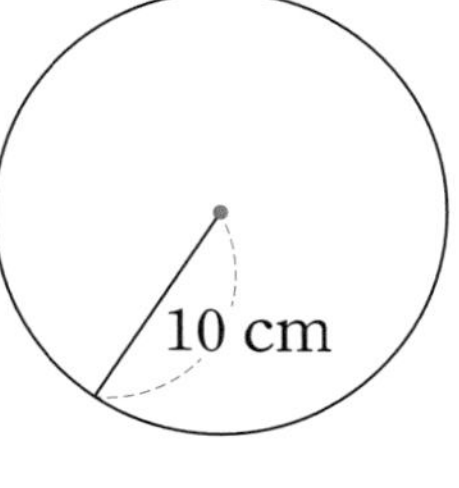

(　　　　　　　　　　)

17 분수로 나타내기

● 부분은 전체의 얼마인지 알아보기

① 2묶음으로 나누기

부분 (사탕 6개 묶음)은 전체 2묶음 중 ❶ □ 묶음입니다. ⇨ $\frac{1}{2}$

② 3묶음으로 나누기

부분 (사탕 4개 묶음 2개)은 전체 3묶음 중 ❷ □ 묶음입니다. ⇨ $\frac{2}{3}$

전체를 똑같이 ■묶음으로 나눈 것 중의 ▲묶음 ⇨ $\frac{▲}{■}$

[답] ❶ 1 ❷ 2

핵심체크

[1~2] 그림을 보고 알맞은 말에 ○표 하시오.

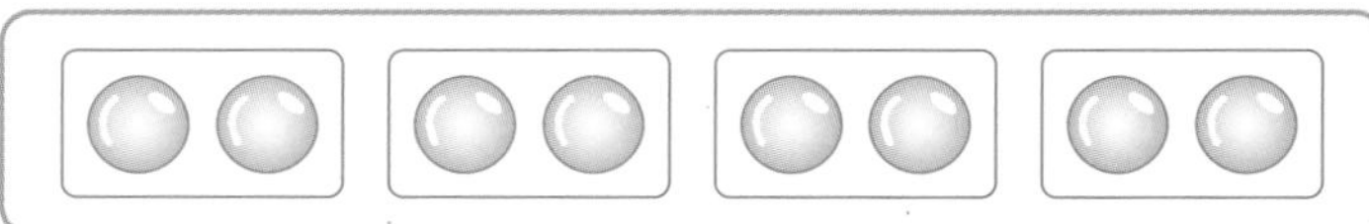

1 (구슬 2개 묶음)은 전체 4묶음 중 (1묶음 , 2묶음)입니다.

2 (구슬 2개 묶음 3개)을 분수로 나타내면 ($\frac{1}{4}$, $\frac{3}{4}$)입니다.

18 분수만큼은 얼마인지 알아보기

• 9의 $\frac{1}{3}$ 알아보기

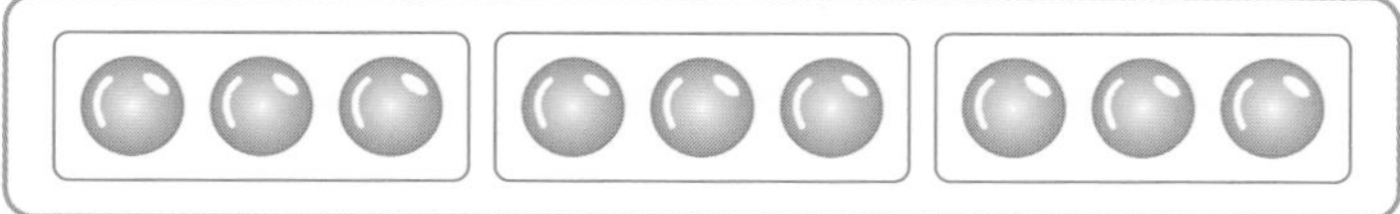

① 9를 똑같이 3묶음으로 나누면 1묶음은 전체의 $\frac{1}{3}$입니다.

② 3묶음 중의 1묶음은 ❶ ☐ 입니다.

③ 9의 $\frac{1}{3}$은 9를 똑같이 3묶음으로 나눈 것 중 1묶음이므로 3입니다.

• 9 cm의 $\frac{2}{3}$ 알아보기

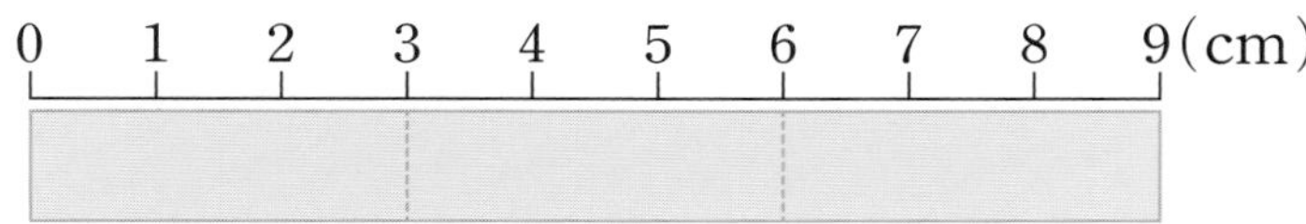

① 9 cm를 똑같이 3으로 나누면 2는 전체의 $\frac{2}{3}$입니다.

② 3으로 나눈 것 중의 2는 ❷ ☐ cm입니다.

③ 9 cm의 $\frac{2}{3}$는 9 cm를 똑같이 3으로 나눈 것 중 2이므로 6 cm입니다.

[답] ❶ 3 ❷ 6

핵심 체크

1 6을 똑같이 3묶음으로 나누면 1묶음은 2이므로
6의 $\frac{1}{3}$은 (1 , 2)입니다.

2 6을 똑같이 3묶음으로 나누면 2묶음은 4이므로
6의 $\frac{2}{3}$는 (3 , 4)입니다.

19 여러 가지 분수 알아보기

진분수, 가분수, 자연수, 대분수 알아보기

진분수: $\frac{1}{5}$, $\frac{2}{5}$와 같이 분자가 분모보다 ❶ [ ] 분수

가분수: $\frac{5}{5}$, $\frac{6}{5}$과 같이 분자가 분모와 같거나 분모보다 ❷ [ ] 분수

자연수: 1, 2, 3과 같은 수

대분수: $1\frac{1}{5}$과 같이 자연수와 진분수로 이루어진 분수

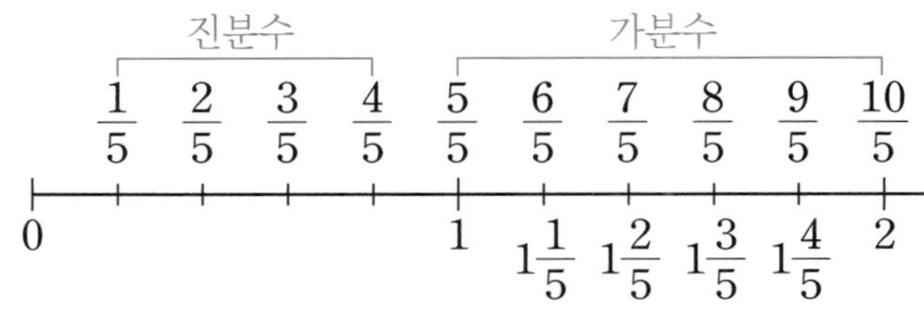

가분수를 대분수로 나타내기

$\frac{4}{4}$를 자연수로 나타냅니다.

$\frac{7}{4} \Rightarrow \left(\frac{4}{4}\text{와 } \frac{3}{4}\right) \Rightarrow \left(1\text{과 } \frac{3}{4}\right) \Rightarrow 1\frac{3}{4}$

가분수를 대분수로 나타내기

자연수를 분모가 4인 가분수로 나타냅니다.

$1\frac{3}{4} \Rightarrow \left(1\text{과 } \frac{3}{4}\right) \Rightarrow \left(\frac{4}{4}\text{와 } \frac{3}{4}\right) \Rightarrow \frac{7}{4}$

[답] ❶ 작은 ❷ 큰

핵심 체크

1 $\frac{7}{6}$은 (진분수 , 가분수)입니다.

분자가 분모보다
작으면 진분수입니다.

2 대분수는 (가분수 , 자연수)와 진분수로 이루어진 분수입니다.

20 분모가 같은 분수의 크기 비교하기

분모가 같은 가분수의 크기 비교하기

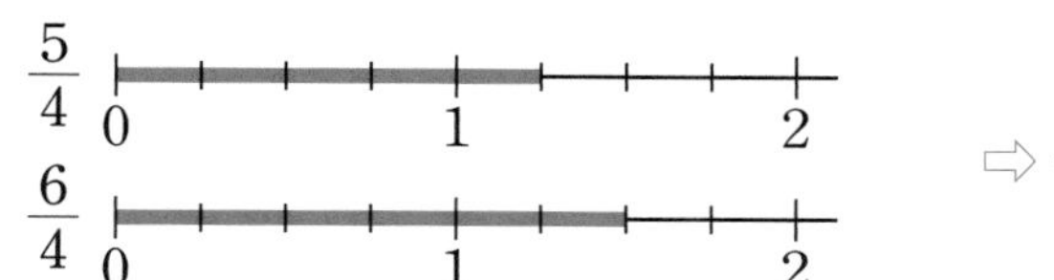

⇨ $\frac{5}{4} < \frac{6}{4}$

분모가 같은 가분수는 분자의 크기가 큰 가분수가 더 큽니다.

분모가 같은 대분수의 크기 비교하기

① 자연수가 큰 대분수가 더 ❶ ______.

$2<3$ ⇨ $2\frac{1}{3}<3\frac{2}{3}$

② 자연수의 크기가 같으면 분자의 크기가 큰 대분수가 더 ❷ ______.

$1<2$ ⇨ $3\frac{1}{4}<3\frac{2}{4}$

분모가 같은 가분수와 대분수의 크기 비교하기

• $\frac{6}{5}$과 $1\frac{2}{5}$의 크기 비교

방법 1 대분수를 가분수로 나타내어 비교하기

$1\frac{2}{5}=\frac{7}{5}$ ⇨ $\frac{6}{5}<\frac{7}{5}$

방법 2 가분수를 대분수로 나타내어 비교하기

$\frac{6}{5}=1\frac{1}{5}$ ⇨ $1\frac{1}{5}<1\frac{2}{5}$

[답] ❶ 큽니다 ❷ 큽니다

핵심 체크

1 $13<17$이므로 $\frac{13}{10}$과 $\frac{17}{10}$ 중에서 더 큰 분수는 ($\frac{13}{10}$, $\frac{17}{10}$)입니다.

2 $2\frac{1}{4}$과 $1\frac{3}{4}$ 중에서 더 큰 분수는 ($2\frac{1}{4}$, $1\frac{3}{4}$)입니다.

대분수끼리 비교할 때는 먼저 자연수의 크기를 비교합니다.

집중 연습

[01~04] □ 안에 알맞은 수를 써넣으시오.

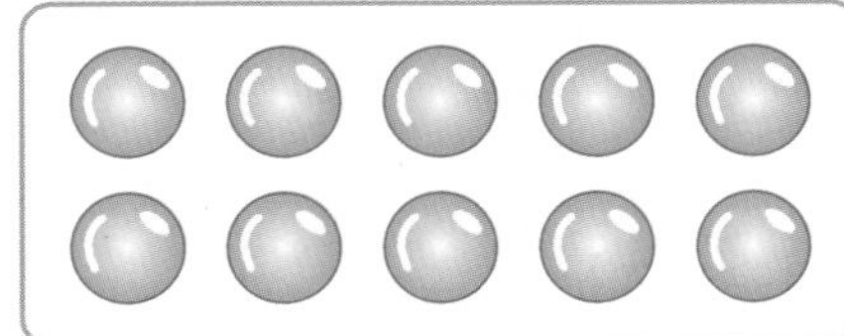

01 10을 2씩 묶으면 2는 10의 $\frac{\square}{\square}$입니다.

02 10을 2씩 묶으면 4는 10의 $\frac{\square}{\square}$입니다.

03 10을 2씩 묶으면 8은 10의 $\frac{\square}{\square}$입니다.

04 10을 5씩 묶으면 5는 10의 $\frac{\square}{\square}$입니다.

[05~08] □ 안에 알맞은 수를 써넣으시오.

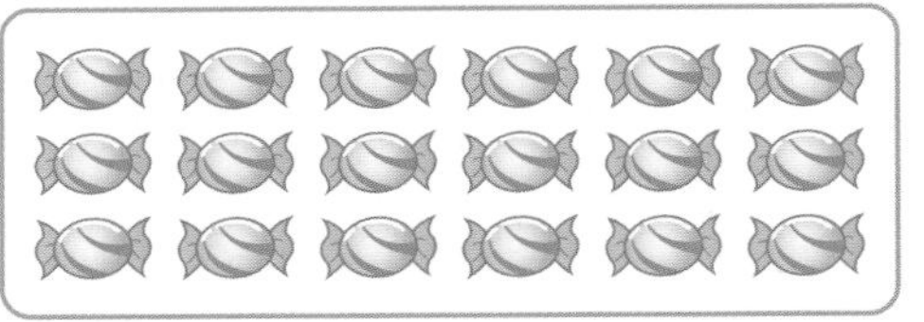

05 18을 2씩 묶으면 4는 18의 $\frac{\square}{\square}$입니다.

06 18을 3씩 묶으면 15는 18의 $\frac{\square}{\square}$입니다.

07 18을 6씩 묶으면 6은 18의 $\frac{\square}{\square}$입니다.

08 18을 9씩 묶으면 9는 18의 $\frac{\square}{\square}$입니다.

[09~12] □ 안에 알맞은 수를 써넣으시오.

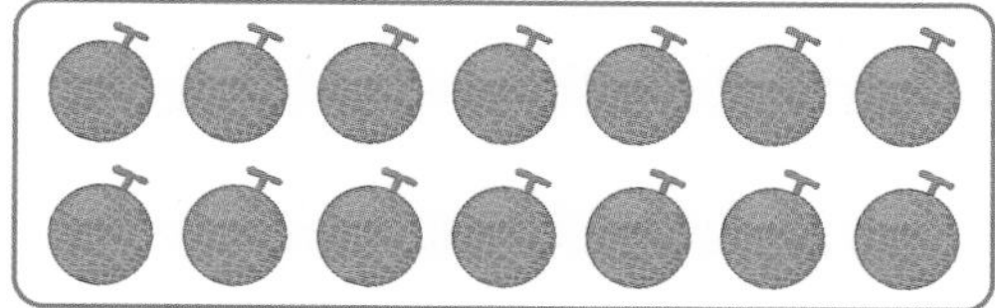

09 14의 $\frac{1}{7}$은 □입니다.

10 14의 $\frac{2}{7}$는 □입니다.

11 14의 $\frac{4}{7}$는 □입니다.

12 14의 $\frac{6}{7}$은 □입니다.

[13~16] □ 안에 알맞은 수를 써넣으시오.

13 21의 $\frac{1}{7}$은 □입니다.

14 21의 $\frac{3}{7}$은 □입니다.

15 21의 $\frac{4}{7}$는 □입니다.

16 21의 $\frac{6}{7}$은 □입니다.

집중 연습

[17~20] 대분수를 가분수로 나타내시오.

17 $1\frac{1}{4}$ ⇨ (　　　　　　　　)

18 $3\frac{2}{5}$ ⇨ (　　　　　　　　)

19 $4\frac{4}{7}$ ⇨ (　　　　　　　　)

20 $3\frac{5}{6}$ ⇨ (　　　　　　　　)

[21~24] 가분수를 대분수로 나타내시오.

21 $\frac{11}{8}$ ⇨ (　　　　　　　　)

22 $\frac{15}{4}$ ⇨ (　　　　　　　　)

23 $\frac{22}{7}$ ⇨ (　　　　　　　　)

24 $\frac{25}{9}$ ⇨ (　　　　　　　　)

[25~32] 분수의 크기를 비교하여 ○ 안에 >, =, <를 알맞게 써넣으시오.

25 $\frac{10}{3}$ ○ $\frac{8}{3}$

26 $\frac{9}{5}$ ○ $\frac{12}{5}$

27 $\frac{11}{9}$ ○ $\frac{13}{9}$

28 $\frac{19}{7}$ ○ $\frac{15}{7}$

29 $2\frac{3}{4}$ ○ $1\frac{1}{4}$

30 $3\frac{2}{5}$ ○ $2\frac{4}{5}$

31 $6\frac{1}{3}$ ○ $6\frac{2}{3}$

32 $7\frac{4}{5}$ ○ $7\frac{3}{5}$

21 들이 비교하기

두 물통의 들이 비교하기

방법 1 직접 옮겨 담기

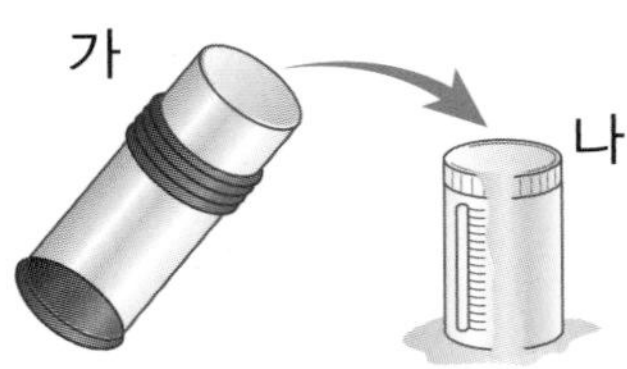

가에 물을 가득 채워 나로 옮겨 담았을 때 물이 넘치므로 가의 들이가 더 ❶ [   ].

방법 2 모양과 크기가 같은 큰 그릇에 옮겨 담기

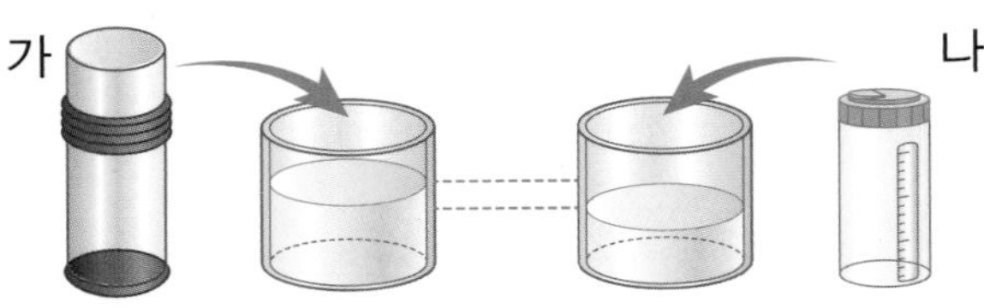

가의 물의 높이가 더 높으므로 가의 들이가 더 ❷ [   ].

방법 3 모양과 크기가 같은 작은 그릇에 옮겨 담기

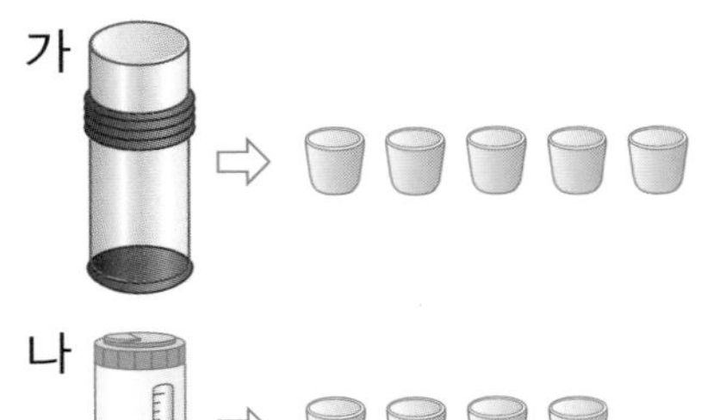

가는 5컵, 나는 4컵이므로 가의 들이가 더 많습니다.

[답] ❶ 많습니다 ❷ 많습니다

핵심 체크

1

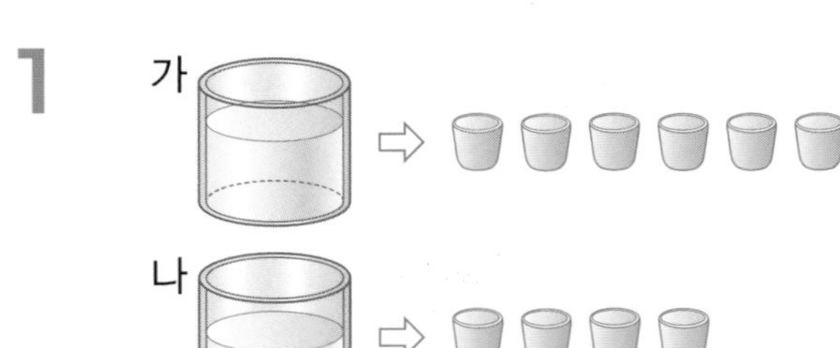

들이가 더 많은 것은 (가 , 나)입니다.

22 들이의 단위 알아보기

● L와 mL 알아보기

읽기	1 리터	1 밀리리터
쓰기	1 L	1 mL

1 L=1000 mL

● 1 L보다 500 mL 더 많은 들이

쓰기 1 L 500 mL　　읽기 1 리터 500 밀리리터

● 단위 바꾸어 나타내기

• 2 L 300 mL를 몇 mL로 나타내기

2 L 300 mL=2 L+300 mL

=2000 mL+300 mL

=❶ ☐ mL

• 1300 mL를 몇 L 몇 mL로 나타내기

1300 mL=1000 mL+300 mL

=1 L+300 mL

=1 L ❷ ☐ mL

● 들이 어림하기

들이를 어림하여 말할 때는 약 ☐ L 또는 약 ☐ mL라고 합니다.

[답] ❶ 2300 ❷ 300

핵심 체크

1 3 L를 읽으면 (3리터 , 3밀리리터)입니다.

2 3 L보다 650 mL 더 많은 들이는 (3 L 650 mL , 36 L 50 mL)입니다.

23 들이의 덧셈과 뺄셈

● 들이의 덧셈

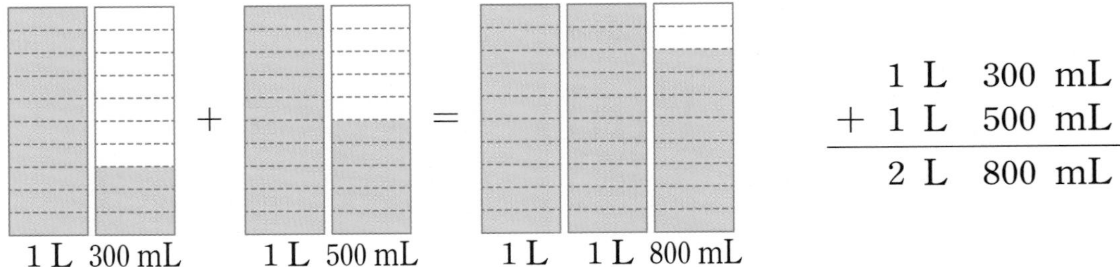

$$\begin{array}{rrr} & 1\text{ L} & 300\text{ mL} \\ + & 1\text{ L} & 500\text{ mL} \\ \hline & 2\text{ L} & 800\text{ mL} \end{array}$$

- L는 L끼리, mL는 ❶ ☐ 끼리 더합니다.
- mL끼리의 합이 1000 mL이거나 1000 mL를 넘으면 1 L로 받아올림합니다.

● 들이의 뺄셈

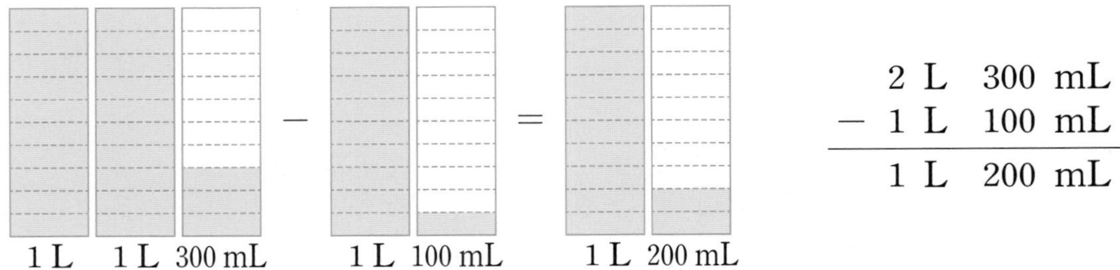

$$\begin{array}{rrr} & 2\text{ L} & 300\text{ mL} \\ - & 1\text{ L} & 100\text{ mL} \\ \hline & 1\text{ L} & 200\text{ mL} \end{array}$$

- L는 L끼리, mL는 ❷ ☐ 끼리 뺍니다.
- mL끼리 뺄 수 없으면 1 L를 1000 mL로 받아내림합니다.

[답] ❶ mL ❷ mL

핵심 체크

1 1 L 100 mL+1 L 600 mL= 2 L (70 mL , 700 mL)

2 mL끼리 뺄 수 없으면 1 L를 (100 mL , 1000 mL)로 받아내림합니다.

24 무게 비교하기

○ 두 공의 무게 비교하기

방법 1 양손에 물건을 들고 비교하기

야구공을 든 쪽에 힘이 더 많이 듭니다.

⇨ ❶ [   ]이 골프공보다 더 무겁습니다.

방법 2 저울에 두 물건을 올려놓고 비교하기

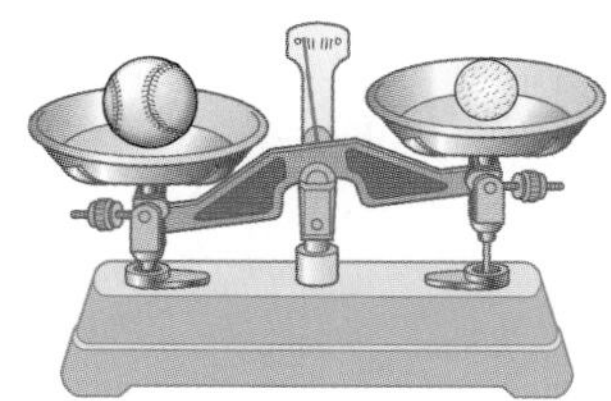

저울에서 더 무거운 쪽이 아래로 내려갑니다.

⇨ ❷ [   ]이 골프공보다 더 무겁습니다.

방법 3 단위를 이용하여 무게 비교하기

(야구공의 무게)
=(바둑돌 15개의 무게)
야구공
바둑돌 15개
골프공
바둑돌 5개
(골프공의 무게)
=(바둑돌 5개의 무게)

⇨ 야구공이 골프공보다 바둑돌 15−5=10(개)만큼 더 무겁습니다.

[답] ❶ 야구공 ❷ 야구공

핵심 체크

1

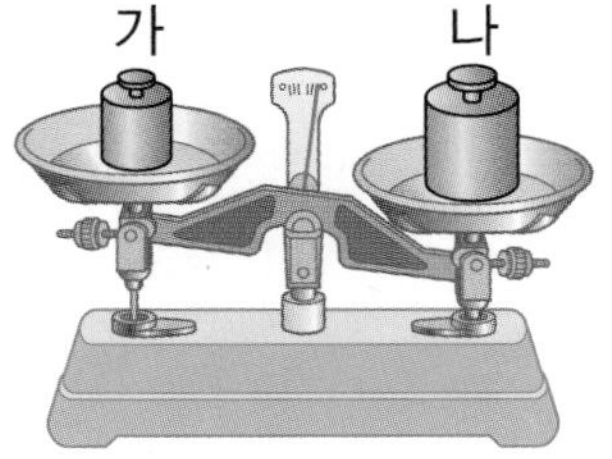
가
나

무게가 더 무거운 것은 (가 , 나)입니다.

저울에서 더
무거운 쪽이
아래로 내려갑니다.

25 무게의 단위 알아보기

g, kg, t 알아보기

읽기	1 그램	1 킬로그램	1 톤
쓰기	1 g	1 kg	1 t

1 kg=1000 g　　1 t=1000 kg

1 kg보다 500 g 더 무거운 무게

쓰기 1 kg 500 g　　읽기 1 킬로그램 500 그램

단위 바꾸어 나타내기

• 2 kg 400 g을 몇 g으로 나타내기

2 kg 400 g=2 kg+400 g
=2000 g+400 g
=❶ □ g

• 1200 g을 몇 kg 몇 g으로 나타내기

1200 g=1000 g+200 g
=1 kg+200 g
=1 kg ❷ □ g

무게 어림하기

무게를 어림하여 말할 때는 약 □ kg 또는 약 □ g이라고 합니다.

[답] ❶ 2400 ❷ 200

핵심 체크

1 3 g을 읽으면 (3그램 , 3킬로그램)입니다.

무게의 단위에는
g, kg, t 등이
있습니다.

2 1 t은 (1000 g , 1000 kg)과 같습니다.

26 무게의 덧셈과 뺄셈

● 무게의 덧셈

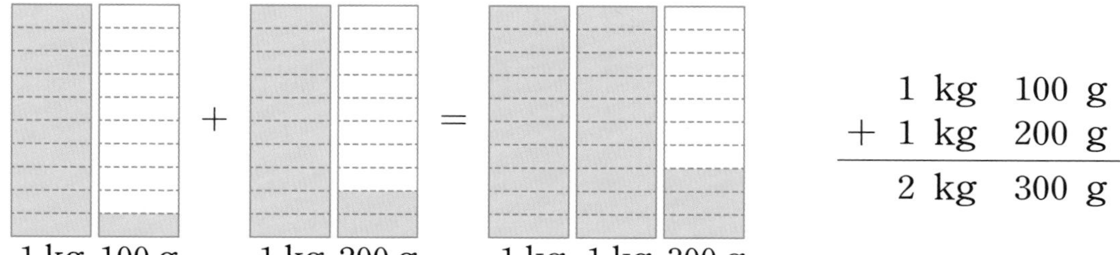

1 kg 100 g 1 kg 200 g 1 kg 1 kg 300 g

- kg은 kg끼리, g은 ❶ [   ] 끼리 더합니다.
- g끼리의 합이 1000 g이거나 1000 g을 넘으면 1 kg으로 받아올림합니다.

● 무게의 뺄셈

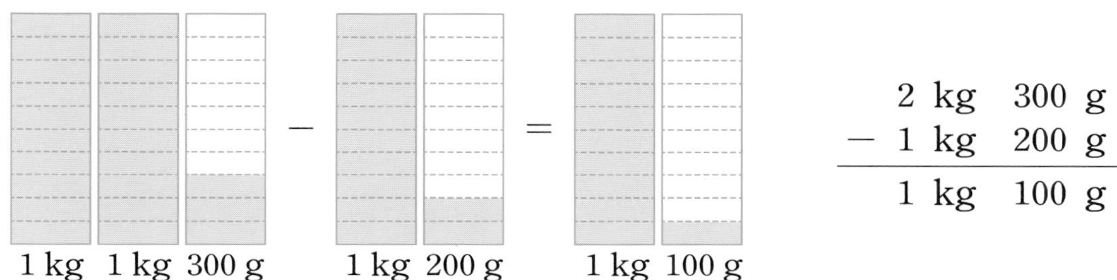

1 kg 1 kg 300 g 1 kg 200 g 1 kg 100 g

- kg은 kg끼리, g은 ❷ [   ] 끼리 뺍니다.
- g끼리 뺄 수 없으면 1 kg을 1000 g으로 받아내림합니다.

[답] ❶ g ❷ g

핵심 체크

1 g끼리의 합이 1000 g을 넘으면 (1 kg , 10 kg)으로 받아올림합니다.

2 3 kg 600 g − 1 kg 400 g = 2 kg (20 g , 200 g)

집중 연습

[01~08] □ 안에 알맞은 수를 써넣으시오.

01 $3500\text{ mL}=\square\text{ L }\square\text{ mL}$

02 $2300\text{ mL}=\square\text{ L }\square\text{ mL}$

03 $6200\text{ mL}=\square\text{ L }\square\text{ mL}$

04 $5050\text{ mL}=\square\text{ L }\square\text{ mL}$

05 $8\text{ L }100\text{ mL}=\square\text{ mL}$

06 $7\text{ L }400\text{ mL}=\square\text{ mL}$

07 $3\text{ L }900\text{ mL}=\square\text{ mL}$

08 $6\text{ L }850\text{ mL}=\square\text{ mL}$

[09~16] 계산을 하시오.

09
$$\begin{array}{rrr} & 2\text{ L} & 300\text{ mL} \\ + & 2\text{ L} & 500\text{ mL} \\ \hline \end{array}$$

10
$$\begin{array}{rrr} & 3\text{ L} & 400\text{ mL} \\ + & 2\text{ L} & 300\text{ mL} \\ \hline \end{array}$$

11
$$\begin{array}{rrr} & 6\text{ L} & 700\text{ mL} \\ + & 3\text{ L} & 800\text{ mL} \\ \hline \end{array}$$

12
$$\begin{array}{rrr} & 4\text{ L} & 800\text{ mL} \\ + & 3\text{ L} & 400\text{ mL} \\ \hline \end{array}$$

13
$$\begin{array}{rrr} & 4\text{ L} & 700\text{ mL} \\ - & 1\text{ L} & 300\text{ mL} \\ \hline \end{array}$$

14
$$\begin{array}{rrr} & 3\text{ L} & 800\text{ mL} \\ - & 2\text{ L} & 500\text{ mL} \\ \hline \end{array}$$

15
$$\begin{array}{rrr} & 6\text{ L} & 600\text{ mL} \\ - & 2\text{ L} & 800\text{ mL} \\ \hline \end{array}$$

16
$$\begin{array}{rrr} & 5\text{ L} & 100\text{ mL} \\ - & 2\text{ L} & 700\text{ mL} \\ \hline \end{array}$$

집중 연습

[17~24] □ 안에 알맞은 수를 써넣으시오.

17 1200 g=□ kg □ g

18 6400 g=□ kg □ g

19 7500 g=□ kg □ g

20 3150 g=□ kg □ g

21 1 kg 700 g=□ g

22 3 kg 400 g=□ g

23 4 kg 500 g=□ g

24 6 kg 750 g=□ g

[25~32] **계산을 하시오.**

25

$$\begin{array}{rrr} & 4\text{ kg} & 200\text{ g} \\ + & 1\text{ kg} & 500\text{ g} \\ \hline \end{array}$$

26

$$\begin{array}{rrr} & 1\text{ kg} & 500\text{ g} \\ + & 2\text{ kg} & 300\text{ g} \\ \hline \end{array}$$

27

$$\begin{array}{rrr} & 2\text{ kg} & 700\text{ g} \\ + & 3\text{ kg} & 700\text{ g} \\ \hline \end{array}$$

28

$$\begin{array}{rrr} & 6\text{ kg} & 800\text{ g} \\ + & 2\text{ kg} & 500\text{ g} \\ \hline \end{array}$$

29

$$\begin{array}{rrr} & 3\text{ kg} & 800\text{ g} \\ - & 1\text{ kg} & 400\text{ g} \\ \hline \end{array}$$

30

$$\begin{array}{rrr} & 6\text{ kg} & 500\text{ g} \\ - & 3\text{ kg} & 100\text{ g} \\ \hline \end{array}$$

31

$$\begin{array}{rrr} & 7\text{ kg} & 300\text{ g} \\ - & 4\text{ kg} & 700\text{ g} \\ \hline \end{array}$$

32

$$\begin{array}{rrr} & 8\text{ kg} & 200\text{ g} \\ - & 6\text{ kg} & 600\text{ g} \\ \hline \end{array}$$

27 그림그래프 알아보기

● 그림그래프 알아보기

자료 또는 조사한 수를 ❶ [ ] 으로 나타낸 그래프를 그림그래프라고 합니다.

● 그림그래프에서 그림이 나타내는 수 알아보기

반별 학생 수

반	학생 수
1	□□□
2	□□△△△△△△
3	□□△△△
4	□△△△△△△△△

□ 10명
△ 1명

그림그래프의
장점은 한눈에 비교하기가
편합니다.

- □는 10명을 나타냅니다.
- △는 1명을 나타냅니다.

● 그림그래프를 보고 알 수 있는 점

그림의 크기에
주의하여 나타내는
수를 알아봅니다.

- 학생 수가 가장 많은 반은 □가 가장 많은 1반입니다.
- 학생 수가 가장 적은 반은 □가 가장 적은 ❷ [ ] 입니다.
- 2반의 학생 수는 26명입니다.
  → □ 2개, △ 6개

[답] ❶ 그림 ❷ 4반

핵심 체크

1 자료 또는 조사한 수를 그림으로 나타낸 그래프를 그림그래프라고 합니다. (○ , ×)

3반은 □ 2개,
△ 3개입니다.

2 위의 그림그래프에서 3반의 학생 수는 32명입니다. (○ , ×)

28 그림그래프로 나타내기

● 그림그래프로 나타내는 방법

학생별 줄넘기 횟수

학생	영근	여정	선희	의진	합계
줄넘기 횟수(번)	26	34	41	35	136

④ 학생별 줄넘기 횟수

학생	줄넘기 횟수
영근	○○△△△△△△
여정	○○○△△△△
선희	○○○○△
의진	○○○△△△△△

③

①, ②
○ 10번
△ 1번

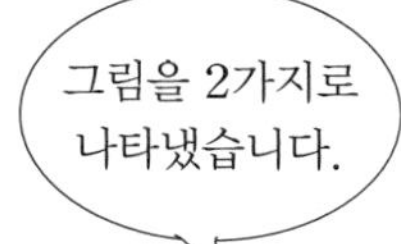
그림을 2가지로
나타냈습니다.

① 그림을 몇 가지로 나타낼 것인지를 정합니다.

② 어떤 그림으로 나타낼 것인지를 정합니다.

③ 조사한 수에 맞도록 ❶ [ ] 을 그립니다.

④ 그림그래프에 알맞은 ❷ [ ] 을 붙입니다.

[답] ❶ 그림 ❷ 제목

핵심 체크

1 위의 그림그래프에서 △는 (1번 , 10번)을 나타냅니다.

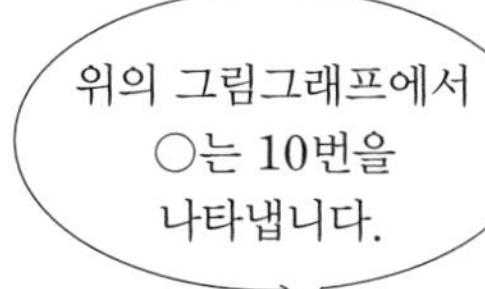
위의 그림그래프에서
○는 10번을
나타냅니다.

2 위의 그림그래프는 그림을 (2가지 , 3가지)로 나타냈습니다.

집중 연습

[01~03] 학생들이 좋아하는 간식을 조사하여 나타낸 그림그래프입니다. 물음에 답하시오.

좋아하는 간식별 학생 수

간식	학생 수
떡볶이	◎◎◎□□□□□
튀김	◎◎□□□□
만두	◎◎□□□□□□
순대	◎□□□

◎ 10명
□ 1명

01 그래프에서 ◎는 몇 명을 나타냅니까?

( )

02 그래프에서 □는 몇 명을 나타냅니까?

( )

03 가장 많은 학생들이 좋아하는 간식은 무엇입니까?

( )

[04~06] 과수원별 포도 생산량을 조사하여 나타낸 그림그래프입니다. 물음에 답하시오.

과수원별 포도 생산량

과수원	생산량
가	○○△△△
나	○△△△△△△
다	○○○△△△△△
라	○○○

○ 100상자
△ 10상자

04 그래프에서 ○는 몇 상자를 나타냅니까?

( )

05 그래프에서 △는 몇 상자를 나타냅니까?

( )

06 라 과수원의 포도 생산량은 몇 상자입니까?

( )

[07~08] 학생들이 좋아하는 동물을 조사하여 나타낸 표입니다. 그림그래프로 나타내시오.

좋아하는 동물

동물	강아지	고양이	토끼	합계
학생 수(명)	18	16	7	41

07

좋아하는 동물별 학생 수

동물	학생 수
강아지	
고양이	
토끼	

□10명
△1명

08

좋아하는 동물별 학생 수

동물	학생 수
강아지	
고양이	
토끼	

□10명
○5명
△1명

[09~10] 반별 학생 수를 조사하여 나타낸 표입니다. 그림그래프로 나타내시오.

반별 학생 수

반	1반	2반	3반	합계
학생 수(명)	25	26	17	68

09

반별 학생 수

반	학생 수
1반	
2반	
3반	

◎10명
○1명

10

반별 학생 수

반	학생 수
1반	
2반	
3반	

◎10명
□5명
○1명

정답

2쪽
1 백에 ○표
2 448에 ○표

3쪽
1 16에 ○표, 1에 ○표
2 270에 ○표

4쪽
1 15에 ○표, 1에 ○표
2 1624에 ○표

5쪽
1 2개에 ○표
2 330에 ○표

6쪽
1 합에 ○표
2 66에 ○표

7쪽
1 합에 ○표
2 156에 ○표

8쪽
01 224
02 693
03 570
04 648
05 744
06 849
07 2469
08 1644

9쪽
09 1000
10 310
11 294
12 900
13 595
14 1536
15 2772
16 2835

10쪽
1 1개에 ○표
2 16에 ○표

11쪽
1 1개에 ○표, 2개에 ○표
2 13에 ○표

12쪽
1 10개에 ○표
2 14에 ○표

13쪽
1 5에 ○표, 2에 ○표
2 0에 ○표

14쪽
1 80에 ○표
2 십의 자리에 ○표

15쪽
1 1에 ○표
2 몫에 ○표, 나머지에 ○표

16쪽
01 12
02 13
03 15
04 12
05 12⋯1
06 13⋯2
07 13⋯2
08 9⋯2

17쪽
09 112
10 102
11 231
12 108
13 83⋯1
14 72⋯3
15 69⋯4
16 63⋯4

정답

18쪽
1 중심에 ○표
2 지름에 ○표

19쪽
1 ○　2 ○

20쪽
1 반지름에 ○표
2 3 cm에 ○표

21쪽
1 4칸씩에 ○표
2 같습니다에 ○표

22쪽
01 3 cm　04 2 cm
02 5 cm　05 4 cm
03 6 cm　06 7 cm

23쪽
07 3 cm　10 8 cm
08 10 cm　11 12 cm
09 13 cm　12 20 cm

24쪽
1 1묶음에 ○표
2 $\frac{3}{4}$에 ○표

25쪽
1 2에 ○표　2 4에 ○표

26쪽
1 가분수에 ○표
2 자연수에 ○표

27쪽
1 $\frac{17}{10}$에 ○표
2 $2\frac{1}{4}$에 ○표

28쪽
01 $\frac{1}{5}$　05 $\frac{2}{9}$
02 $\frac{2}{5}$　06 $\frac{5}{6}$
03 $\frac{4}{5}$　07 $\frac{1}{3}$
04 $\frac{1}{2}$　08 $\frac{1}{2}$

29쪽
09 2　13 3
10 4　14 9
11 8　15 12
12 12　16 18

30쪽
17 $\frac{5}{4}$　21 $1\frac{3}{8}$
18 $\frac{17}{5}$　22 $3\frac{3}{4}$
19 $\frac{32}{7}$　23 $3\frac{1}{7}$
20 $\frac{23}{6}$　24 $2\frac{7}{9}$

31쪽
25 $>$　29 $>$
26 $<$　30 $>$
27 $<$　31 $<$
28 $>$　32 $>$

32쪽
1 가에 ○표

33쪽
1 3리터에 ○표
2 3 L 650 mL에 ○표

정답

34쪽
1 700 mL에 ○표
2 1000 mL에 ○표

35쪽
1 나에 ○표

36쪽
1 3그램에 ○표
2 1000 kg에 ○표

37쪽
1 1 kg에 ○표
2 200 g에 ○표

38쪽
01 3, 500
02 2, 300
03 6, 200
04 5, 50
05 8100
06 7400
07 3900
08 6850

39쪽
09 4 L 800 mL
10 5 L 700 mL
11 10 L 500 mL
12 8 L 200 mL
13 3 L 400 mL
14 1 L 300 mL
15 3 L 800 mL
16 2 L 400 mL

40쪽
17 1, 200
18 6, 400
19 7, 500
20 3, 150
21 1700
22 3400
23 4500
24 6750

41쪽
25 5 kg 700 g
26 3 kg 800 g
27 6 kg 400 g
28 9 kg 300 g
29 2 kg 400 g
30 3 kg 400 g
31 2 kg 600 g
32 1 kg 600 g

42쪽
1 ○ 2 ×

43쪽
1 1번에 ○표 2 2가지에 ○표

44쪽
01 10명
02 1명
03 떡볶이
04 100상자
05 10상자
06 300상자

45쪽

07

동물	학생 수
강아지	□△△△△△△△△
고양이	□△△△△△△
토끼	△△△△△△△

□10명
△1명

08

동물	학생 수
강아지	□○△△△
고양이	□○△
토끼	○△△

□10명
○5명
△1명

09

반	학생 수
1반	◎◎○○○○○
2반	◎◎○○○○○○
3반	◎○○○○○○○

◎10명
○1명

10

반	학생 수
1반	◎◎□
2반	◎◎□○
3반	◎□○○

◎10명
□5명
○1명

핵심개념
유형연습
탄탄하게!

수학
전략

꿈을 위한 동행

축구 선수, 래퍼, 선생님, 요리사, ...
배움을 통해 아이들은 꿈을 꿉니다.

학교에서 공부하고, 뛰어놀고 싶은 마음을
잠시 미뤄 둔 친구들이 있습니다.
어린이 병동에 입원해 있는 아이들.

이 아이들도 똑같이 공부하고
맘껏 꿈 꿀 수 있어야 합니다.
천재교육 학습봉사단은
직접 병원으로 찾아가
같이 공부하고 얘기를 나눕니다.

함께 하는 시간이
아이들이 꿈을 키우는 밑바탕이 되길 바라며
천재교육은 앞으로도
나눔을 실천하며 세상과 소통하겠습니다.

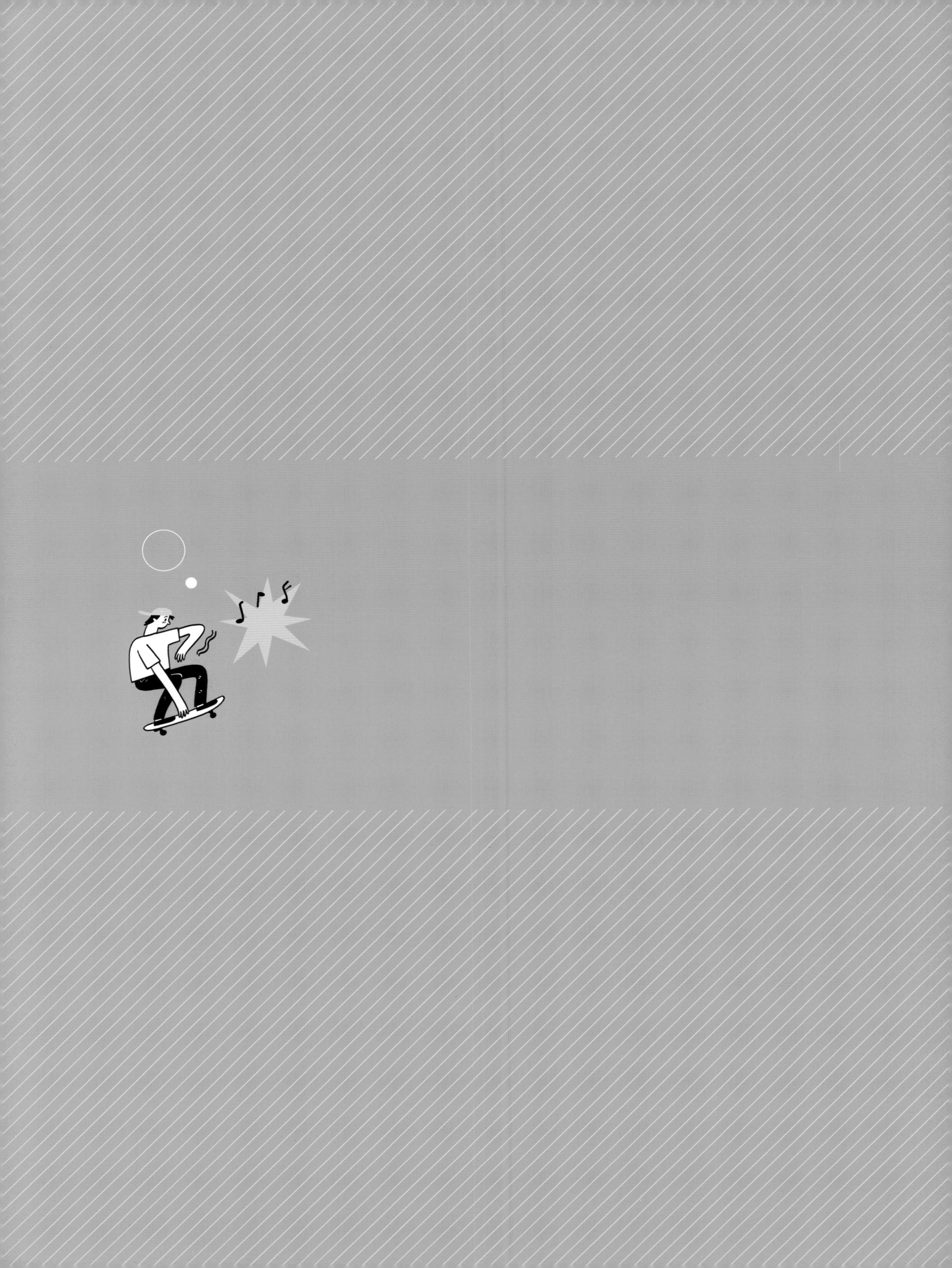

초등생의 필수 학습!
탄탄하게 다져두자!

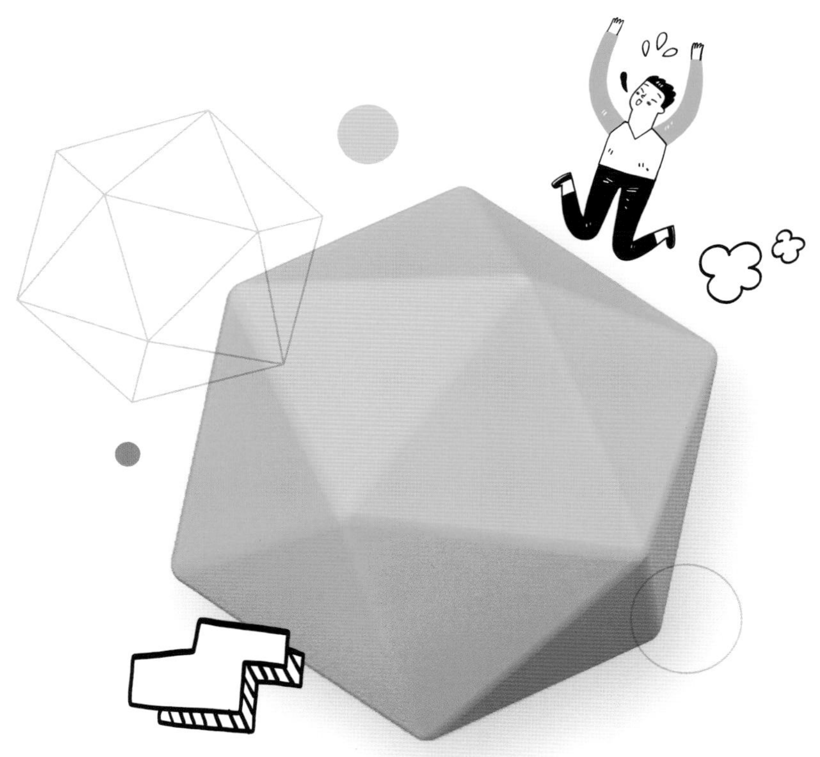

초등 **수학**

정답 및 풀이

3·2

천재교육

모르는 문제는
확실하게
알고 가자!

정답 및 풀이

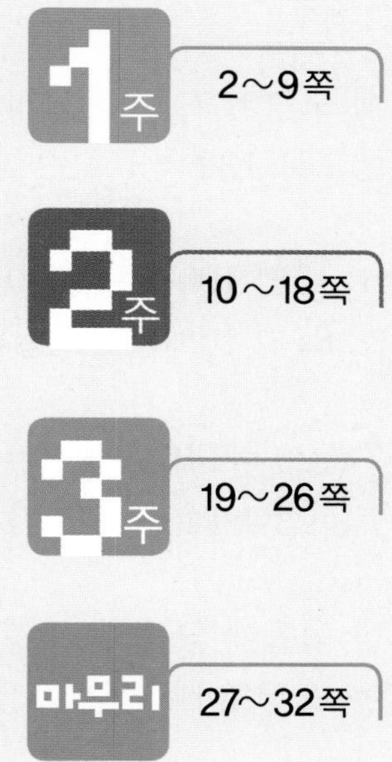

초등 수학 3-2

정답 및 풀이

1주 01일

개념 돌파 전략❶ 개념 기초 확인 9, 11쪽

1-1 648
1-2 396
2-1 (1) 35 (2) 129
2-2 (1) 1500 (2) 810
3-1 100, 20 ; 120
3-2 140, 21 ; 161
4-1 2, 20
4-2 3, 30
5-1 12
5-2 21
6-1 1, 1, 4
6-2 1, 2, 9

1-2 백 모형이 3개, 십 모형이 9개, 일 모형이 6개이므로 $132\times3=396$입니다.

2-2 (1) 15의 100배는 1500입니다.
(2) 81의 10배는 810입니다.

3-2 $7\times20=140$, $7\times3=21$이므로 $7\times23=140+21=161$입니다.

4-2 한 묶음에 있는 십 모형의 수는 3개입니다.
$9\div3=3$이므로 $90\div3=3$입니다.

5-2 한 묶음에 있는 십 모형의 수는 2개이고 일 모형의 수는 1개입니다.
⇨ $63\div3=21$

6-2 $3\times1=3$이므로 $3-3=0$,
$3\times2=6$이므로 $8-6=2$,
$3\times9=27$이므로 $27-27=0$입니다.

개념 돌파 전략❷ 12~13쪽

1
$$\begin{array}{r} {}^{1\ 2} \\ 237 \\ \times\ \ 4 \\ \hline 948 \end{array}$$

2 $4\times70=$ 280, $4\times9=$ 36 → 280 + 36 = 316

3
$$\begin{array}{r} 53 \\ \times\ 78 \\ \hline 424 \\ 3710 \\ \hline 4134 \end{array}$$
424 ⋯ 53× 8
3710 ⋯ 53× 70
4134 ⋯ 424 + 3710

4 (○)(○)
(   )(   )

5
$$\begin{array}{r} 178 \\ 4\overline{)715} \\ 4 \\ \hline 31 \\ 28 \\ \hline 35 \\ 32 \\ \hline 3 \end{array}$$
4 ← 4× 1
28 ← 4× 7
32 ← 4× 8

6 (1) 7, 6, 7, 56, 56, 6, 62
(2) 14, 3, 14, 70, 70, 3, 73

1 올림한 수를 더하지 않았습니다.

2 $4+70=280$, $4\times9=36$
⇨ $280+36=316$

3 $53\times8=424$, $53\times70=3710$
⇨ $424+3710=4134$

4 나머지가 6이 되려면 나누는 수는 6보다 큰 수이어야 합니다.

5 $4\times1=4$이므로 $7-4=3$,
$4\times7=28$이므로 $31-28=3$,
$4\times8=32$이므로 $35-32=3$입니다.

6 나누는 수와 몫의 곱에 나머지를 더하면 나누어지는 수가 되어야 합니다.

필수 체크 전략❶ 14~17쪽

필수 예제 01 (1) 874 (2) 2622
확인 1-1 6734
확인 1-2 5700
필수 예제 02 (1) 457 (2) 2285
확인 2-1 2334
확인 2-2 4872
필수 예제 03 12 cm
확인 3-1 23 cm
확인 3-2 14 cm
필수 예제 04 15 m
확인 4-1 13 m
확인 4-2 14 m

확인 1-1 수 카드의 수 6, 2, 9를 큰 수부터 차례로 쓰면 $9>6>2$이므로 만든 가장 큰 세 자리 수는 962입니다.
만든 가장 큰 세 자리 수와 7의 곱은 $962\times7=6734$입니다.

확인 1-2 수 카드의 수 9, 0, 5를 큰 수부터 차례로 쓰면 $9>5>0$이므로 만든 가장 큰 세 자리 수는 950입니다.
만든 가장 큰 세 자리 수와 6의 곱은 $950\times6=5700$입니다.

확인 2-1 수 카드의 수 9, 8, 3을 작은 수부터 차례로 쓰면 $3<8<9$이므로 만든 가장 작은 세 자리 수는 389입니다.
만든 가장 작은 세 자리 수와 6의 곱은 $389\times6=2334$입니다.

확인 2-2 수 카드의 수 9, 6, 0을 작은 수부터 차례로 쓰면 $0<6<9$이므로 069이지만 세 자리 수의 백의 자리에 0이 올 수 없습니다.
069의 백과 십의 자리 숫자를 바꾼 609가 만든 가장 작은 세 자리 수입니다.
만든 가장 작은 세 자리 수와 8의 곱은 $609\times8=4872$입니다.

확인 3-1 정사각형은 네 변의 길이가 모두 같으므로 네 변의 길이의 합은 한 변의 길이의 4배입니다.
⇨ (한 변의 길이)
=(네 변의 길이의 합)÷4
=$92\div4=23$ (cm)

확인 3-2 여섯 변의 길이가 모두 같으므로 여섯 변의 길이의 합은 한 변의 길이의 6배입니다.
⇨ (한 변의 길이)
=(여섯 변의 길이의 합)÷6
=$84\div6=14$ (cm)

확인 4-1 (가로등 사이의 간격 수)
=$8-1=7$(군데)이므로
(가로등 사이의 간격)
=$91\div7=13$ (m)입니다.

확인 4-2 (가로등 사이의 간격 수)
=$10-1=9$(군데)이므로
(가로등 사이의 간격)
=$126\div9=14$ (m)입니다.

필수 체크 전략 ❷ 18~19쪽

1

$$\begin{array}{r} {}^{2} \\ 5\ 8\ 2 \\ \times\ \ 3 \\ \hline 1\ 7\ 4\ 6 \end{array}$$

2 1340

3 7

4 6, 7에 ○표

5 5개

6 1, 4, 7

1 $8\times3=24$ ⇨ 20을 백의 자리로 올림합니다. 백의 자리 계산을 할 때 올림한 수를 같이 더해 줍니다.

2 어떤 수를 □라 하면 잘못 계산한 식은 □$+5=273$입니다. 덧셈과 뺄셈의 관계를 이용하면 $273-5=$□, □$=268$입니다. 따라서 바르게 계산한 값을 구하는 식은 □$\times5$이므로 $268\times5=1340$입니다.

3 일의 자리 계산: $4\times2=8$
십의 자리 계산: $9\times2=18$ ⇨ 10을 백의 자리로 올림합니다.
백의 자리 계산: 올림한 수 1이 있으므로
□$\times2=15-1$입니다.
□$\times2=14$, $14\div2=$□, □$=7$

4 나머지는 나누는 수인 6보다 항상 작아야 합니다. 따라서 나머지가 될 수 없는 수는 6, 7입니다.

5 $327\div7=46\cdots5$이므로 남는 배는 5개입니다.

6

$$\begin{array}{r} 2\ \triangle \\ 3\overline{)\,8\ \square} \\ 6 \\ \hline 2\ \square \\ 2\ \square \\ \hline 0 \end{array}$$

⇨ $3\times\triangle=2$□이어야 합니다.
$3\times7=21$, $3\times8=24$,
$3\times9=27$이므로 △가 7, 8, 9일 때 □ 안에 들어갈 수 있는 수는 1, 4, 7입니다.

필수 체크 전략 ❶ 20~23쪽

필수 예제 01 3794
확인 1-1 3448
확인 1-2 2037
필수 예제 02 888
확인 2-1 3002
확인 2-2 5460
필수 예제 03 ④
확인 3-1 65
확인 3-2 407
필수 예제 04 ②
확인 4-1 27일
확인 4-2 28일

확인 1-1 $8>4>3>1$이므로 한 자리 수에 가장 큰 수인 8을 놓고 남은 수로 가장 큰 세 자리 수를 만들면 431입니다.
⇨ $431\times8=3448$

확인 1-2 $3<6<7<9$이므로 한 자리 수에 가장 작은 수인 3을 놓고 남은 수로 가장 작은 세 자리 수를 만들면 679입니다.
⇨ $679\times3=2037$

확인 2-1 $3<7<8<9$이므로 곱해지는 수의 십의 자리에 가장 작은 수인 3을 놓고 일의 자리에 둘째로 큰 수인 8을 놓습니다. 곱하는 수의 십의 자리에 둘째로 작은 수인 7을 놓고 일의 자리에 가장 큰 수인 9를 놓습니다.
⇨ $38\times79=3002$

확인 2-2 $8>6>5>4$이므로 곱해지는 수의 십의 자리에 가장 큰 수인 8을 놓고 일의 자리에 가장 작은 수인 4를 놓습니다.
곱하는 수의 십의 자리에 둘째로 큰 수인 6을 놓고 일의 자리에 둘째로 작은 수인 5를 놓습니다.
⇨ $84\times65=5460$

확인 3-1 어떤 수를 □라 하면 □$\div4=16\cdots1$입니다.
확인 $4\times16=64$
⇨ $64+1=$□, □$=65$
따라서 어떤 수는 65입니다.

확인 3-2 어떤 수를 □라 하면 □$\div3=135\cdots2$입니다.
확인 $3\times135=405$
⇨ $405+2=$□, □$=407$
따라서 어떤 수는 407입니다.

확인 4-1 $240\div9=26\cdots6$이므로 하루에 9쪽씩 읽으면 26일이 걸리고 6쪽이 남습니다.
남는 6쪽도 읽어야 하므로 과학책을 모두 읽는 데 최소한 $26+1=27$(일)이 걸립니다.

확인 4-2 $220\div8=27\cdots4$이므로 하루에 8쪽씩 읽으면 27일이 걸리고 4쪽이 남습니다.
남는 4쪽도 읽어야 하므로 동화책을 모두 읽는 데 최소한 $27+1=28$(일)이 걸립니다.

필수 체크 전략 ❷ 24~25쪽

1 1730	**2** 21
3 4042	**4** 2개
5 97	**6** 68

1 $8>6>5>2$이므로 만든 가장 큰 세 자리 수는 865이고 남은 수는 2입니다.
⇨ $865\times2=1730$

2 $27\times18=486$이므로 $70\times$□<486입니다.
$70\times6=420$, $70\times7=490$이므로 □ 안에 들어갈 수 있는 수는 1, 2, 3, 4, 5, 6입니다.
⇨ $1+2+3+4+5+6=21$

3 어떤 수를 □라 하면 잘못 계산한 식은 □$-47=39$입니다.
덧셈과 뺄셈의 관계를 이용하면
$47+39=$□, □$=86$입니다.
따라서 바르게 계산한 값을 구하는 식은
□$\times47$이므로 $86\times47=4042$입니다.

4 $100\div6=16\cdots4$이므로 6봉지에 똑같이 나누어 담으면 한 봉지에 오렌지를 16개씩 담고 남는 오렌지는 4개입니다.
따라서 더 필요한 최소한의 오렌지는
$6-4=2$(개)입니다.

5 두 자리 수는 10부터 99까지이므로
$10\div5=2$, $99\div5=19\cdots4$입니다.
□$\div5=\triangle\cdots2$에서 가장 큰 두 자리 수 □는 $\triangle=19$일 때이므로
나눗셈을 맞게 계산했는지 확인하면
□$\div5=19\cdots2$ ⇨ $5\times19=95$, $95+2=$□,
□$=97$입니다.

6 어떤 수를 □라 하면 잘못 계산한 식은 □$\div7=38\cdots3$입니다.
나눗셈을 맞게 계산했는지 확인하면
$7\times38=266$, $266+3=$□, □$=269$입니다.
따라서 바르게 계산한 값을 구하는 식은
□$\div4$이므로 $269\div4=67\cdots1$입니다.
⇨ $67+1=68$

정답 및 풀이

1주 04일

교과서 대표 전략❶ 26~29쪽

대표 예제 01 3, 30
대표 예제 02 969
대표 예제 03 2387
대표 예제 04 690개
대표 예제 05 >
대표 예제 06 8, 360, 3600
대표 예제 07 245원
대표 예제 08

$$\begin{array}{r} \boxed{7} \\ \times\ \boxed{4}\boxed{3} \\ \hline 3\ 0\ 1 \end{array}$$

대표 예제 09 ㉡
대표 예제 10 8
대표 예제 11 42일
대표 예제 12 28
대표 예제 13 76 cm
대표 예제 14 6
대표 예제 15 28
대표 예제 16 23

대표 예제 01 ㉠에 알맞은 숫자는 3이고 십의 자리로 올림한 수이므로 실제로 30을 나타냅니다.

대표 예제 02 백 모형이 3개이면 300, 십 모형이 2개이면 20, 일 모형이 3개이면 3이므로 323을 나타냅니다.
⇨ $323\times3=969$

대표 예제 03 7, 25, 341을 큰 수부터 차례로 쓰면 341, 25, 7이므로 가장 큰 수는 341이고 가장 작은 수는 7입니다.
⇨ $341\times7=2387$

대표 예제 04 $138\times5=690$(개)

대표 예제 05 $478\times6=2868$, $36\times79=2844$
⇨ $2868>2844$

대표 예제 06 $45\times80=45\times8\times10$
$=360\times10$
$=3600$

대표 예제 07 파키스탄 돈 35루피
=(파키스탄 돈 1루피)×35
=(우리나라 돈 7원)×35
=우리나라 돈 245원

대표 예제 08 $7>4>3$이므로 한 자리 수에 가장 큰 수인 7을 놓고 남은 수로 가장 큰 두 자리 수인 43을 만듭니다.
⇨ $7\times43=301$

대표 예제 09 나머지는 나누는 수보다 항상 작습니다.
⇨ ㉡ 나누는 수가 6이므로 나머지는 6보다 작습니다.

대표 예제 10 나누는 수가 9이므로 나머지가 될 수 있는 수는 0, 1, 2, 3, 4, 5, 6, 7, 8입니다.
따라서 나머지 중 가장 큰 수는 8입니다.

대표 예제 11 $210\div5=42$이므로 하루에 5쪽씩 읽으면 42일이 걸립니다.

대표 예제 12 $8>5>3$이므로 가장 작은 한 자리 수는 3이고 남은 두 수인 8과 5로 만든 가장 큰 두 자리 수는 85입니다.
⇨ $85\div3=28\cdots1$

대표 **예제 13** (한 변의 길이)
$=$(모든 변의 길이의 합)$\div 6$
$=456 \div 6=76$ (cm)

대표 **예제 14** $4<6<7$이므로 가장 큰 한 자리 수는 7이고 남은 두 수인 4와 6으로 만든 가장 작은 두 자리 수는 46입니다.
⇨ $46 \div 7=6 \cdots 4$

대표 **예제 15** 나머지가 될 수 있는 수 중 가장 큰 수가 7이므로 나머지가 될 수 있는 수는 0, 1, 2, 3, 4, 5, 6, 7입니다.
따라서 나머지가 될 수 있는 수를 모두 더하면
$0+1+2+3+4+5+6+7=28$
입니다.

대표 **예제 16** Ⅸ → 9, Ⅴ → 5이므로 만든 가장 큰 두 자리 수는 95입니다.
⇨ $95 \div 4=23 \cdots 3$

교과서 **대표 전략 ❷** 30~31쪽

1 6528	**2** 316
3 23	**4** 3080
5 19	**6** 3
7 291	**8** 29

1 77, 68, 96, 83을 큰 수부터 차례로 쓰면 96, 83, 77, 68이므로 가장 큰 수는 96이고 가장 작은 수는 68입니다.
⇨ $96 \times 68=6528$

2 $4<7<9$이므로 한 자리 수에 가장 작은 수인 4를 놓고 남은 수로 가장 작은 두 자리 수인 79를 만듭니다.
⇨ $4 \times 79=316$

3 $26 \times 20=520$, $26 \times 21=546$,
$26 \times 22=572$, $26 \times 23=598$,
$26 \times 24=624$……이므로 □ 안에 들어갈 수 있는 수는 1, 2 …… 22, 23입니다.
따라서 □ 안에 들어갈 수 있는 수 중 가장 큰 수는 23입니다.

4 어떤 수를 □라 하면 잘못 계산한 식은
$77-\square=37$입니다.
덧셈과 뺄셈의 관계를 이용하면
$\square+37=77$, $77-37=\square$, $\square=40$입니다.
따라서 바르게 계산한 값을 구하는 식은
$77 \times \square$이므로 $77 \times 40=3080$입니다.

5 $9>8>6>5$이므로 가장 작은 한 자리 수는 5이고 남은 수인 $9>8>6$으로 만든 가장 큰 두 자리 수는 98입니다.
⇨ $98 \div 5=19 \cdots 3$

6 $2<4<5<7$이므로 가장 큰 한 자리 수는 7이고 남은 수인 $2<4<5$로 만든 가장 작은 두 자리 수는 24입니다.
⇨ $24 \div 7=3 \cdots 3$

7 $8>7>4>3$이므로 가장 작은 한 자리 수는 3이고 남은 수인 $8>7>4$로 만든 가장 큰 세 자리 수는 874입니다.
⇨ $874 \div 3=291 \cdots 1$

8 $2<6<7<9$이므로 가장 큰 한 자리 수는 9이고 남은 수인 $2<6<7$로 만든 가장 작은 세 자리 수는 267입니다.
⇨ $267 \div 9=29 \cdots 6$

누구나 만점 전략 32~33쪽

01 (1) 4428 (2) 5963
02 3627
03 1060 cm
04 ㉠
05 852개
06 (선 잇기)
07 ( )(○)( )
08 ㉢
09 87…3 ; 87, 609, 609, 3, 612
10 173

01 (1)
$$\begin{array}{r} 738 \\ \times \quad 6 \\ \hline 4428 \end{array}$$
(2)
$$\begin{array}{r} 67 \\ \times \ 89 \\ \hline 603 \\ 5360 \\ \hline 5963 \end{array}$$

02 $39\times93=3627$

03 네 변의 길이가 같으므로 네 변의 길이의 합은 한 변의 길이의 4배입니다.
⇨ $265\times4=1060$ (cm)

04 ㉠ $86\times45=3870$
㉡ $548\times7=3836$
⇨ $3870>3836$이므로 계산 결과가 더 큰 것은 ㉠입니다.

05 사과: $23\times30=690$(개),
배: $9\times18=162$(개)
⇨ $690+162=852$(개)

06
$$\begin{array}{r} 14 \\ 5\overline{)70} \\ 5 \\ \hline 20 \\ 20 \\ \hline 0 \end{array} \qquad \begin{array}{r} 12 \\ 8\overline{)96} \\ 8 \\ \hline 16 \\ 16 \\ \hline 0 \end{array}$$

07 $90\div4=22\cdots2$, $85\div7=12\cdots1$,
$71\div6=11\cdots5$
⇨ $1<2<5$

08 ㉠ $65\div5=13$
㉡ $76\div4=19$
㉢ $88\div6=14\cdots4$
따라서 나누어떨어지지 않는 나눗셈은 ㉢입니다.

09 $612\div7=87\cdots3$
$7\times87=609$ ⇨ $609+3=612$

10 어떤 수를 □라 하면 □$\div6=28\cdots$△입니다.
△$=5$일 때 가장 큰 수이므로
□$\div6=28\cdots5$입니다.
$6\times28=168$, $168+5=$□,
□$=173$입니다.

창의·융합·코딩 전략❶ 34~35쪽

1 954개
2 7줄

1 $318\times3=954$(개)

2 $19\div4=4\cdots3$
4명이 꼬마 김밥 4줄씩 먹고 3줄이 남습니다.
⇨ 선생님: $4+3=7$(줄)

창의·융합·코딩 전략 ❷ 36~39쪽

1 216	2 3230
3 4185	4 71
5 12 cm	6 13 cm
7 1028 ; 783 ; 948, 7, 6636	
8 토요일	

1 $8\times27=216$

2 빨간색 화살표: $17\times38=646$,
파란색 화살표: $646\times5=3230$

3 사각형의 꼭짓점 수는 4개이므로 백의 자리 숫자는 4, 육각형의 꼭짓점 수는 6개이므로 십의 자리 숫자는 6, 오각형의 꼭짓점 수는 5개이므로 일의 자리 숫자는 5입니다.
따라서 만든 세 자리 수는 465입니다.
⇨ $465\times9=4185$

4 $500\div7=71\cdots3$이므로 몫이 71입니다.
몫이 70보다 크므로 몫인 71이 화면에 보입니다.

5 굵은 선으로 표시된 부분의 길이는 정사각형의 한 변의 길이의 8배입니다.
⇨ (한 변의 길이)$=96\div8=12$ (cm)

6 (정사각형 1개를 만들 때 사용한 색 테이프의 길이)=(색 테이프의 전체 길이)÷(만든 정사각형의 수)이므로 $312\div6=52$ (cm)입니다.
(정사각형 1개의 네 변의 길이의 합)=(정사각형 1개를 만들 때 사용한 색 테이프의 길이), 정사각형은 네 변의 길이가 모두 같고 (정사각형 1개의 네 변의 길이의 합)=(한 변의 길이)×4이므로
(한 변의 길이)=(네 변의 길이의 합)÷4입니다. ⇨ $52\div4=13$ (cm)

7 바깥에 있는 세 수를 시계 방향으로 차례로 읽어 세 자리 수를 만들고 만든 세 자리 수와 가운데 수를 곱하는 규칙입니다.
가장 오른쪽 그림에서 9부터 시계 방향으로 차례로 수를 읽으면 9-4-8이므로 만든 세 자리 수는 948입니다.
⇨ $948\times7=6636$

8 일주일마다 같은 요일이 반복되고 내년 2월은 28일까지 있으므로 내년 어린이날은 365일 후입니다.
⇨ $365\div7=52\cdots1$
따라서 365일은 52주와 1일이므로 내년 어린이날은 금요일보다 1일 뒤인 토요일입니다.

창의 · 융합 · 코딩 전략으로
스스로 해결하는 힘을 키워 보세요.

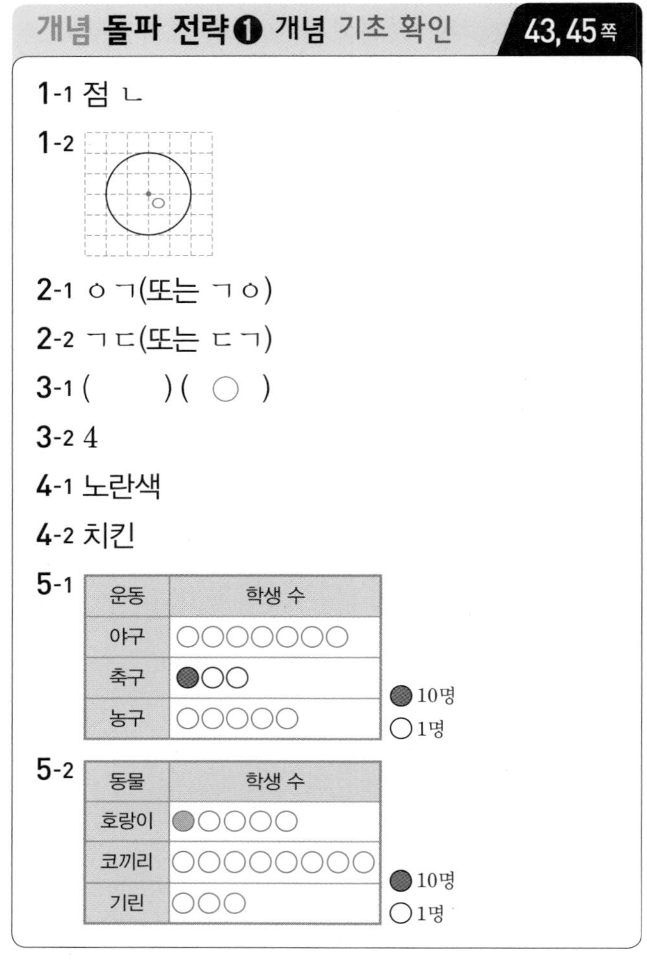

개념 돌파 전략❶ 개념 기초 확인 43, 45쪽

1-1 점 ㄴ

1-2 (그림)

2-1 ㅇㄱ(또는 ㄱㅇ)

2-2 ㄱㄷ(또는 ㄷㄱ)

3-1 (　　)(○)

3-2 4

4-1 노란색

4-2 치킨

5-1

운동	학생 수
야구	○○○○○○○
축구	●○○
농구	○○○○○

●10명 ○1명

5-2

동물	학생 수
호랑이	●○○○○
코끼리	○○○○○○○○
기린	○○○

●10명 ○1명

1-2 원의 가장 안쪽에 있는 점을 찾아 점 ㅇ으로 나타냅니다.

2-2 원 위의 두 점을 이은 선분 중 원의 중심을 지나는 선분을 지름이라고 합니다.

3-2 컴퍼스의 침이 눈금 0에 있을 때 연필의 끝이 눈금 4에 있으므로 4 cm가 되도록 벌린 것입니다.

4-2 작은 그림만 있는 것은 피자와 치킨이고 작은 그림의 수가 $6>5$이므로 가장 적은 학생이 좋아하는 간식은 치킨입니다.

5-2 호랑이: $14=10+4$ ⇨ ● 1개, ○ 4개
코끼리: 8 ⇨ ○ 8개
기린: 3 ⇨ ○ 3개

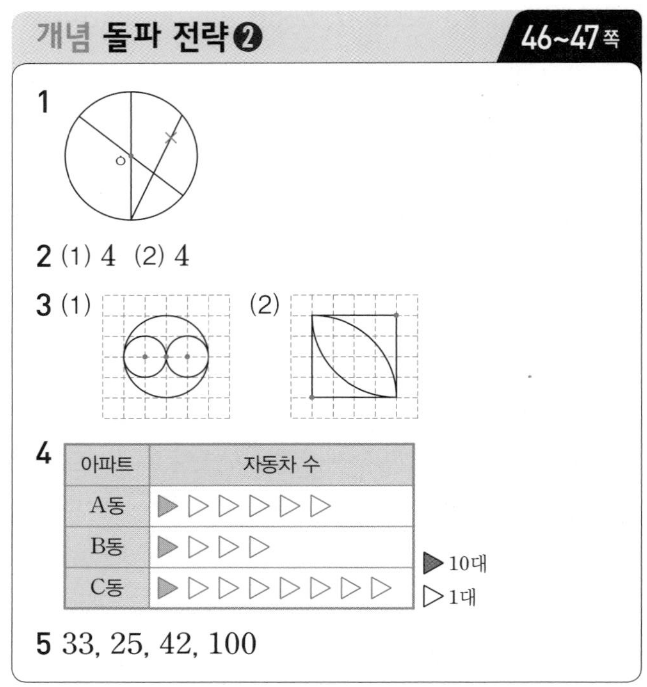

개념 돌파 전략❷ 46~47쪽

1 (그림)

2 (1) 4 (2) 4

3 (1) (그림) (2) (그림)

4

아파트	자동차 수
A동	▶▷▷▷▷▷
B동	▶▷▷▷
C동	▶▷▷▷▷▷▷▷

▶10대 ▷1대

5 33, 25, 42, 100

1 원 위의 두 점을 이은 선분 중 길이가 가장 긴 선분은 원의 중심을 지나도록 그어야 합니다.

2 (1) (원의 지름)$=$(원의 반지름)$\times 2$
$=2\times 2=4$ (cm)
(2) (원의 반지름)$=$(원의 지름)$\div 2$
$=8\div 2=4$ (cm)

3 (1) 원을 3개 그려야 하므로 원의 중심 3곳에 컴퍼스의 침을 꽂습니다.
(2) 원 2개의 일부분을 그려야 하므로 정사각형의 꼭짓점 2곳에 컴퍼스의 침을 꽂습니다.

4 ♡의 수는 A동이 15개이므로 ▶ 1개와 ▷ 5개, B동이 13개이므로 ▶ 1개와 ▷ 3개, C동이 17개이므로 ▶ 1개와 ▷ 7개를 그립니다.

5 1반은 ◎ 3개와 ○ 3개이므로 33권,
2반은 ◎ 2개와 ○ 5개이므로 25권,
3반은 ◎ 4개와 ○ 2개이므로 42권입니다.
합계는 33+25+42=100입니다.

필수 체크 전략❶ 48~51쪽

필수 예제 01 ㉠
확인 1-1 ㉡
확인 1-2 ㉡
필수 예제 02 20 cm
확인 2-1 14 cm
확인 2-2 24 cm
필수 예제 03 (1) 봄 (2) 여름
확인 3-1 (1) 6, 8, 7, 4, 25 (2) 치킨, 피자
필수 예제 04 거문고
확인 4-1 (1)

종류	빵의 수
식빵	●●●○○○○
도넛	●○○○○
피자빵	●●●●○○○○○
팥빵	●●○○○○○○○

● 10개
○ 1개

(2) 피자빵

확인 1-1 ㉠ 지름이 23 cm인 원
㉡ 지름이 12×2=24 (cm)인 원
㉢ 지름이 22 cm인 원입니다.
따라서 지름이 긴 것부터 쓰면
24>23>22이므로 가장 큰 원은 ㉡입니다.

확인 1-2 ㉠ 지름이 17×2=34 (cm)인 원
㉡ 지름이 36 cm인 원
㉢ 지름이 15×2=30 (cm)인 원입니다.
따라서 지름이 긴 것부터 쓰면
36>34>30이므로 가장 큰 원은 ㉡입니다.

확인 2-1 (작은 원의 지름)=3×2=6 (cm),
(큰 원의 지름)=4×2=8 (cm)입니다.
⇨ (선분 ㄱㄴ의 길이)
=(작은 원의 지름)+(큰 원의 지름)
=6+8=14 (cm)

확인 2-2 (큰 원의 지름)=7×2=14 (cm),
(작은 원의 지름)=5×2=10 (cm)입니다.
⇨ (선분 ㄱㄴ의 길이)
=(큰 원의 지름)+(작은 원의 지름)
=14+10=24 (cm)

확인 3-1 (1) ●의 수를 세어 표에 씁니다.
(2) 8>7>6>4이므로 가장 많은 학생이 먹고 싶은 음식은 치킨이고 가장 적은 학생이 먹고 싶은 음식은 피자입니다.

확인 4-1 (2) 식빵: 3개, 도넛: 1개, 피자빵: 4개, 팥빵: 2개
따라서 4>3>2>1이므로 ●의 수가 가장 많은 빵은 피자빵입니다.

필수 체크 전략❷ 52~53쪽

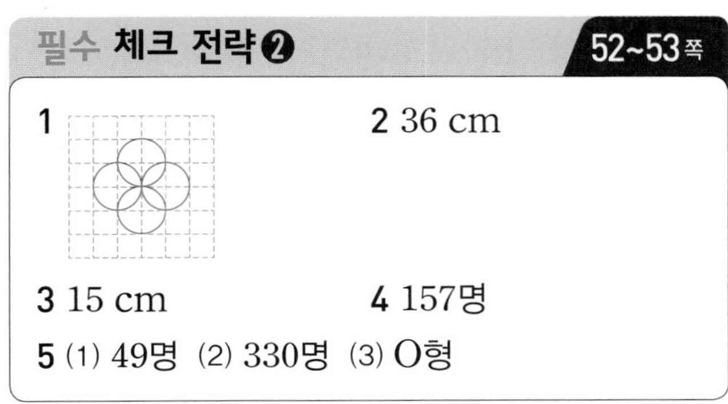

1

2 36 cm

3 15 cm

4 157명

5 (1) 49명 (2) 330명 (3) O형

1 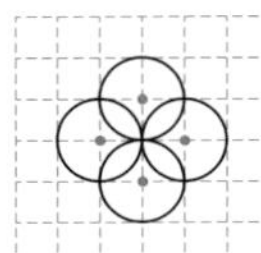 원의 중심을 4군데 찾고 각 원의 중심에서 원의 반지름은 모눈 1칸이 되도록 그립니다.

2 가장 왼쪽 원부터 지름을 구하면
(둘째로 큰 원의 지름) $= 6 \times 2 = 12$ (cm),
(가장 작은 원의 지름) $= 4 \times 2 = 8$ (cm),
(가장 큰 원의 지름) $= 8 \times 2 = 16$ (cm)입니다.
⇨ (선분 ㄱㄴ의 길이)
= (둘째로 큰 원의 지름) + (가장 작은 원의 지름) + (가장 큰 원의 지름)
$= 12 + 8 + 16 = 36$ (cm)

3 삼각형 ㄱㄴㄷ의 각 변의 길이는 모두 원의 반지름과 같으므로 삼각형 ㄱㄴㄷ의 세 변의 길이의 합은 원의 반지름의 3배입니다.
⇨ (원의 반지름) = (세 변의 길이의 합) ÷ 3
$= 45 \div 3 = 15$ (cm)

4 세종대왕: ● 5개와 ○ 3개 ⇨ 53명,
이순신: ● 2개와 ○ 6개 ⇨ 26명,
신사임당: ● 3개와 ○ 7개 ⇨ 37명,
안중근: ● 1개와 ○ 2개 ⇨ 12명,
김구: ● 2개와 ○ 9개 ⇨ 29명
⇨ (조사한 학생 수) $= 53 + 26 + 37 + 12 + 29$
$= 157$(명)

5 (1) (O형인 남학생 수)
$= 170 - 58 - 26 - 37 = 49$(명)
(2) $170 + 160 = 330$(명)
(3) A형: $58 + 15 = 73$(명),
B형: $26 + 63 = 89$(명),
O형: $49 + 44 = 93$(명),
AB형: $37 + 38 = 75$(명)
⇨ $93 > 89 > 75 > 73$이므로 가장 많은 학생의 혈액형은 O형입니다.

필수 체크 전략 ❶ 54~57쪽

필수 예제 01 24 cm
확인 1-1 27 cm
확인 1-2 84 cm
필수 예제 02 30 cm
확인 2-1 16 cm
확인 2-2 64 cm
필수 예제 03 B동
확인 3-1 (1)

종류	만두의 수
김치만두	●●○○○○○○○
고기만두	●○○○○○○○○○
왕만두	●●●○○○○

● 10판 ○ 1판

(2)

종류	만두의 수
김치만두	●●◎○○
고기만두	●◎○○○○
왕만두	●●●○○○○

● 10판 ◎ 5판 ○ 1판

(3) 김치만두

필수 예제 04 호박
확인 4-1 (1) 51, 16 ;

장래 희망	학생 수
유튜버	■■■■■□
연예인	■■■■▣□□□
운동 선수	■▣□
선생님	■■□□□

■ 10명 ▣ 5명 □ 1명

(2) 연예인

확인 1-1 원의 수는 8개이므로 선분 ㄱㄴ의 길이는 원의 반지름의 9배입니다.
⇨ (선분 ㄱㄴ의 길이)
= (원의 반지름) × 9
$= 3 \times 9 = 27$ (cm)

확인 1-2 원의 수는 11개이므로 선분 ㄱㄴ의 길이는 원의 반지름의 12배입니다.

⇨ (선분 ㄱㄴ의 길이)
=(원의 반지름)×12
=7×12=84 (cm)

확인 2-1 정사각형의 각 변의 길이는 원의 지름의 2배와 같으므로 모든 변의 길이의 합은 원의 지름의 8배와 같습니다.
⇨ (모든 변의 길이의 합)
=(원의 지름)×8
=2×8=16 (cm)

확인 2-2 직사각형의 긴 변의 길이는 원의 지름의 3배와 같고 짧은 변의 길이는 원의 지름과 같으므로 모든 변의 길이의 합은 원의 지름의 8배와 같습니다.
⇨ (모든 변의 길이의 합)
=(원의 지름)×8
=8×8=64 (cm)

확인 3-1 (3) 김치만두: 2+1+2=5(개),
고기만두: 1+1+4=6(개),
왕만두: 3+0+4=7(개)
따라서 5<6<7이므로 김치만두입니다.

확인 4-1 (2) • 유튜버: ■ 5개, ▣ 0개, □ 1개
⇨ 5+0+1=6(개)
• 연예인: ■ 4개, ▣ 1개, □ 3개
⇨ 4+1+3=8(개)
• 운동 선수: ■ 1개, ▣ 1개, □ 1개
⇨ 1+1+1=3(개)
• 선생님: ■ 2개, ▣ 0개, □ 3개
⇨ 2+0+3=5(개)
따라서 8>6>5>3이므로 ■, ▣, □의 수의 합이 가장 큰 장래 희망은 연예인입니다.

필수 체크 전략 ❷ 58~59쪽

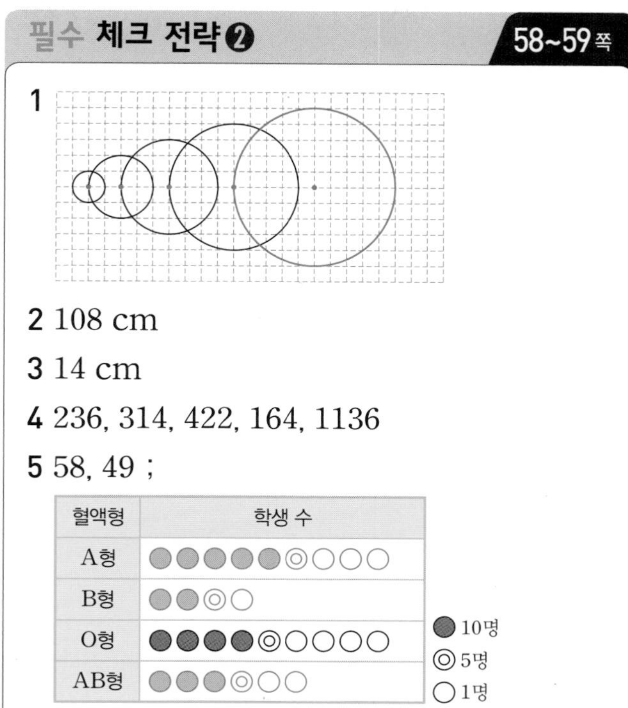

1

2 108 cm
3 14 cm
4 236, 314, 422, 164, 1136
5 58, 49 ;

혈액형	학생 수
A형	●●●●●◎○○○
B형	●●◎○
O형	●●●●◎○○○○
AB형	●●●◎○○

● 10명
◎ 5명
○ 1명

1 원의 중심은 오른쪽으로 모눈 2칸, 3칸, 4칸으로 1칸씩 늘어나면서 이동합니다.
원의 반지름은 모눈 1칸, 2칸, 3칸, 4칸으로 1칸씩 늘어납니다.

2 직사각형의 긴 변의 길이는 원의 반지름의 4배와 같고 짧은 변의 길이는 원의 반지름의 2배와 같으므로 모든 변의 길이의 합은 원의 반지름의 12배와 같습니다.
⇨ (모든 변의 길이의 합)
=(원의 반지름)×12
=9×12=108 (cm)

3 삼각형 ㄱㄴㄷ의 각 변의 길이는 모두 원의 반지름의 2배와 같으므로 삼각형 ㄱㄴㄷ의 세 변의 길이의 합은 원의 반지름의 6배입니다.
⇨ (원의 반지름)
=(세 변의 길이의 합)÷6
=84÷6=14 (cm)

4 • 내과: ✎ 2개, ✎ 3개, ✎ 6개 ⇨ 236명
• 치과: ✎ 3개, ✎ 1개, ✎ 4개 ⇨ 314명
• 안과: ✎ 4개, ✎ 2개, ✎ 2개 ⇨ 422명
• 외과: ✎ 1개, ✎ 6개, ✎ 4개 ⇨ 164명
합계: 236+314+422+164=1136(명)

5 • O형: ● 4개, ◎ 1개, ○ 4개 ⇨ 49명
(A형인 학생 수)=170−26−49−37
=58(명)
• A형: 58 ⇨ ● 5개, ◎ 1개, ○ 3개
• B형: 26 ⇨ ● 2개, ◎ 1개, ○ 1개
• AB형: 37 ⇨ ● 3개, ◎ 1개, ○ 2개

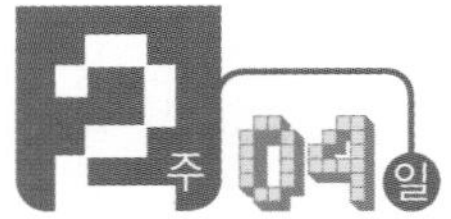

교과서 대표 전략❶ 60~63쪽

대표 예제 01 ( )(○)
대표 예제 02 30 cm
대표 예제 03 2 cm
대표 예제 04 3군데
대표 예제 05 1
대표 예제 06 36 cm
대표 예제 07 48 cm
대표 예제 08 38 cm
대표 예제 09 270상자
대표 예제 10 희망 과수원
대표 예제 11 27, 18, 23, 15, 83 ;

음식	판매량
김밥	▲▲△△△△△△△
어묵	▲△△△△△△△△
떡볶이	▲▲△△△
순대	▲△△△△△

▲10인분 △1인분

대표 예제 12 12, 13, 14, 11, 50
; 9, 12, 13, 15, 49
; 21, 25, 27, 26, 99

대표 예제 13 2610 ;

월	판매량
11월	◆◆◆◈◈◈◈◈◈◈◈ ◇◇◇◇◇◇◇◇◇
12월	◆◆◆◆◆◆◆◆◈◈◈◈ ◈◈◈◈◈◇◇◇◇◇◇◇
1월	◆◆◆◆◆◆◆◈◈◈◈◈ ◇◇◇◇◇◇
2월	◆◆◆◆◆◈◈◈◈◈◈ ◇◇◇◇◇◇◇◇

◆100상자 ◈10상자 ◇1상자

대표 예제 01 (원의 반지름)=(원의 지름)÷2이므로 (원의 반지름)=8÷2=4 (cm)입니다.
따라서 컴퍼스를 4 cm만큼 벌린 것을 찾으면 오른쪽입니다.

대표 예제 02 (원의 지름)=(원의 반지름)×2
=15×2
=30 (cm)

대표 예제 03 (원의 반지름)=(원의 지름)÷2이므로
(왼쪽 원의 반지름)=16÷2
=8 (cm),
(오른쪽 원의 반지름)=20÷2
=10 (cm)
입니다.
⇨ (반지름의 차)=10−8
=2 (cm)

대표 예제 04

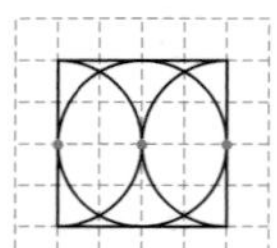

컴퍼스의 침을 꽂아야 할 곳은 모두 3군데입니다.

대표 예제 05 원의 중심은 1개로 이동하지 않고 한가운데로 그대로입니다.
원의 반지름은 모눈 1칸, 2칸, 3칸으로 모눈 1칸씩 늘어나면서 원을 그렸습니다.

대표 예제 06 선분 ㄱㄴ의 길이는 원의 반지름의 4배입니다.
⇨ (선분 ㄱㄴ의 길이)
=(원의 반지름)×4
=9×4=36 (cm)

대표 예제 07 큰 원의 반지름은 작은 원의 지름이므로 선분 ㄱㄴ의 길이는 큰 원의 지름입니다.
(큰 원의 반지름)
=(작은 원의 지름)
=(작은 원의 반지름)×2
=12×2=24 (cm)
⇨ (선분 ㄱㄴ의 길이)
=(큰 원의 지름)
=(큰 원의 반지름)×2
=24×2=48 (cm)

대표 예제 08 사각형 ㄱㄴㄷㄹ의 각 변의 길이는 모두 원의 반지름과 같으므로 사각형 ㄱㄴㄷㄹ의 네 변의 길이의 합은 원의 반지름의 4배입니다.
⇨ (원의 반지름)
=(네 변의 길이의 합)÷4
=152÷4=38 (cm)

대표 예제 09 (큰 그림 2개)=200상자,
(작은 그림 7개)=70상자
⇨ 200+70=270(상자)

대표 예제 10 큰 그림의 수는 사랑: 2개, 희망: 4개, 진리: 3개, 소망: 1개이므로 큰 수부터 차례로 쓰면 4>3>2>1입니다.
따라서 사과 생산량이 가장 많은 과수원은 희망 과수원입니다.

대표 예제 11 • ♥의 수를 세어 표의 빈칸에 써넣습니다.
• 김밥: 27=20+7
⇨ ▲ 2개와 △ 7개
어묵: 18=10+8
⇨ ▲ 1개와 △ 8개
떡볶이: 23=20+3
⇨ ▲ 2개와 △ 3개
순대: 15=10+5
⇨ ▲ 1개와 △ 5개

대표 예제 12 장소별로 ■의 수를 세어 표의 남학생 수에 써넣고 ●의 수를 세어 표의 여학생 수에 써넣습니다.
장소별로 ■의 수와 ●의 수의 합을 표의 학생 수에 써넣거나 표의 장소별로 남학생 수와 여학생 수의 합을 써넣습니다.

대표 예제 13 • 표의 합계에는 월별 굴 판매량의 합을 써넣습니다.
• 11월: 389=300+80+9
⇨ ◆ 3개, ◈ 8개, ◇ 9개
12월: 897=800+90+7
⇨ ◆ 8개, ◈ 9개, ◇ 7개
1월: 756=700+50+6
⇨ ◆ 7개, ◈ 5개, ◇ 6개
2월: 568=500+60+8
⇨ ◆ 5개, ◈ 6개, ◇ 8개

교과서 대표 전략 ❷ 64~65쪽

1 16 cm

2 36 cm

3

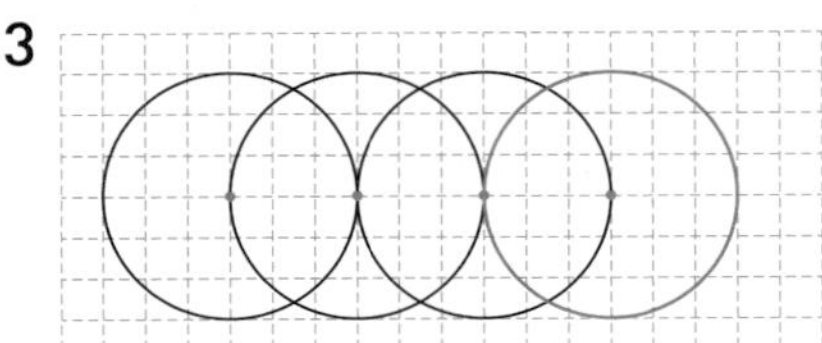

4 13 cm

5

음료수	학생 수
사이다	▽▽▽▽▽▽▽
콜라	▼▽▽▽▽▽▽
주스	▼▽▽▽▽▽
우유	▼▽▽

▼10명 ▽1명

6 16권

7

음식	학생 수
자장면	●●
짬뽕	●○○○○○○○
볶음밥	●○○○○○○○○○
탕수육	●●○○

●10명 ○1명

1 (변 ㄱㄴ의 길이)=3 cm,
(변 ㄴㄷ의 길이)=3 cm,
(변 ㄷㄹ의 길이)=5 cm,
(변 ㄹㄱ의 길이)=5 cm
⇨ (네 변의 길이의 합)
=3+3+5+5
=16 (cm)

2 (변 ㄱㄴ의 길이)=5+7=12 (cm),
(변 ㄴㄷ의 길이)=7+6=13 (cm),
(변 ㄷㄱ의 길이)=6+5=11 (cm)
⇨ (세 변의 길이의 합)
=12+13+11
=36 (cm)

3 원의 중심은 오른쪽으로 모눈 3칸씩 이동하였고 원의 반지름은 모눈 3칸으로 변하지 않았습니다.

4 사각형 ㄱㄴㄷㄹ의 각 변의 길이는 모두 원의 반지름의 2배와 같으므로 사각형 ㄱㄴㄷㄹ의 네 변의 길이의 합은 원의 반지름의 8배입니다.
⇨ (원의 반지름)=(네 변의 길이의 합)÷8
=104÷8=13 (cm)

5 • 사이다: ▽ 7개 ⇨ 7명
• 주스: ▼ 1개와 ▽ 5개 ⇨ 15명
• 우유: ▼ 1개와 ▽ 2개 ⇨ 12명
(콜라)=50−7−15−12=16(명)
⇨ ▼ 1개와 ▽ 6개

6 • 소설책: (100권) 3개, (10권) 4개, (1권) 5개
⇨ 345권
• 만화책: (100권) 3개, (10권) 6개, (1권) 1개
⇨ 361권
따라서 만화책은 소설책보다
361−345=16(권) 더 많이 팔렸습니다.

7 • 자장면: 9+3+8=20(명)
⇨ ● 2개와 ○ 0개
• 짬뽕: 4+7+6=17(명)
⇨ ● 1개와 ○ 7개
• 볶음밥: 6+5+8=19(명)
⇨ ● 1개와 ○ 9개
• 탕수육: 8+10+4=22(명)
⇨ ● 2개와 ○ 2개

누구나 만점 전략 66~67쪽

01 선분 ㄹㅂ(또는 선분 ㅂㄹ)

02 7 cm　　03 4개

04 6 cm　　05 15 cm

06 117권

07

이름	동화책 수
민재	■■□□□□□□
정린	■□□□□
상혁	■■■■□□
가은	■■■□□□□□

■ 10권 □ 1권

08 상혁, 가은, 민재, 정린

09 86, 53, 79, 97, 315

10

종류	물건의 수
바지	● ◎◎◎ ○○○○○○
가방	● ○○○
신발	● ◎◎ ○○○○○○○○○
화장품	● ◎◎◎◎ ○○○○○○○

●50개 ◎10개 ○1개

01 원 위의 두 점을 이은 선분 중 원의 중심을 지나는 선분을 찾습니다.

02 (원의 반지름)=(원의 지름)÷2
=14÷2=7 (cm)

03 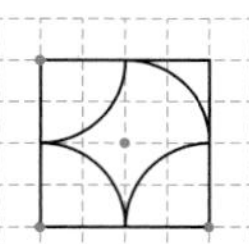
컴퍼스의 침을 꽂아야 할 곳을 찾으면 모두 4군데이므로 이용한 원의 중심은 모두 4개입니다.

04 컴퍼스를 3 cm만큼 벌렸으므로 원의 반지름은 3 cm입니다.
⇨ (원의 지름)=(원의 반지름)×2
=3×2=6 (cm)

05 선분 ㄱㄴ의 길이는 원의 반지름의 6배입니다.
⇨ (원의 반지름)=(선분 ㄱㄴ의 길이)÷6
=90÷6=15 (cm)

06 민재네 모둠 친구들이 읽은 동화책 수는 합계와 같으므로 모두 117권입니다.

07
- 민재: 26 ⇨ ■ 2개와 □ 6개
- 정린: 14 ⇨ ■ 1개와 □ 4개
- 상혁: 42 ⇨ ■ 4개와 □ 2개
- 가은: 35 ⇨ ■ 3개와 □ 5개

08 그림그래프에서 ■의 수가 큰 수부터 쓰면 4>3>2>1이므로 상혁, 가은, 민재, 정린입니다.

09
- 바지: ◎ 8개와 ○ 6개 ⇨ 86개
- 가방: ◎ 5개와 ○ 3개 ⇨ 53개
- 신발: ◎ 7개와 ○ 9개 ⇨ 79개
- 화장품: ◎ 9개와 ○ 7개 ⇨ 97개

(합계)=86+53+79+97=315(개)

10 ◎ 5개를 ● 1개로 바꾸어 그립니다.
- 바지: ● 1개, ◎ 3개, ○ 6개
- 가방: ● 1개, ◎ 0개, ○ 3개
- 신발: ● 1개, ◎ 2개, ○ 9개
- 화장품: ● 1개, ◎ 4개, ○ 7개

창의•융합•코딩 전략❶ 68~69쪽

1 4개　　2 100명, 10명

1 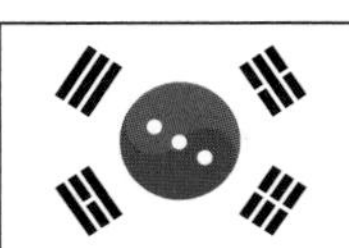 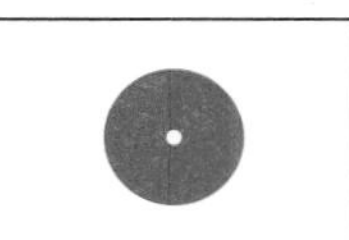
⇨ 3+1=4(개)

2 큰 그림 1개와 작은 그림 3개가 130명을 나타내므로 큰 그림 1개는 100명을 나타내고 작은 그림 1개는 10명을 나타냅니다.

창의•융합•코딩 전략 ❷ 70~73쪽

1 ㉠ 지름 ㉡ 중심 2 30 cm

3 49, 54, 38, 67 4 (1) 간장 (2) 양념

5 18 cm 6 65 cm

7

남학생 수	학년	여학생 수
○○◎◎◎◎◎	1학년	◎◎◎◎○○○○○○○
○○○○○○◎◎◎	2학년	◎◎◎◎◎○○○○○
○◎◎◎◎◎◎	3학년	◎○○○○○○○○
○○○○○○○○○◎◎◎	4학년	◎◎◎○○○○
○○○○○○○◎	5학년	◎◎◎○○○○○○○○
○○○○○○◎◎	6학년	◎◎○○○

◎ 10명
○ 1명

8 99, 91, 79, 73, 55, 49, 446

1 지름은 원 안에 그을 수 있는 가장 긴 선분으로 원을 똑같이 둘로 나눕니다.
원 안에 그은 선분 중 길이가 가장 긴 선분은 원의 중심을 지나므로 두 지름이 만나는 점은 원의 중심입니다.

2 (원의 반지름)$=64 \div 2=32$ (cm)
32 cm는 30 cm보다 길므로 30 cm가 출력됩니다.

3
- 삼겹살: 큰 그림 4개와 작은 그림 9개
⇨ 49건
- 불고기: 큰 그림 5개와 작은 그림 4개
⇨ 54건
- 김치찌개: 큰 그림 3개와 작은 그림 8개
⇨ 38건
- 비빔밥: 큰 그림 6개와 작은 그림 7개
⇨ 67건

4 ◆의 수를 비교하면 $2>1>0$이므로 ◆의 수가 2인 치킨은 간장 치킨과 바비큐 치킨입니다.
간장 치킨과 바비큐 치킨의 ◈의 수를 비교하면 $4>1$이므로 주문이 가장 많은 치킨은 간장 치킨입니다.
◆의 수가 0인 치킨은 양념 치킨이므로 주문이 가장 적은 치킨은 양념 치킨입니다.

5 페트리 접시 6개를 붙인 전체 길이 108 cm는 페트리 접시의 지름의 6배와 같습니다.
⇨ (페트리 접시의 지름)=(전체 길이)$\div 6$
$=108 \div 6=18$ (cm)

6 선분 ㄱㄴ의 길이는 작은 훌라후프의 반지름과 큰 훌라후프의 반지름의 합에서 겹친 길이를 빼면 됩니다.
(작은 훌라후프의 반지름)
$=70 \div 2=35$ (cm),
(큰 훌라후프의 반지름)
$=90 \div 2=45$ (cm)이므로
(작은 훌라후프의 반지름)+(큰 훌라후프의 반지름)$=35+45=80$ (cm)입니다.
⇨ (선분 ㄱㄴ의 길이)$=80-15=65$ (cm)

7 남학생 수는
3학년: $61=60+1$ ⇨ ◎ 6개와 ○ 1개,
4학년: $39=30+9$ ⇨ ◎ 3개와 ○ 9개,
5학년: $17=10+7$ ⇨ ◎ 1개와 ○ 7개입니다.
여학생 수는
2학년: $55=50+5$ ⇨ ◎ 5개와 ○ 5개,
5학년: $38=30+8$ ⇨ ◎ 3개와 ○ 8개,
6학년: $23=20+3$ ⇨ ◎ 2개와 ○ 3개입니다.

8 (학년별 학생 수)=(학년별 남학생 수)+(학년별 여학생 수)이므로
1학년: $52+47=99$(명),
2학년: $36+55=91$(명),
3학년: $61+18=79$(명),
4학년: $39+34=73$(명),
5학년: $17+38=55$(명),
6학년: $26+23=49$(명)입니다.
(합계)$=231+215=446$(명)

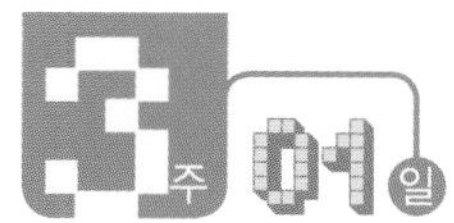

개념 돌파 전략❶ 개념 기초 확인 77, 79쪽

1-1 $\frac{1}{4}$　　1-2 $\frac{2}{3}$

2-1 2　　2-2 6

3-1 ㉢　　3-2 ㉠

4-1 3 리터 800 밀리리터

4-2 2 리터 500 밀리리터

5-1 4 킬로그램 800 그램

5-2 2 킬로그램 300 그램

6-1 5 kg 300 g　　6-2 3 kg 300 g

1-2 색칠한 부분은 전체를 똑같이 3묶음으로 나눈 것 중의 2묶음입니다.

2-2 8을 똑같이 4묶음으로 나눈 것 중의 3묶음은 6입니다.

3-2 가분수는 분자가 분모와 같거나 분모보다 큰 분수이므로 가분수를 찾으면 ㉠입니다.

4-2 2 L 500 mL를 읽으면 2 리터 500 밀리리터입니다.

5-2 2 kg 300 g을 읽으면 2 킬로그램 300 그램입니다.

6-2 무게의 뺄셈을 할 때 kg은 kg끼리, g은 g끼리 뺍니다.

들이의 계산은
L는 L끼리, mL는
mL끼리 하고

무게의 계산은
kg은 kg끼리, g은
g끼리 합니다.

개념 돌파 전략❷ 80~81쪽

1 (1) 4 (2) 12

2

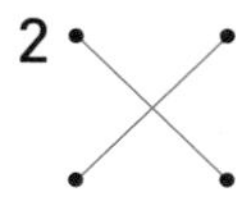

3 <

4 (1) 5, 5000, 5600 (2) 1000, 1, 1

5 (1) 7 L 200 mL (2) 2 L 500 mL
(3) 4 L 500 mL (4) 2 L 600 mL

6 (1) 6 kg 700 g (2) 1 kg 800 g
(3) 6 kg 100 g (4) 4 kg 700 g

1 (1) 20을 똑같이 5묶음으로 나눈 것 중의 1묶음은 4입니다.
(2) 20을 똑같이 5묶음으로 나눈 것 중의 3묶음은 $4\times3=12$입니다.

2 $\frac{7}{6}$은 분자가 분모보다 크므로 가분수입니다.
$\frac{2}{3}$는 분자가 분모보다 작으므로 진분수입니다.
$6\frac{2}{3}$는 자연수와 진분수로 이루어져 있으므로 대분수입니다.

3 수직선에서 $\frac{5}{3}$가 $\frac{4}{3}$보다 더 오른쪽에 있으므로 $\frac{5}{3}$가 더 큽니다.

4 (1) 5 L 600 mL＝5 L＋600 mL
＝5000 mL＋600 mL
＝5600 mL
(2) 1700 mL＝1000 mL＋700 mL
＝1 L＋700 mL
＝1 L 700 mL

5 (1)
$$\begin{array}{r} {\scriptstyle 1} \quad\quad\quad\quad \\ 3\text{ L}\ \ 300\text{ mL} \\ +\ 3\text{ L}\ \ 900\text{ mL} \\ \hline 7\text{ L}\ \ 200\text{ mL} \end{array}$$

(2)
$$\begin{array}{r} {\scriptstyle 4}\quad\ \ {\scriptstyle 1000}\quad\ \ \\ \cancel{5}\text{ L}\ \ 400\text{ mL} \\ -\ 2\text{ L}\ \ 900\text{ mL} \\ \hline 2\text{ L}\ \ 500\text{ mL} \end{array}$$

6 (1)
$$\begin{array}{r} {\scriptstyle 1} \quad\quad\quad\quad \\ 2\text{ kg}\ \ 800\text{ g} \\ +\ 3\text{ kg}\ \ 900\text{ g} \\ \hline 6\text{ kg}\ \ 700\text{ g} \end{array}$$

(2)
$$\begin{array}{r} {\scriptstyle 3}\quad\ \ {\scriptstyle 1000}\quad \\ \cancel{4}\text{ kg}\ \ 500\text{ g} \\ -\ 2\text{ kg}\ \ 700\text{ g} \\ \hline 1\text{ kg}\ \ 800\text{ g} \end{array}$$

(3) 3 kg 400 g+2 kg 700 g
=5 kg 1100 g
=6 kg 100 g

(4) 7 kg 500 g−2 kg 800 g
=6 kg 1500 g−2 kg 800 g
=4 kg 700 g

필수 체크 전략❶ 82~85쪽

필수 예제 01 0 2 4 6 8 10(cm) / 4

확인 1-1 0 5 10 15 20(cm) / 15 cm

확인 1-2 0 2 4 6 8 10 12 14(cm) / 8 cm

필수 예제 02 ㉡

확인 2-1 ㉠

확인 2-2 ㉠

필수 예제 03 (1) 4350 mL (2) 4 L 350 mL

확인 3-1 7 L 450 mL

확인 3-2 5 L 770 mL

필수 예제 04 한희

확인 4-1 은수

확인 4-2 명지

확인 1-1 20 cm를 똑같이 4로 나누면 1은 5 cm 입니다.
⇨ 20 cm의 $\frac{3}{4}$은 20 cm를 똑같이 4로 나눈 것 중의 3이므로 5×3=15 (cm)입니다.

확인 1-2 14 cm를 똑같이 7로 나누면 1은 2 cm 입니다.
⇨ 14 cm의 $\frac{4}{7}$는 14 cm를 똑같이 7로 나눈 것 중의 4이므로 2×4=8 (cm)입니다.

확인 2-1 $2\frac{2}{4}$ ⇨ $\left(2\text{와 }\frac{2}{4}\right)$ ⇨ $\left(\frac{8}{4}\text{과 }\frac{2}{4}\right)$ ⇨ $\frac{10}{4}$
분자를 비교하면 11>10이므로 더 큰 분수는 ㉠입니다.

확인 2-2 $1\frac{3}{6}$ ⇨ $\left(1\text{과 }\frac{3}{6}\right)$ ⇨ $\left(\frac{6}{6}\text{과 }\frac{3}{6}\right)$ ⇨ $\frac{9}{6}$
분자를 비교하면 11>9이므로 더 큰 분수는 ㉠입니다.

확인 3-1 6250 mL+1200 mL=7450 mL
7450 mL=7000 mL+450 mL
=7 L+450 mL
=7 L 450 mL

확인 3-2 3950 mL+1820 mL=5770 mL
5770 mL=5000 mL+770 mL
=5 L+770 mL
=5 L 770 mL

확인 4-1 1 kg 500 g=1500 g
지혜: 1500 g−1440 g=60 g,
은수: 1550 g−1500 g=50 g
⇨ 60 g>50 g이므로 더 가깝게 어림한 사람은 은수입니다.

확인 4-2 1 kg 200 g=1200 g
명지: 1200 g−1170 g=30 g,
석우: 1250 g−1200 g=50 g
⇨ 30 g<50 g이므로 더 가깝게 어림한 사람은 명지입니다.

필수 체크 전략 ❷ 86~87쪽

1 $\frac{6}{8}$, $\frac{3}{4}$
2 $4\frac{1}{3}$, $4\frac{2}{3}$
3 $\frac{18}{7}$
4 4 L 300 mL
5 다
6 750 g

1 16을 2씩 묶으면 8묶음이 되고, 12는 8묶음 중 6묶음이므로 $\frac{6}{8}$입니다.
16을 4씩 묶으면 4묶음이 되고, 12는 4묶음 중 3묶음이므로 $\frac{3}{4}$입니다.

2 대분수는 자연수와 진분수로 이루어진 분수입니다.
진분수 부분은 분모가 3인 분수이므로 $\frac{1}{3}$, $\frac{2}{3}$ 입니다.
⇨ $4\frac{1}{3}$, $4\frac{2}{3}$

3 $\frac{18}{7}$을 대분수로 나타내면 $2\frac{4}{7}$입니다.
자연수 부분이 같으므로 진분수 부분을 비교하면 $\frac{4}{7}>\frac{3}{7}>\frac{1}{7}$이므로 가장 큰 분수는 $\frac{18}{7}$ 입니다.

4 1850 mL=1 L 850 mL
⇨ 1 L 850 mL+2 L 450 mL
=3 L 1300 mL
=4 L 300 mL

5 가를 올려놓은 쪽이 아래로 내려갔으므로 가가 나보다 무겁습니다.
다를 올려놓은 쪽이 아래로 내려갔으므로 다가 가보다 무겁습니다.
⇨ 다>가>나이므로 다가 가장 무겁습니다.

6 (접시의 무게)+(배의 무게)=1 kg 250 g
⇨ (배의 무게)=1 kg 250 g−(접시의 무게)
=1 kg 250 g−500 g
=1250 g−500 g
=750 g

필수 체크 전략 ❶ 88~91쪽

필수 예제 01 ⑤
확인 1-1 9개
확인 1-2 2개
필수 예제 02 4
확인 2-1 1
확인 2-2 5
필수 예제 03 100 mL
확인 3-1 250 mL
확인 3-2 350 mL
필수 예제 04 300 g
확인 4-1 150 g
확인 4-2 20 g

정답 및 풀이

확인 1-1 초콜릿 12개의 $\frac{1}{4}$은 전체를 똑같이 4묶음으로 나눈 것 중의 1묶음이므로 3개입니다.
먹고 남은 초콜릿의 수는 $12-3=9$(개)입니다.

확인 1-2 젤리 14개의 $\frac{1}{7}$은 2개이므로 $\frac{6}{7}$은 전체를 똑같이 7묶음으로 나눈 것 중의 6묶음인 $2\times6=12$(개)입니다.
먹고 남은 젤리의 수는 $14-12=2$(개)입니다.

확인 2-1 $\frac{8}{3}$ ⇨ $\left(\frac{6}{3}\text{과 }\frac{2}{3}\right)$ ⇨ $\left(2\text{와 }\frac{2}{3}\right)$ ⇨ $2\frac{2}{3}$입니다.
두 대분수의 자연수 부분이 같으므로 진분수 부분의 분자를 비교하면 $\square<2$입니다.
따라서 □ 안에 들어갈 수 있는 자연수는 1입니다.

확인 2-2 $\frac{16}{6}$ ⇨ $\left(\frac{12}{6}\text{와 }\frac{4}{6}\right)$ ⇨ $\left(2\text{와 }\frac{4}{6}\right)$ ⇨ $2\frac{4}{6}$입니다.
두 대분수의 자연수 부분이 같으므로 진분수 부분의 분자를 비교하면 $4<\square$입니다. $\frac{\square}{6}$는 진분수이므로 $\square<6$입니다.
따라서 □ 안에 들어갈 수 있는 자연수는 5입니다.

확인 3-1 두 수조에 있는 물의 양의 차는
1200 mL−700 mL=500 mL입니다.
⇨ 500 mL=250 mL+250 mL이므로 가 수조에서 나 수조로 250 mL 부어야 합니다.

확인 3-2 두 수조에 있는 물의 양의 차는
1550 mL−850 mL=700 mL입니다.
⇨ 700 mL=350 mL+350 mL이므로 가 수조에서 나 수조로 350 mL 부어야 합니다.

확인 4-1 저울의 눈금을 읽으면 600 g입니다.
⇨ 600 g
=150 g+150 g+150 g+150 g
에서 귤 1개의 무게는 150 g입니다.

확인 4-2 저울의 눈금을 읽으면 100 g입니다.
⇨ 100 g
=20 g+20 g+20 g+20 g+20 g
에서 쿠키 1개의 무게는 20 g입니다.

필수 체크 전략 ❷ 92~93쪽

1 (1) 8 (2) 10
2 $\frac{2}{3}$, $\frac{2}{4}$, $\frac{3}{4}$
3 3, 4, 5, 6에 ○표
4 3 L 300 mL
5 1 L 600 mL
6 ㉡

1 (1) 12마리를 똑같이 3묶음으로 나누면 1묶음은 4마리이므로 2묶음은 $4\times2=8$(마리)입니다.
(2) 12마리를 똑같이 6묶음으로 나누면 1묶음은 2마리이므로 5묶음은 $2\times5=10$(마리)입니다.

2 진분수는 분자가 분모보다 작은 분수이므로 분자에 들어갈 수 있는 수는 2 또는 3입니다.
분자가 2일 때: $\frac{2}{3}$, $\frac{2}{4}$
분자가 3일 때: $\frac{3}{4}$

3 대분수의 자연수 부분이 3으로 같으므로 진분수 부분의 분자를 비교하면 $2<\square$입니다.
$\frac{\square}{7}$는 진분수이므로 $\square<7$입니다.
따라서 □ 안에 들어갈 수 있는 수는 3, 4, 5, 6입니다.

4 물의 높이가 가리키는 곳은 숫자 3에서 3칸 위이므로 3 L 300 mL입니다.

5

	1	1000
	~~2~~ L	300 mL
−		700 mL
	1 L	600 mL

6 5050 g=5 kg 50 g
kg이 같으므로 g끼리 비교하면 $50<300$입니다.
⇨ ㉡이 더 무겁습니다.

5 kg 300 g을
5300 g으로 바꾸어 비교할
수도 있습니다.

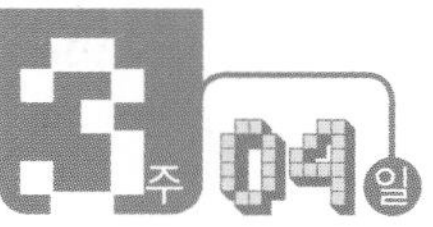

교과서 대표 전략❶ 94~97쪽

대표 예제 01 예 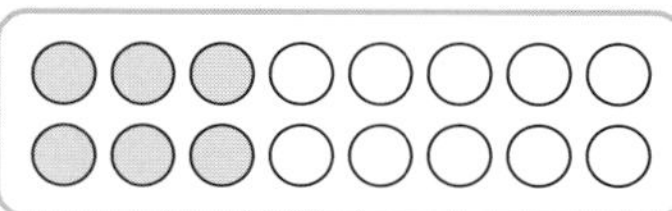

대표 예제 02 $\frac{2}{3}$, $\frac{8}{9}$에 ○표

대표 예제 03 $\frac{10}{7}$ $\left(\text{또는 } 1\frac{3}{7}\right)$

대표 예제 04 1, 2, 3, 4, 5

대표 예제 05 예 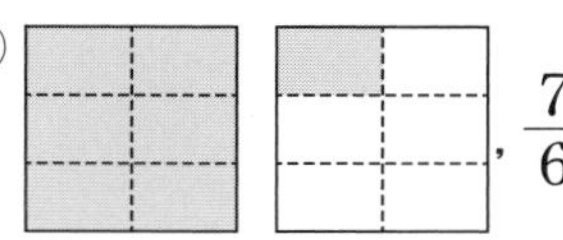, $\frac{7}{6}$

대표 예제 06 $7\frac{3}{5}$

대표 예제 07 50 cm

대표 예제 08 $\frac{7}{4}$에 ○표

대표 예제 09 책, 7개

대표 예제 10 예 mL끼리 더하면 1100 mL이므로 1 L를 받아올림해야 합니다.

대표 예제 11 1 L 800 mL

대표 예제 12 ㉠, ㉣

대표 예제 13 ㉡, ㉠, ㉢

대표 예제 14 1600 g

대표 예제 15 1 kg 700 g

대표 예제 16 2 L 350 mL

대표 예제 01 16의 $\frac{1}{8}$은 2이므로 $2\times3=6$(개)만큼 색칠합니다.

대표 예제 02 분자가 분모보다 작은 분수를 모두 찾으면 $\frac{2}{3}$, $\frac{8}{9}$입니다.

대표 예제 03 수직선에서 1칸은 $\frac{1}{7}$을 나타냅니다. $1\left(=\frac{7}{7}\right)$에서 3칸 더 간 곳을 가리키므로 $\frac{10}{7}$ 또는 $1\frac{3}{7}$입니다.

대표 예제 04 $\frac{■}{6}$가 진분수 부분이므로 ■<6입니다. 따라서 ■가 될 수 있는 수를 모두 쓰면 1, 2, 3, 4, 5입니다.

대표 예제 05 1과 $\frac{1}{6}$만큼 색칠하면 $\frac{1}{6}$을 7칸 색칠한 것과 같으므로 $\frac{7}{6}$입니다.

대표 예제 06 자연수 부분에 가장 큰 수인 7을 놓고 남은 수 카드로 진분수를 만들면 $\frac{3}{5}$입니다. ⇨ $7\frac{3}{5}$

대표 예제 07 1 m=100 cm
100 cm의 $\frac{1}{2}$은 100 cm를 똑같이 2로 나눈 것 중의 1이므로 50 cm입니다.

대표 예제 08 $1\frac{2}{4}=\frac{6}{4}$
분자를 비교하면 7>6>5이므로 가장 큰 분수는 $\frac{7}{4}$입니다.

대표 예제 09 책이 공책보다 구슬 16−9=7(개)만큼 더 무겁습니다.

대표 예제 10 1 L를 받아올림하지 않았다는 내용이 있으면 정답입니다.

대표 예제 11 1080 mL=1 L 80 mL
⇨ 들이가 다른 하나는 1 L 800 mL입니다.

대표 예제 12 비행기와 유람선은 1 t보다 무겁습니다.
연필과 청소기는 1 t보다 가볍습니다.

대표 예제 13 ㉠ 6050 mL=6 L 50 mL
⇨ 6 L 150 mL>6 L 50 mL>5 L 900 mL이므로 들이가 많은 순서대로 기호를 쓰면 ㉡, ㉠, ㉢입니다.

대표 예제 14 저울의 눈금을 읽으면 1 kg에서 6칸만큼 더 간 곳을 가리키므로 1 kg 600 g입니다.
⇨ 1 kg 600 g=1600 g

대표 예제 15 2500 g=2 kg 500 g
⇨ 4 kg 200 g−2 kg 500 g
=1 kg 700 g

대표 예제 16 (수조에 들어 있던 물의 양)
=3 L 300 mL−950 mL
=2 L 350 mL

교과서 대표 전략❷ 98~99쪽

1 ㉠	2 30
3 6	4 해인
5 120 g	6 ㉠
7 가 컵	8 (위에서부터) 2, 800

1 $2\frac{1}{7}$ ⇨ $\left(2\text{와 }\frac{1}{7}\right)$ ⇨ $\left(\frac{14}{7}\text{와 }\frac{1}{7}\right)$ ⇨ $\frac{15}{7}$
나타내는 수가 다른 것은 ㉠ $\frac{13}{7}$입니다.

2 $\frac{1}{6}$은 전체를 똑같이 6묶음으로 나눈 것 중의 1묶음입니다.
⇨ ㉠의 $\frac{1}{6}$이 5이므로 ㉠은 5×6=30입니다.

3 진분수이므로 분모가 분자보다 커야 합니다. □ 안에 들어갈 수 있는 자연수는 6, 7, 8, 9이고 이 중에서 가장 작은 수는 6입니다.

4 24개의 $\frac{1}{8}$은 3개이므로 해인이가 먹은 딸기는 $3\times3=9$(개)입니다.
지우가 먹은 딸기는 24개의 $\frac{1}{3}$인 8개입니다.
⇨ $9>8$이므로 해인이가 더 많이 먹었습니다.

5 20 g짜리 추가 6개 있으므로 오이의 무게는 20 g을 6번 더한 것과 같습니다.
⇨ (오이의 무게)
$=20\text{ g}+20\text{ g}+20\text{ g}+20\text{ g}+20\text{ g}+20\text{ g}$
$=120\text{ g}$

6 ㉠ $2\text{ kg }600\text{ g}+9\text{ kg }500\text{ g}$
$=11\text{ kg }1100\text{ g}=12\text{ kg }100\text{ g}$
㉡ $14\text{ kg }300\text{ g}-3\text{ kg }700\text{ g}$
$=13\text{ kg }1300\text{ g}-3\text{ kg }700\text{ g}$
$=10\text{ kg }600\text{ g}$
⇨ $12\text{ kg }100\text{ g}>10\text{ kg }600\text{ g}$

7 부은 횟수가 적을수록 컵의 들이가 더 많으므로 $5<7<8$에서 부은 횟수가 가장 적은 가 컵의 들이가 가장 많습니다.

8
$$\begin{array}{rrrr} & ㉠\text{ L} & 700\text{ mL} \\ + & 1\text{ L} & ㉡\text{ mL} \\ \hline & 4\text{ L} & 500\text{ mL} \end{array}$$
mL끼리 계산하면 $700+㉡=500$이 될 수 없으므로 $700+㉡=1500$입니다.
$1500-700=㉡$, $㉡=800$
L끼리 계산하면 $1+㉠+1=4$입니다.
$㉠+2=4$, $4-2=㉠$, $㉠=2$

누구나 만점 전략 100~101쪽

01 $\frac{3}{5}$
02 $\frac{11}{2}$, $\frac{20}{20}$에 ○표
03 <
04 $1\frac{1}{4}$
05 8개
06 1 L 600 mL
07 250 g
08 mL
09 3 L 700 mL
10 800 g

1 2씩 묶으면 색칠한 부분은 똑같이 5묶음으로 나눈 것 중의 3묶음이므로 $\frac{3}{5}$입니다.

2 분자가 분모와 같거나 분모보다 큰 분수를 모두 찾으면 $\frac{11}{2}$, $\frac{20}{20}$입니다.

3 분모가 같으므로 분자의 크기를 비교하면 $11<13$이므로 $\frac{11}{9}<\frac{13}{9}$입니다.

4 1과 $\frac{1}{4}$만큼 있으므로 $1\frac{1}{4}$입니다.

5 사과를 똑같이 5묶음으로 나눈 것 중의 2묶음이므로 8개입니다.

6 1 L보다 600 mL 많은 들이를 1 L 600 mL라고 합니다.

7 저울의 눈금을 읽으면 250 g입니다.

8 요구르트병의 들이는 100 mL가 알맞습니다.

9
$$\begin{array}{rrr} & 2\text{ L} & 200\text{ mL} \\ + & 1\text{ L} & 500\text{ mL} \\ \hline & 3\text{ L} & 700\text{ mL} \end{array}$$

10
$$\begin{array}{rrr} & \overset{0}{\cancel{1}}\text{ kg} & \overset{1000}{300}\text{ g} \\ - & & 500\text{ g} \\ \hline & & 800\text{ g} \end{array}$$

정답 및 풀이

창의・융합・코딩 전략 ❶ 102~103쪽

1 4개　　2 1100 g

1　6개의 $\frac{1}{3}$은 2개이므로 $2\times2=4$(개)입니다.

2　$1\text{ kg }100\text{ g}=1\text{ kg}+100\text{ g}$
$=1000\text{ g}+100\text{ g}=1100\text{ g}$

창의・융합・코딩 전략 ❷ 104~107쪽

1 $\frac{9}{4}$
2 4
3 예 (구슬 30개 중 18개 색칠)
4 9일
5 파란색, 검은색, 노란색
6 2 L 160 mL
7 240 g
8 4 L 300 mL

1　두 수 중에서 큰 수를 분자에, 작은 수를 분모에 넣은 분수가 나오는 규칙입니다.
큰 수인 9를 분자에, 작은 수인 4를 분자에 넣으면 $\frac{9}{4}$입니다.

2　36의 $\frac{1}{3}$은 12이고 $12>10$입니다.
12의 $\frac{1}{3}$은 4이고 $4<10$입니다. ⇨ 4

3　8개가 전체 구슬을 똑같이 9묶음으로 나눈 것 중의 4묶음이므로 1묶음은 $8\div4=2$(개)입니다.
파란 구슬은 5묶음만큼이므로 $2\times5=10$(개)를 색칠합니다.

4　이달의 날수는 30일입니다.
비 온 날: 30일의 $\frac{1}{5}$은 6일이므로
$6\times2=12$(일)입니다.
흐린 날: 30일의 $\frac{1}{10}$은 3일이므로
$3\times3=9$(일)입니다.
⇨ 맑은 날: $30-12-9=9$(일)

5　• 파란색 추 5개와 검은색 추 8개의 무게가 같으므로 파란색 추 1개가 검은색 추 1개보다 무겁습니다.
• 노란색 추 8개와 검은색 추 4개의 무게가 같으므로 검은색 추 1개가 노란색 추 1개보다 무겁습니다.
⇨ (파란색 추 1개의 무게)$>$(검은색 추 1개의 무게)$>$(노란색 추 1개의 무게)

6　2홉$=180\text{ mL}+180\text{ mL}=360\text{ mL}$
⇨ $1\text{ L }800\text{ mL}+360\text{ mL}$
$=1\text{ L }1160\text{ mL}=2\text{ L }160\text{ mL}$

7　복숭아 4개의 무게는 800 g이므로 복숭아 1개의 무게는 $800\div4=200$ (g)입니다.
자두 5개의 무게는 200 g이므로 자두 1개의 무게는 $200\div5=40$ (g)입니다.
⇨ $200\text{ g}+40\text{ g}=240\text{ g}$

8　수조에 3번 부은 물의 양:
$1\text{ L }700\text{ mL}+1\text{ L }700\text{ mL}+1\text{ L }700\text{ mL}$
$=3\text{ L }2100\text{ mL}=5\text{ L }100\text{ mL}$
⇨ (수조의 들이)$=5\text{ L }100\text{ mL}-800\text{ mL}$
$=4\text{ L }1100\text{ mL}-800\text{ mL}$
$=4\text{ L }300\text{ mL}$

신유형·신경향·서술형 전략 110~115쪽

1
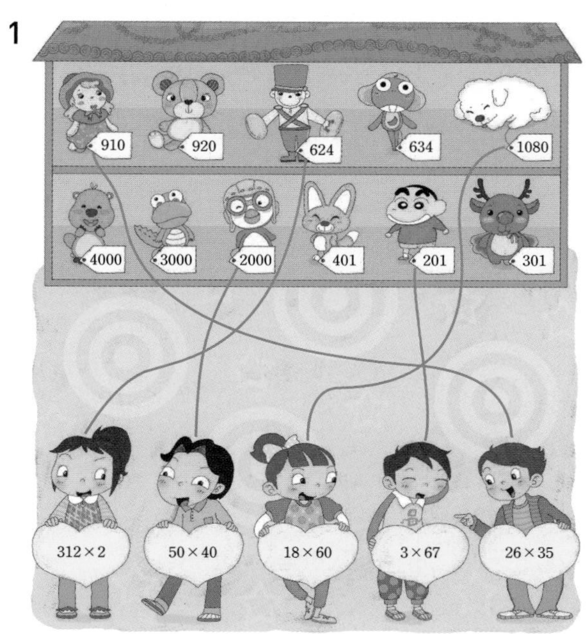

2 ❶ 53명, 1개 ❷ 87명, 6개 ❸ 7개

3
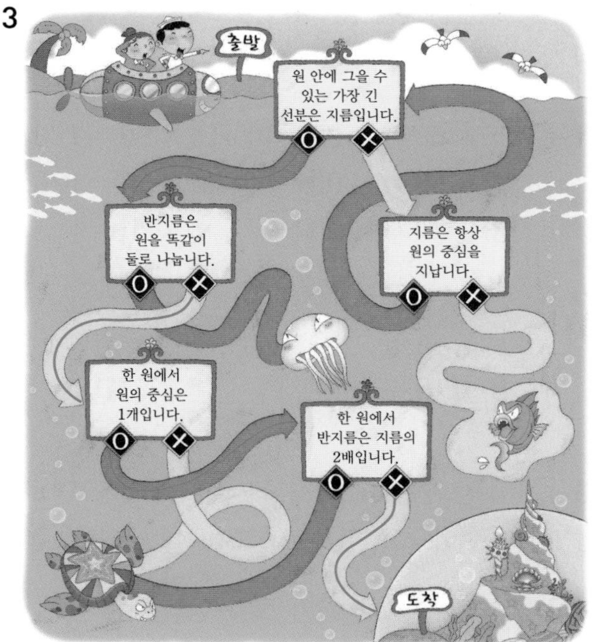

4 ❶ 3개, 5개, 4개 ❷ $5\frac{3}{4}$ ❸ $\frac{23}{4}$

5 ❶ 3 L 500 mL ❷ 7 kg 600 g ❸ 2 L 300 mL

6 ❶ 28, 49, 54, 37, 168 ❷ 치킨 ❸ 햄버거

1 $312\times2=624$, $50\times40=2000$, $18\times60=1080$, $3\times67=201$, $26\times35=910$

2 ❶ $213\div4=53\cdots1$
⇨ 53명에게 나누어 줄 수 있고 1개가 남습니다.
❷ $615\div7=87\cdots6$
⇨ 87명에게 나누어 줄 수 있고 6개가 남습니다.
❸ $1+6=7$(개)

3 지름은 원을 똑같이 둘로 나눕니다.
한 원에서 지름은 반지름의 2배입니다.
한 원에서 반지름은 지름의 반입니다.

4 ❶ 컴퍼스의 침을 꽂아야 하는 곳이 원의 중심입니다.

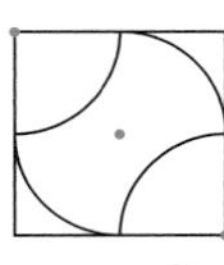 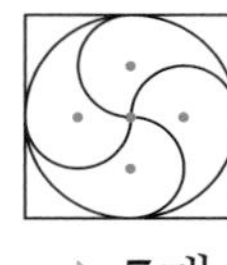

⇨ 3개 ⇨ 5개 ⇨ 4개

❷ 3, 5, 4이므로 5>4>3에서 가장 큰 수인 5를 자연수 부분에 놓고 남은 두 수로 진분수를 만듭니다. ⇨ $5\frac{3}{4}$

❸ $5\frac{3}{4}$ ⇨ $\left(5와\ \frac{3}{4}\right)$ ⇨ $\left(\frac{20}{4}과\ \frac{3}{4}\right)$ ⇨ $\frac{23}{4}$

5 ❶ 1 L 200 mL+2 L 300 mL
=3 L 500 mL
❷ 4 kg 500 g+3 kg 100 g
=7 kg 600 g
❸ 5 L 700 mL−3 L 400 mL
=2 L 300 mL

6 ❶ • 햄버거: 큰 그림 2개, 작은 그림 8개
⇨ $20+8=28$
• 떡볶이: 큰 그림 4개, 작은 그림 9개
⇨ $40+9=49$
• 치킨: 큰 그림 5개, 작은 그림 4개
⇨ $50+4=54$
• 피자: 큰 그림 3개, 작은 그림 7개
⇨ $30+7=37$
(합계)$=28+49+54+37=168$(명)

❷ 큰 그림의 수를 세어 보면 2, 4, 5, 3이고 $5>4>3>2$이므로 가장 많은 학생이 먹고 싶은 음식은 치킨입니다.

❸ 큰 그림의 수는 $2<3<4<5$이므로 가장 적은 학생이 먹고 싶은 음식은 햄버거입니다.

신유형 · 신경향 · 서술형 전략으로
스스로 해결하는 힘을 키워 보세요.

학력진단 전략 1회 116~119쪽

01 ①
02 ㉡
03 300
04 (1) 648 (2) 135
05 ③
06 (1) 21 (2) 13…2
07 (선 잇기)
08
```
      6  4
   ×  5  9
   5  7  6
3  2  0  0
3  7  7  6
```
09 14, 3
10 (선 잇기)
11 146
12 75…3 ; 75, 450, 450, 3, 453
13 3458
14 245
15 45년
16 12번
17 26, 6
18 2625
19 35 cm
20 17번

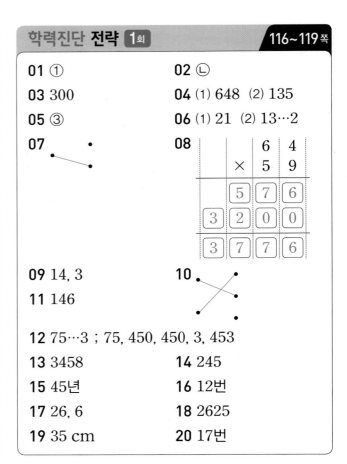

01 ① $25\times60=1500$ ② $15\times80=1200$
③ $20\times60=1200$ ④ $24\times50=1200$
⑤ $40\times30=1200$

02
```
    6 0
  × 8 0
4 8 0 0
  ㉡
```

03 □ 안의 수는 십의 자리에서 백의 자리로 올림한 수이므로 실제로는 300을 나타냅니다.

04 (1)
```
  3 2 4
×     2
  6 4 8
```
(2)
```
      5
  × 2 7
    3 5
  1 0 0
  1 3 5
```

05 나누는 수는 나머지보다 커야 하므로 ③은 나머지가 3이 될 수 없습니다.

06 (1)

$$\begin{array}{r} 21 \\ 4\overline{)84} \\ \underline{8} \\ 4 \\ \underline{4} \\ 0 \end{array}$$

(2)

$$\begin{array}{r} 13 \\ 7\overline{)93} \\ \underline{7} \\ 23 \\ \underline{21} \\ 2 \end{array}$$

07

$$\begin{array}{r} 6 \\ \times\ 47 \\ \hline 42 \\ 240 \\ \hline 282 \end{array}$$

08

$$\begin{array}{rl} 64 & \\ \times\ 59 & \\ \hline 576 & \cdots 64\times 9 \\ 3200 & \cdots 64\times 50 \\ \hline 3776 & \end{array}$$

09 $87\div 6=14\cdots 3$

10

$$\begin{array}{r} 20 \\ 4\overline{)80} \\ \underline{8} \\ 0 \end{array} \qquad \begin{array}{r} 15 \\ 6\overline{)90} \\ \underline{6} \\ 30 \\ \underline{30} \\ 0 \end{array}$$

11

$$\begin{array}{r} 146 \\ 5\overline{)730} \\ \underline{5} \\ 23 \\ \underline{20} \\ 30 \\ \underline{30} \\ 0 \end{array}$$

12 $453\div 6=75\cdots 3$

$6\times 75=450$ ⇨ $450+3=453$

13 $91>73>38$이므로 가장 큰 수는 91이고 가장 작은 수는 38입니다.

⇨ $91\times 38=3458$

14 사각형에 적힌 수는 5와 49입니다.

⇨ $5\times 49=245$

15 $3\times 15=45$(년)

16 한 번에 8점씩 모두 96점이므로 화살을 $96\div 8=12$(번) 쏜 것입니다.

17 어떤 수를 □라 하면 $□\div 5=37\cdots 3$입니다.
$5\times 37=185$, $185+3=□$, $□=188$입니다.
따라서 바르게 계산하면 $188\div 7=26\cdots 6$입니다.

18 $7>5>3$이므로 가장 큰 두 자리 수는 75, $3<5<7$이므로 가장 작은 두 자리 수는 35입니다.

⇨ $75\times 35=2625$

19 (정사각형 1개를 만들 때 사용한 색 테이프의 길이)=(색 테이프의 전체 길이)÷(만든 정사각형의 수)이므로
$280\div 2=140$ (cm)입니다.
(정사각형 1개를 만들 때 사용한 색 테이프의 길이)=(정사각형 1개의 네 변의 길이의 합)이고 정사각형은 네 변의 길이가 모두 같으므로 (한 변의 길이)=(네 변의 길이의 합)÷4입니다.

⇨ $140\div 4=35$ (cm)

20 5월 1일부터 6월 4일까지 날수:
$31+4=35$(일)
2일에 한 번씩 찍었으므로 $35\div 2=17\cdots 1$에서 사진을 모두 17번 찍었습니다.

학력진단 전략 2회 120~123쪽

01 중심, 반지름

02 2 cm

03 예

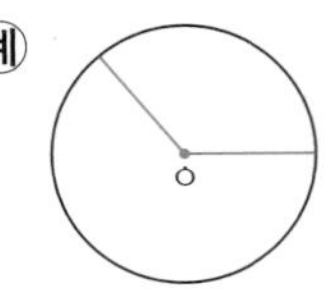

04 예

05 18 cm

06 7 cm

07 28명

08

혈액형	학생 수
A형	△△△△△△△
B형	△△△△△
AB형	△△△△
O형	▲△△

▲10명 △1명

09 27, 24, 28, 79

10 26 cm

11 김밥

12 순대

13

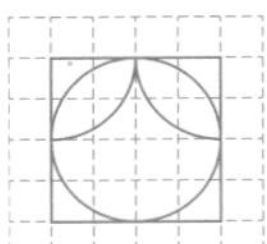

14 D동, B동, C동, A동

15

아파트	자동차 수
A동	●◎○○○
B동	●●●◎○
C동	●●◎
D동	●●●●◎○○

●10대 ◎5대 ○1대

16 37명

17 32명

18 28 cm

19 12 cm

20 37, 16, 126 ;

과일	학생 수
귤	◎◎◎◎○○○○○
사과	◎◎◎○○○○○○○
복숭아	◎◎○○○○○○○○
배	◎○○○○○○

◎10명 ○1명

01 원의 중심: 원을 그릴 때 누름 못이 꽂혔던 점 ㅇ
원의 반지름: 원의 중심 ㅇ과 원 위의 한 점을 이은 선분

02 컴퍼스를 2 cm만큼 벌렸으므로 그린 원의 반지름은 2 cm입니다.

03 원의 중심 ㅇ과 원 위의 한 점을 이은 선분을 2개 긋습니다.

04 원 위의 두 점을 이은 선분 중 원의 중심을 지나는 선분을 2개 긋습니다.

05 원의 반지름이 9 cm이므로
(원의 지름)=(원의 반지름)×2
=9×2=18 (cm)입니다.

06 원의 지름이 14 cm이므로
(원의 반지름)=(원의 지름)÷2
=14÷2=7 (cm)입니다.

07 혈액형별 학생 수를 모두 더합니다.
⇨ 7+5+4+12=28(명)

08 O형: 12=10+2 ⇨ ▲ 1개와 △ 2개

09 1반은 ● 2개와 ○ 7개이므로 27명,
2반은 ● 2개와 ○ 4개이므로 24명,
3반은 ● 2개와 ○ 8개이므로 28명입니다.
합계는 27+24+28=79입니다.

10 (원의 지름)=(원의 반지름)×2이므로
(왼쪽 원의 지름)=6×2=12 (cm),
(오른쪽 원의 지름)=14 cm입니다.
⇨ (지름의 합)=12+14=26 (cm)

11 ◆의 수는 4, 1, 5, 3이고 5>4>3>1이므로 가장 많이 팔린 음식은 김밥입니다.

12 ◆의 수는 4, 1, 5, 3이고 1＜3＜4＜5이므로 가장 적게 팔린 음식은 순대입니다.

13 정사각형을 그리고, 한가운데에서 원을 1개 그린 뒤 정사각형의 꼭짓점 두 곳에서 원의 일부분을 그립니다.

14 ●의 수는 1, 3, 2, 4이고 4＞3＞2＞1이므로 자동차 수가 많은 동부터 쓰면 D동, B동, C동, A동입니다.

15 ○ 5개를 ◎ 1개로 바꾸어 그립니다.

16 ■ 3개, ▣ 1개, □ 2개이므로
30＋5＋2＝37(명)입니다.

17 빨간색: ■ 4개, ▣ 0개, □ 1개이므로
40＋0＋1＝41(명)입니다.
초록색: ▣ 1개, □ 4개이므로
5＋4＝9(명)입니다.
⇨ 41－9＝32(명)

18 선분 ㄱㄴ의 길이는 원의 반지름의 4배입니다.
⇨ (선분 ㄱㄴ의 길이)＝(원의 반지름)×4
＝7×4＝28 (cm)

19 (선분 ㄱㄴ의 길이)＝16÷2＝8 (cm),
(선분 ㄴㄷ의 길이)＝8÷2＝4 (cm)
⇨ (선분 ㄱㄷ의 길이)
＝(선분 ㄱㄴ의 길이)＋(선분 ㄴㄷ의 길이)
＝8＋4＝12 (cm)

20 귤: 45 ⇨ ◎ 4개와 ○ 5개
복숭아: 28 ⇨ ◎ 2개와 ○ 8개
사과: ◎ 3개와 ○ 7개 ⇨ 37명
배: ◎ 1개와 ○ 6개 ⇨ 16명
(합계)＝45＋37＋28＋16＝126(명)

학력진단 전략 3회 124~127쪽

01 가볍습니다에 ○표
02 mL에 ○표
03 (△)(○)(□)
04 가, 나, 4
05 6 t
06 (1) 2 (2) 12
07 $3\frac{1}{4}$, $\frac{13}{4}$
08 (1) 4070 (2) 2, 5
09 (1) 3005 (2) 5, 60
10 $\frac{4}{5}$
11 (1) $\frac{16}{3}$ (2) $8\frac{2}{5}$
12 ＞
13 ＜
14 15
15 서진
16 30
17 650 mL
18 7 L 340 mL
19 4 kg 40 g
20 $\frac{2}{6}$, $\frac{2}{7}$, $\frac{6}{7}$

01 1＜3이므로 사과가 배보다 구슬 3－1＝2(개)만큼 더 가볍습니다.

02 250 L는 1 L 우유갑 250개를 합한 들이이므로 L는 음료수 캔의 들이로는 알맞지 않습니다.

03 • 진분수: 분자가 분모보다 작은 분수
• 가분수: 분자가 분모와 같거나 분모보다 큰 분수
• 대분수: 자연수와 진분수로 이루어진 분수

04 가 그릇: 컵 9개, 나 그릇: 컵 5개
⇨ 9－5＝4(개)

05 1000 kg＝1 t ⇨ 6000 kg＝6 t

06 (1) 14 cm의 $\frac{1}{7}$은 14 cm를 7부분으로 똑같이 나눈 것 중의 1칸이므로 2 cm입니다.

(2) 14 cm의 $\frac{6}{7}$은 14 cm를 7부분으로 똑같이 나눈 것 중의 6칸이므로
$2\times6=12$ (cm)입니다.

07 색칠한 부분은 큰 사각형 3개와 $\frac{1}{4}$이므로 $3\frac{1}{4}$입니다.

$3\frac{1}{4}\rightarrow\left(3\text{과 }\frac{1}{4}\right)\rightarrow\left(\frac{12}{4}\text{와 }\frac{1}{4}\right)\rightarrow\frac{13}{4}$

08 (1) 4 kg 70 g=4 kg+70 g
=4000 g+70 g=4070 g

(2) 2005 g=2000 g+5 g
=2 kg+5 g=2 kg 5 g

09 (1) 3 L 5 mL=3 L+5 mL
=3000 mL+5 mL
=3005 mL

(2) 5060 mL=5000 mL+60 mL
=5 L+60 mL
=5 L 60 mL

10 35를 7씩 묶으면 5묶음이 됩니다. 28은 5묶음 중 4묶음이므로 35의 $\frac{4}{5}$입니다.

11 (1) $5\frac{1}{3}\rightarrow\left(5\text{와 }\frac{1}{3}\right)\rightarrow\left(\frac{15}{3}\text{와 }\frac{1}{3}\right)\rightarrow\frac{16}{3}$

(2) $\frac{42}{5}\rightarrow\left(\frac{40}{5}\text{과 }\frac{2}{5}\right)\rightarrow\left(8\text{과 }\frac{2}{5}\right)\rightarrow8\frac{2}{5}$

12 3 kg 500 g+2 kg 400 g=5 kg 900 g
⇨ 5 kg 900 g>5 kg 700 g

13 $4\frac{2}{7}=\frac{30}{7}$이므로 $\frac{30}{7}<\frac{31}{7}$입니다.

[다른 풀이] $\frac{31}{7}=4\frac{3}{7}$이므로
$4\frac{2}{7}<4\frac{3}{7}$입니다.

14 $\frac{㉠}{9}$이 가분수이므로 ㉠은 9와 같거나 9보다 큰 수입니다.
따라서 가장 작은 수는 9입니다.
$6\frac{㉡}{7}$은 대분수이므로 $\frac{㉡}{7}$은 진분수이어야 합니다.
㉡은 7보다 작은 수이므로 가장 큰 수는 6입니다.
⇨ 9+6=15

15 $8\frac{2}{13}=\frac{106}{13}$

⇨ $\frac{106}{13}>\frac{105}{13}$이므로 서진이의 기록이 더 깁니다.

16 분모가 5보다 커야 합니다.
⇨ 6+7+8+9=30

17 (사용한 식초의 양)
=(처음 식초의 양)−(남은 식초의 양)
=1 L 800 mL−1 L 150 mL
=650 mL

18 4100 mL=4 L 100 mL
⇨ 3 L 240 mL+4 L 100 mL
=7 L 340 mL

19 2090 g=2 kg 90 g
⇨ 2 kg 90 g+1 kg 950 g
=3 kg 1040 g=4 kg 40 g

20 7<6<2이므로 분모가 7일 때 분자는 6, 2입니다. ⇨ $\frac{6}{7}$, $\frac{2}{7}$

분모가 6일 때 분자는 2입니다. ⇨ $\frac{2}{6}$

정답은
이안에
있어!